H ALBERTINI
W9-CAU-731

DICTIONNAIRE PHILOSOPHIQUE DE CITATIONS

Léon-Louis Grateloup
Agrégé de Philosophie
Inspecteur honoraire de l'Académie de Paris

Édition revue et augmentée

En couverture : *La Muse*, de Pablo PICASSO (1935). Paris, Musée national d'art moderne. © SPADEM 1990 / cl. Dagli Orti.

ISBN 2-01-016580-2

PRÉFACE

DE L'USAGE PHILOSOPHIQUE DES CITATIONS

Pourquoi un « Dictionnaire philosophique de citations » et pourquoi pas, plutôt, un « Dictionnaire de citations philosophiques »? D'ailleurs, pourquoi citer? Et d'abord, qu'est-ce qu'une citation? Autant de questions pertinentes et solidaires, qui méritent quelques éclaircissements.

« *Citation* » est un mot ambigu, qui désigne aussi bien l'action de citer que le produit de cette action et qui évoque tout à la fois un prélèvement, un hommage et une sommation.

Cependant, les ambiguïtés mêmes du langage sont révélatrices : « *elles attestent souvent,* écrit Comte, *de profonds rapprochements, heureusement saisis par l'instinct commun, plusieurs siècles avant que la raison systématique y puisse atteindre* » (***Système de politique positive***, t. II, ch. IV). Nous voici en effet avertis que la citation peut être destinée à divers usages, des plus contestables aux mieux fondés, qui tous peut-être participent, à des degrés divers, de la gratuité d'un motif ornemental, du témoignage de reconnaissance d'un ex-voto, enfin du poids d'une pièce à conviction. C'est pourquoi, s'il est plus que douteux qu'il existe des citations proprement philosophiques, il est au moins probable qu'il existe un usage proprement philosophique de la citation.

Rien n'est plus éloigné de la philosophie que le pédantisme de ceux « *qui, pour faire parade de leur fausse science, citent à tort et à travers toutes sortes d'auteurs, qui parlent simplement pour parler et pour se faire admirer des sots, qui amassent sans jugement et sans discernement des apophtegmes et des traits d'histoire pour prouver ou pour faire semblant de prouver des choses qui ne se peuvent prouver que par des raisons* » (Malebranche, ***De la recherche de la vérité***, livre II, troisième partie, ch. V). À l'extrême limite de cette abolition du jugement derrière le rideau des citations, voici Hérille, qui « *soit qu'il parle, qu'il harangue ou qu'il écrive, veut citer: il fait dire au Prince des philosophes que le vin enivre, et à l'Orateur romain que l'eau le tempère. S'il se jette dans la morale, ce n'est pas lui, c'est le divin Platon qui assure que la vertu est aimable, le vice odieux, ou que l'un et l'autre se tournent en habitude. Les choses les plus communes, les plus triviales, et qu'il est même capable de penser, il veut les devoir aux Anciens, aux Latins, aux Grecs; ce n'est ni pour donner plus d'autorité à ce qu'il dit, ni peut-être pour se faire honneur de ce qu'il sait: il veut citer* » (La Bruyère, ***Des jugements***, § 64, in ***Les Caractères***).

Citer saint Paul ou Horace, pour s'abriter derrière l'autorité de l'un ou le latin de l'autre afin de braver le sens ou l'honnêteté, c'était chercher jadis une caution. Montaigne, expert en citations, était passé maître à ce jeu: « *ils n'ont à se prendre proprement à moy*, écrit-il, *de ce que je fay dire aux auctoritez recuës et approuvées de plusieurs siècles* » (***Essais***, III, ch. V). Mais les temps sont-ils entièrement révolus où les textes étaient un pouvoir et où, pour convaincre, il suffisait de citer? En philosophie, où plus que partout ailleurs, l'examen a droit de cité, on cite sans doute encore pour laisser la parole au maître, pour célébrer son propos, pour reconnaître son patronage; mais on cite aussi pour saisir sur le vif un effet particulier d'un système, pour prélever un instantané d'une doctrine, pour prendre un auteur au mot. S'il y a une manière éclectique ou dogmatique d'utiliser des citations pour se dispenser d'examiner, l'usage philosophique pourrait se reconnaître d'abord à ce qu'il se propose au contraire d'examiner de plus près, pour découvrir ensuite, en tirant sur la citation, tout ce qui vient avec elle, et la nappe de batiste ou de brouillard dans laquelle elle est prise. Le prélèvement ne serait donc qu'une première initiative, à partir de laquelle s'organiserait l'expédition ultérieure dans l'économie du système et dans l'ordre de ses raisons. À cet égard, les citations en philosophie sont des vasistas par où pénètrent dans le temple, en dehors des heures d'ouverture, les regards de ceux qui, séduits par sa gracieuse envolée ou inquiets devant ses dangereux encorbellements, demandent à voir comment il est construit.

Heureux les temps où l'on s'accorde à saisir tout ensemble et la forme et le fond, où l'on se bat pour des idées sur des textes et où, finalement, tous les conflits se règlent à coups de citations ! Car toute parole et toute écriture se posent, certes, en s'opposant, mais bien plus en s'exposant. Qu'il revendique d'être pénétré en esprit plutôt que pris à la lettre, ou qu'il en soit réduit à se citer lui-même, le discours est au péril de la citation comme Saint-Michel au péril de la mer. Exposé à une menace contre laquelle il est le seul recours. On l'invoque nécessairement fragmentaire, on crie à l'amputation ou au détournement, et on produit de nouvelles pièces plus copieuses ou plus ramassées ; et quand bien même un interlocuteur, de guerre lasse, voudrait se réfugier dans un silence rimbaldien, on citerait encore de lui un trait, une anecdote. Le promontoire de l'être est battu par le flot ininterrompu des citations qui l'érodent en même temps qu'elles le constituent. Car les mouvements du langage sont incessants, mais non pas infinis ; et le discours, sans fin ni origine assignables, d'une humanité qui répète sans comprendre bien avant de comprendre sans répéter, n'est fait, en dernière analyse, que de citations. Ainsi, plutôt que de demander pourquoi citer, mieux vaut savoir qui l'on cite et dans quel dessein. Car « *ce n'est pas une légère entreprise* » que de creuser le champ culturel de notre époque, pour y découvrir, sous l'agitation de surface, les couches profondes qui en détiennent le sens.

La citation sans guillemets, doublement banalisée parce que devenue cliché par sa forme et lieu commun par son contenu, n'est qu'un fragment érodé, pris au hasard des circonstances, dans le grand discours anonyme. La citation proprement dite consiste au contraire à convoquer nommément un auteur et tel propos détaché de son œuvre : mais ce découpage, aveuglément réitéré sur quelques formules canoniques, finit par réduire les œuvres les plus complexes et les philosophies les plus massives à deux ou trois bulles de bandes dessinées. La citation naturante devient, sous ce régime, citation naturée et retourne à l'anonymat. Elle peut alors prendre place dans un dictionnaire des citations philosophiques mortes au champ d'honneur.

L'objet du ***Dictionnaire philosophique de citations*** est de maintenir, au contraire, la citation « en acte ». L'ordre visible en est celui des cinquante notions composant le « Kampfplatz » où s'affrontent aujourd'hui les temps de parole. C'est à propos de ces notions, même si le mot ne se trouve pas dans le passage cité, que sont convoqués les auteurs et les œuvres, par ordre alphabétique, le souci de la clarté et de l'authenticité l'emportant sur les questions de préséance et l'amour des nouveautés.

Certes, citer, c'est mettre à plat l'édifice — si édifice il y a — d'où la citation est tirée ; mais cette déconstruction, qui ne nous fait pas connaître « l'ordre des raisons », est loin d'être, cependant, entièrement négative, puisqu'elle nous donne à voir, en quelque sorte sous un jour plus cru, les matériaux constitutifs que dissimule l'économie générale d'une œuvre, d'une doctrine ou d'un système. Sous ce rapport, un ***Dictionnaire philosophique de citations*** est un premier trousseau de clés pour un lecteur exigeant.

En effet, qui ne serait d'abord désemparé devant le nombre des auteurs, peu ou prou philosophes, la richesse et la diversité des œuvres susceptibles de retenir l'attention et dont les unes s'offrent au public toutes portes ouvertes, tandis que les autres semblent vouloir se dérober à l'investigation et réserver leur accès à quelques élus ? Il ne saurait être ici question de s'établir tour à tour au centre de chaque système, ni au cœur d'une doctrine, ni même à l'intérieur d'une œuvre ; mais bien de demander aux auteurs de comparaître en corps, chacun avec des textes à conviction, dans une série de procès, pour répondre à des questions dont ils n'ont pas l'initiative. Bien entendu, tous les philosophes ne se prêtent pas indifféremment à ce genre d'assignation : la manière aphoristique d'un Nietzsche, par exemple, fournit évidemment plus volontiers des « citations » au sens traditionnel du terme, que le cours d'une méditation cartésienne ou d'un dialogue platonicien, auxquels la continuité progressive est essentielle. Il suffit de comparer cette citation de Nietzsche : « *La pensée isolée à laquelle un homme de valeur, aux rires et railleries des gens sans valeur, attache un grand prix, est pour lui une clé de trésors cachés, pour ceux-là rien de plus qu'un morceau de ferraille* » (***Humain, trop humain***, I, 183) à celle-ci, de Platon : « *Le moyen le plus radical d'abolir toute espèce de discours, c'est d'isoler chaque chose de toutes les autres, car c'est la combinaison réciproque des formes qui a donné chez nous naissance au discours* » (***Le Sophiste***, 259e), pour percevoir que cette différence dans l'accueil réservé au sectionnement du logos est significative de ce qui constitue peut-être une des oppositions majeures de la philosophie.

Bien que nécessairement compendieux, le présent Dictionnaire ne se limite pas à ces « *formules que l'on retient et qui s'imposent à la mémoire, donnant ainsi un objet à la réflexion* » (Alain, ***Éléments de philosophie***, III, ch. II). Il offre un aperçu de formes variées : de la pensée lapidaire, qu'on dirait détachée d'un invisible contexte, au texte de quelque ampleur où une analyse limitée se dessine déjà sur la toile de fond d'une doctrine. Sont exclues les citations, jadis fondamentales, que l'usure a transformées en motifs ornementaux passe-partout, du genre *roseau pensant* pascalien ou *cogito ergo sum* cartésien ; exclues également les citations erratiques, dont on doute si elles expriment, entre l'énoncé et tel signataire, un rapport futile ou décisif ; ainsi l'énigmatique : *Ich habe meinen Regenschirm vergessen* (Nietzsche). En revanche, on trouvera des citations exhumées, qui gardent leur vigueur et leur actualité ; des citations restaurées dans leur état originel ; des citations-échantillons, qui permettent de discerner un registre ou un style, lorsque le sous-sol dans lequel a été pratiqué le forage est suffisamment homogène ; des citations-repères, prises à des non-philosophes qui, nullement soucieux d'édifier un système, préfèrent généralement la fulgurance de la formule à la patience du concept ; enfin, des citations latérales, prises dans les marges d'une philosophie systématique et qui peuvent en faciliter ou même en commander l'accès.

Tel quel, ce ***Dictionnaire philosophique de citations*** annonce l'usage auquel il prétend.

Si, dans un système parachevé, les détails s'estompent au profit de la majesté de l'ensemble, si, au cœur de la systématicité philosophique, s'inscrit le risque d'une érosion de cet étonnement premier sans lequel il n'est pas de philosophie, le principal effet d'une assignation des systèmes à comparaître à plat, en ordre dispersé, n'est pas seulement d'abolir quelques illusions dues à l'élévation et à la perspective, mais encore de faire paraître des coïncidences, des contradictions, des convergences et des intersections, certes fragmentaires mais souvent imprévues, en tout cas instigatrices d'apories philosophiques, c'est-à-dire toujours actuelles et fécondes.

Tramé autour de quelques centres d'intérêt strictement notionnels, ce Dictionnaire compose un ensemble qui ne s'ajuste spontanément à aucun système philosophique, témoignant ainsi d'un choix qui n'est ni éclectique ni dogmatique, mais qui vise à maintenir une tension vigilante entre les différents pôles de la pensée, à peu près comme l'athéisme, selon Lagneau, est « *le sel qui empêche la croyance en Dieu de se corrompre* » (***Cours sur Dieu***, I, p. 231). On ne cherchera donc pas ici de citation philosophique « en soi », mais on trouvera un choix philosophique — c'est-à-dire critique — de citations, destiné à garder vivace l'étonnement premier, antérieur aux scléroses et aux indurations de l'intellect.

L'apparente indifférence à l'historicité des problématiques, le recours au notionnel pour ainsi dire à l'état pur, sont ici tout le contraire d'un dispositif de retranchement: ils procèdent de l'intention de porter d'emblée le « bon sens » au cœur des problèmes et des conflits, au centre de vigilance et de gravité de tous les temples de la « théoria », dans ces mines de sel où la réflexion, empêchée de se corrompre, découvre constamment, sous forme de perles ou de pépites, les débris d'on ne sait quel grand jeu.

Chaque citation est suivie de sa référence: celle-ci comporte la date de la première édition de l'ouvrage.

Chaque auteur est désigné selon le code suivant:
CHAMFORT: auteur, philosophe ou non, ne figurant pas au programme.
COURNOT: philosophe du programme.

N.B. : Les noms en caractères gras sont ceux des **auteurs** dont la liste, établie par le Ministère de l'Éducation Nationale, constitue l'un des deux éléments du Programme de philosophie des classes terminales.

L'autre élément de ce Programme est la liste des **notions** que l'on retrouve ici dans l'ordre alphabétique.

ANTHROPOLOGIE

ARISTOTE

1/1 C'est à l'être capable d'acquérir le plus grand nombre d'arts que la nature a donné l'outil de loin le plus utile, la main. Et ceux qui prétendent que l'homme, loin d'être bien constitué, est le plus mal partagé des animaux — ils disent en effet qu'il n'a rien aux pieds, qu'il est nu, et ne possède pas d'armes pour la lutte — ont tort : les autres, en effet, disposent d'un seul recours, qu'ils ne peuvent échanger contre un autre, et il leur est nécessaire pour ainsi dire de rester chaussés pour dormir ou pour tout faire, de ne jamais déposer l'armure qu'ils ont autour du corps, de ne jamais échanger l'arme dont ils ont été dotés par le sort ; l'homme dispose au contraire de multiples moyens de défense, et il lui est toujours possible d'en changer, comme il peut posséder l'arme qu'il désire et au moment où il le désire. La main, en effet, devient griffe, serre, ou corne, et aussi lance, épée, n'importe quelle autre arme ou outil, et elle est tout cela parce qu'elle peut tout prendre et tenir.

*(**Des parties des animaux,** IV, 10, 687 b, trad. J.-C. Fraisse, P.U.F.)*

COMTE

1/2 Quoique les biologistes proprement dits, théoriciens ou praticiens, aspirent toujours à connaître l'homme pour le modifier, cette double prétention ne se réalise jamais que par exception. Car, elle est directement incompatible avec l'irrationnelle négligence de ces grossiers penseurs envers les principaux caractères de la vraie nature humaine. Au fond, ils n'étudient en nous que l'animal et non l'homme, dont tous les attributs essentiels leur restent habituellement inconnus, davantage même qu'au vulgaire illettré, d'après leurs préoccupations corporelles. Nos prétendus médecins ne constituent réellement que des vétérinaires, mais plus mal élevés que ceux-ci ne le sont maintenant, du moins en France, et dès lors aussi peu capables ordinairement de guérir les animaux que les hommes.

*(**Système de politique positive,** 1852, tome II, ch. VII, chez l'auteur, 10 rue Monsieur-le-Prince, p 436)*

1/3 L'anthropologie proprement dite est à la fois plus spéciale et plus compliquée que la sociologie elle-même. Néanmoins, en la qualifiant de morale, on se dispose heureusement à n'y jamais chercher que les bases normales de la conduite humaine, en écartant inexorablement des spéculations oiseuses, qui seraient, en effet, les plus difficiles de toutes.

*(**Id.**, p. 438)*

1/4 Le nom de *petit monde* que les Anciens donnaient à l'homme indiquait déjà combien son étude paraissait propre à condenser toutes les autres. Elle constitue naturellement la seule science qui puisse être vraiment complète, sans écarter aucun point de vue essentiel, comme le fait nécessairement chacune de celles qui lui servent de base.

*(**Catéchisme positiviste,** 1852, première partie, quatrième entretien, Garnier-Frères, p. 132)*

COURNOT

1/5 Ceux qui divinisaient après sa mort un César romain savaient au moins quel dieu ils adoraient ; il serait, s'il se peut, moins raisonnable de diviniser d'avance l'humanité, quand on ne sait pas encore le sort qui l'attend.

*(**Matérialisme, vitalisme, rationalisme,** 1875, Hachette, 1923)*

HEIDEGGER

1/6 Aucune anthropologie, si elle est consciente des questions qui lui sont propres et des présuppositions qu'elles impliquent, ne saurait avoir *même* la prétention de développer le *problème* du fondement sur lequel doit reposer la métaphysique ; à plus forte raison, tout espoir de mener ce problème à bonne fin lui est-il interdit. La question inévitable, dès qu'il s'agit de poser le fondement de la métaphysique — à savoir : qu'est-ce que l'homme? — c'est la métaphysique de la réalité humaine qui l'assume.

*(**Kant et le problème de la métaphysique,** in **Qu'est-ce que la métaphysique?,** 1937, trad. H. Corbin, Gallimard, p. 211)*

HUSSERL

1/7 L'humanité, considérée dans son âme, n'a jamais été et ne sera jamais accomplie.

*(**La Crise de l'humanité européenne et la philosophie,** 1935, trad. P. Ricœur, Aubier-Montaigne, p. 33)*

KANT

1/8 Une doctrine de la connaissance de l'homme, systématiquement traitée (Anthropologie), peut l'être du point de vue physiologique, ou du point de vue pragmatique. La connaissance physiologique de l'homme tend à l'exploration de ce que la nature fait de l'homme ; la connaissance pragmatique de ce que l'homme, en tant qu'être de libre activité, fait ou peut et doit faire de lui-même.

*(**Anthropologie du point de vue pragmatique,** 1798, 2e éd. 1800, trad. M. Foucault, Librairie J. Vrin, p. 11)*

1/9 Tous les éloges de l'Idéal de l'humanité considérée en sa perfection morale ne sauraient perdre si peu que ce soit de leur réalité pratique par le fait des exemples du contraire, montrant ce que les hommes sont actuellement, ce qu'ils ont été, ce qu'ils seront vraisemblablement et l'*anthropologie*, qui se fonde sur de simples connaissances empiriques ne saurait porter la moindre atteinte à l'*anthroponomie* qui est établie par la raison inconditionnellement législative.

*(**Métaphysique des mœurs,** deuxième partie, **Doctrine de la vertu,** 1797, trad. Philonenko, J. Vrin éd., p. 78)*

LAGNEAU

1/10 On s'amuse volontiers, depuis Montaigne et de nos jours surtout, dans un dessein où la charité n'entre pas pour grand-chose, je pense, à rapprocher les animaux de l'homme. On veut réduire à presque rien la distance qui sépare leurs facultés : elles se touchent, en effet, sauf un point, qui est bien près d'être tout, c'est que l'un fait par principes ce que les autres font par nécessité et nature, c'est-à-dire que l'un pense et que les autres ont l'air de penser.

*(**Discours de Sens,** 1877,* in ***Célèbres leçons et fragments,** P.U.F., p. 12)*

LEIRIS

1/11 Passant d'une activité presque exclusivement littéraire à la pratique de l'ethnographie, j'entendais rompre avec les habitudes intellectuelles qui avaient été les miennes jusqu'alors et, au contact d'hommes d'autre culture que moi et d'autre race, abattre des cloisons entre lesquelles j'étouffais et élargir jusqu'à une mesure vraiment humaine mon horizon. Ainsi conçue, l'ethnographie ne pouvait que me décevoir : une science humaine reste une science et l'observation détachée ne saurait, à elle seule, amener le *contact* ; peut-être, par définition, implique-t-elle même le contraire, l'attitude d'esprit propre à l'observateur étant une objectivité impartiale ennemie de toute effusion.

*(**L'Afrique fantôme,** [1934], Préambule [27 août 1950], Gallimard, 1988, p. 12)*

LÉVI-STRAUSS

1/12 L'anthropologie est une discipline dont le but premier, sinon le seul, est d'analyser et d'interpréter les différences.

*(**Anthropologie structurale,** 1958, Plon, p. 19)*

1/13 L'ethnologie – ou l'anthropologie, comme on dit plutôt à présent – s'assigne l'homme pour objet d'étude, mais diffère des autres sciences humaines en ceci qu'elle aspire à saisir son objet dans ses manifestations les plus diverses. C'est pourquoi la notion de condition humaine reste marquée pour elle d'une certaine ambiguïté.

*(**Le Regard éloigné,** Plon, 1983, p. 49)*

MERLEAU-PONTY

1/14 Le progrès n'est pas nécessaire d'une nécessité métaphysique : on peut seulement dire que très probablement l'expérience finira par éliminer les fausses solutions et par se dégager des impasses. Mais à quel prix, par combien de détours ? Il n'est même pas exclu en principe que l'humanité, comme une phrase qui n'arrive pas à s'achever, échoue en cours de route.

Certes, l'ensemble des êtres connus sous le nom d'hommes et définis par les caractères physiques que l'on sait ont aussi en commun une lumière naturelle, une ouverture à l'être qui rend les acquisitions de la culture communicables à tous et à eux seuls. Mais cet éclair que nous retrouvons en tout regard dit humain, il se voit aussi bien dans les formes les plus cruelles du sadisme que dans la peinture italienne. C'est lui justement qui fait que tout est possible de la part de l'homme, et jusqu'à la fin.

*(**Signes,** 1960, Gallimard, XI, **L'Homme et l'Adversité,** p. 304)*

MONTAIGNE

1/15 Chaque homme porte la forme entière de l'humaine condition.

*(**Les Essais,** 1580-1595, III, II)*

1/16 Si nos faces n'étaient semblables, on ne saurait discerner l'homme de la bête ; si elles n'étaient dissemblables, on ne saurait discerner l'homme de l'homme.

*(**Id.**, III, XIII)*

NIETZSCHE

1/17 Que sait à vrai dire l'homme de lui-même? Et pourrait-il même se percevoir intégralement tel qu'il est, comme exposé dans une vitrine illuminée?

*(**Le Livre du philosophe, Études théorétiques,** 1872-1875, trad. A.K. Marietti, Aubier-Flammarion, p. 175)*

QUATREFAGES

1/18 L'Anthropologie doit recourir à une foule de sciences désignées déjà par des noms divers et que l'esprit est habitué à regarder comme très distinctes. C'est là un fait dont on a singulièrement exagéré les conséquences. On est allé jusqu'à dire qu'elle vit uniquement d'emprunts et que par suite elle ne constitue pas une *science spéciale.*

*(**Rapport sur les progrès de l'anthropologie,** 1867, Hachette, p. 5)*

SAPIR

1/19 Le spécialiste des sciences humaines ne s'intéresse pas à l'homme mais à la science, et toute science a la voracité destructrice d'un rite obsessionnel.

*(**Psychiatrie, culture et salaire minimum,** 1934, in **Anthropologie,** trad. par Christian Baudelot et Pierre Clinquart, Éd. de Minuit, p. 117)*

SARTRE

1/20 Il n'y a pas de nature humaine, puisqu'il n'y a pas de Dieu pour la concevoir.

*(**L'existentialisme est un humanisme,** 1946, Nagel, p. 22)*

1/21 Les sciences de l'homme *ne s'interrogent pas* sur l'homme.

*(**Critique de la raison dialectique,** 1960, Gallimard, p. 104)*

RT

ALAIN

2/1 L'art n'est pas un jeu. Il y a du sérieux dans l'art, et un résultat à jamais, ce que toutes les espèces de jeux repoussent énergiquement.
*(**Les Idées et les Âges,** 1927, livre IV, chap. II, Gallimard)*

2/2 Tous les arts sont comme des miroirs où l'homme connaît et reconnaît quelque chose de lui-même qu'il ignorait.
*(**Vingt leçons sur les Beaux-Arts,** 1931, seizième leçon, 11 mars 1930, Gallimard)*

2/3 L'art et la religion ne sont pas deux choses, mais plutôt l'envers et l'endroit d'une même étoffe.
*(**La Mythologie humaine,** 1932-1933,* in ***Les Arts et les Dieux,*** *Pléiade, Gallimard p. 1147)*

2/4 Il me semble qu'il est d'expérience que l'heureux état devant une œuvre connue n'est pas toujours facile à retrouver. Comme dit Stendhal, il y a des jours où l'on n'est pas disposé pour Raphaël.
*(**Les Aventures du cœur,** 1945, chap. III, Hartmann, p. 15)*

2/5 J'aime à supposer que l'œuvre d'art est celle qui fait le salut de l'âme au moins un petit instant.
*(**Id.,** p. 17)*

ARISTOTE

2/6 La pratique de l'art musical nous paraît indigne d'un homme qui n'aurait pas pour excuse l'ivresse ou le désir de badiner.
*(**La Politique,** trad. Tricot, VIII, 5, 1339 b)*

BAUDELAIRE

2/7 La passion frénétique de l'art est un chancre qui dévore le reste ; et, comme l'absence nette du juste et du vrai dans l'art équivaut à l'absence d'art, l'homme entier s'évanouit, la spécialisation excessive d'une faculté aboutit au néant.

*(**L'École païenne,** article paru le 22 janvier 1852 dans **la Semaine théâtrale,** in **Œuvres complètes,** éd. du Seuil, p. 301)*

BLOY

2/8 Mon Dieu! l'Art est une chose vitale et sainte, pourtant! Dans l'effroyable translation « de l'utérus au sépulcre » qu'on est convenu d'appeler cette vie, comblée de misères, de deuils, de mensonges, de déceptions, de trahisons, de puanteurs et de catastrophes ; en ce désert, à la fois torride et glacé, du monde, où l'œil du mercenaire affamé n'aperçoit, pour fortifier son courage, qu'une multitude de croix où pendent, agonisants, non plus les lions de Carthage, mais des ânes et de dérisoires pourceaux crucifiés ; dans ce recul éternel de toute justice, de tout accomplissement des réalités divines ; attiré par l'humus originaire dont ses organes furent pétris ; convoité, comme un aliment précieux, par toutes les germinations souterraines ; sous le planement des aigles du charnier et des corbeaux de la poésie funèbre, et sentant, avec une angoisse sans mesure, ses genoux plier à chaque effort ; — que voulez-vous que devienne un malheureux être humain sans cette lueur, sans cet arôme subodoré des Jubilations futures?

*(**Belluaires et porchers,** 1905, Stock, introd. § 6)*

BRAQUE

2/9 L'art est fait pour troubler. La science rassure.

*(**Carnets,** in **L'art de la peinture,** par J. Charpier et P. Seghers, éd. Seghers, p. 628)*

CASSOU

2/10 Il faut être aussi bête que ces moineaux grecs qui picoraient des cerises peintes par Zeuxis ou par Apelle, je ne sais plus, pour croire que l'ambition des peintres est de fabriquer une attrape et de nous y faire tomber. Sérusier qui, lui, était un peintre, déclarait au contraire : « D'une pomme peinte par un peintre vulgaire on dit : *on pourrait la manger.* D'une pomme peinte par Cézanne : *elle est belle! On n'oserait la peler, on voudrait la copier.* » Le désir des peintres n'est pas, en effet, d'imiter des pommes ou des cerises, et de les imiter au point de paraître avoir fabriqué des pommes ou des cerises : il est de peindre.

*(**Situation de l'art moderne,** éd. de Minuit in **L'art de la peinture,** par J. Charpier et P. Seghers, éd. Seghers, p. 711)*

COMTE

2/11 Rien n'est plus contraire aux beaux-arts que les vues étroites, la marche trop analytique, et l'abus du raisonnement, propres à notre régime scientifique, d'ailleurs si funeste au développement moral, première source de toute disposition esthétique.

*(**Système de politique positive,** 1851, discours préliminaire, cinquième partie, p. 275)*

2/12 Si notre instinct du bien, doit ordinairement aux femmes son premier essor, elles nous initient encore mieux au sentiment du beau, étant aussi propres à l'inspirer qu'à l'éprouver.

*(**Id.,** p. 276)*

2/13 Malgré les déclamations intéressées, le véritable essor de l'art exige au moins autant la compression des médiocrités que l'encouragement des supériorités. Le vrai goût n'existe jamais sans dégoût.

*(**Id.,** p. 282)*

2/14 L'art ramène doucement à la réalité les contemplations trop abstraites du théoricien, tandis qu'il pousse noblement le praticien aux spéculations désintéressées.

*(**Id.,** p. 287)*

2/15 Puisque l'art doit surtout développer en nous le sentiment de la perfection, il ne supporte jamais la médiocrité: le vrai goût suppose toujours un vif dégoût.

*(**Catéchisme positiviste,** 1852, seconde partie, cinquième entretien, Garnier-Frères, p. 169)*

DELACROIX

2/16 Le seul souvenir de certains tableaux me pénètre d'un sentiment qui me remue de tout mon être, même quand je ne les vois pas, comme tous ces souvenirs rares et intéressants qu'on retrouve de loin en loin dans sa vie, et surtout dans les toutes premières années.

*(**Journal,** jeudi 20 octobre 1852, Plon)*

FEUERBACH

2/17 Les temples érigés en l'honneur de la religion le sont, en vérité, *en l'honneur de l'architecture.*

*(**L'Essence du christianisme,** 1841, Introd., in **Manifestes philosophiques,** trad. L. Althusser, P.U.F., 10/18, p. 107)*

FREUD

2/18 Le don artistique et la capacité de travail étant intimement liés à la sublimation, nous devons avouer que l'essence de la fonction artistique nous reste aussi, psychanalytiquement, inaccessible.

*(**Un souvenir d'enfance de Léonard de Vinci,** 1910, trad. Marie Bonaparte, Gallimard, p. 212)*

HEGEL

2/19 L'art reste pour nous, quant à sa suprême destination, une chose du passé.

*(**Esthétique,** t. I, posth. 1832, Introduction, chapitre premier, première section, III, trad. J.G., Aubier-Montaigne, p. 30)*

2/20 L'art, la religion et la philosophie ne diffèrent que par la forme ; leur objet est le même.

*(**Id.,** p. 127)*

2/21 Pour nous, l'art n'est plus la forme la plus élevée sous laquelle la vérité affirme son existence.

*(**Id.,** p. 136)*

2/22 L'artiste n'a pas besoin de philosophie et s'il pense en philosophe, il se livre à un travail qui est justement en opposition avec la forme du savoir propre à l'art.

*(**Id.,** p. 327)*

2/23 Dans le passage du sérieux le plus profond à l'extériorité du particulier, la peinture doit aller jusqu'à l'extrême de la phénoménalité comme telle, c'est-à-dire jusqu'au point où le contenu lui-même devient indifférent et où ce que j'appellerai la phénoménalisation artistique devient l'élément principal, celui sur lequel se concentre tout l'intérêt.

*(**Id.,** t. III, première partie, trad. S. Jankélévitch, Aubier-Montaigne)*

2/24 L'artiste fait cette expérience dans son œuvre : il n'a pas produit une essence égale à lui-même. Sans doute de son œuvre lui revient bien une conscience, car une multitude admirative honore l'œuvre comme l'esprit qui est leur essence. Mais cette admiration, en lui restituant sa conscience de soi seulement comme admiration, est plutôt un aveu fait à l'artiste qu'elle ne lui est pas égale. Puisque son Soi lui revient comme joie en général, il n'y retrouve ni la douleur de sa formation et de sa production, ni l'effort de son travail. Les autres peuvent bien juger l'œuvre, ou lui apporter leur offrande, y mettre de quelque façon que ce soit leur conscience ; s'ils se posent avec leur savoir au-dessus d'elle, il sait, lui, combien son *opération* vaut plus que leur compréhension et leur discours ; s'ils se mettent au-dessous et y reconnaissent leur *essence* qui les domine, il s'en sait lui comme le maître.

*(**La Phénoménologie de l'esprit,** 1807, trad. Hyppolite, Aubier-Montaigne, t. II, p. 231)*

HEIDEGGER

2/25 L'origine de l'œuvre d'art et de l'artiste, c'est l'art.

*(**Chemins qui ne mènent nulle part,** trad. W. Brokmeier, éd. par F. Fédier, Gallimard, 1962, p. 45)*

2/26 L'art, on croit pouvoir le saisir à partir des différentes œuvres d'art, en une contemplation comparative. Mais comment être certains que ce sont bien des œuvres d'art que nous soumettons à une telle contemplation, si nous ne savons pas auparavant ce qu'est l'art lui-même ?

*(**Id.,** p. 12)*

2/27 On expédie les œuvres d'art comme le charbon de la Ruhr ou les troncs d'arbres de la Forêt Noire. Les hymnes de Hölderlin étaient, pendant la guerre, emballés dans le sac du soldat comme les brosses et le cirage. Les quatuors de Beethoven s'accumulent dans les réserves des maisons d'édition comme les pommes de terre dans la cave. Toutes les œuvres sont ainsi des choses par un certain côté.

*(**Ibid.**)*

2/28 L'œuvre d'art est bien une chose, chose amenée à sa finition, mais elle dit encore quelque chose d'autre que la chose qui n'est que chose : ἄλλο ἀγορεύει. L'œuvre communique publiquement autre chose, elle nous révèle autre chose : elle est allégorie.

*(**Id.,** p. 13)*

2/29 L'essence de l'art, c'est le Poème. L'essence du Poème, c'est l'instauration de la vérité.

*(**Id.,** p. 59)*

2/30 L'art advient de la *fulguration* à partir de laquelle seulement se détermine le « sens de l'être ».

*(**Id.,** p. 67)*

KANT

2/31 Quand quelqu'un dit d'une chose qu'elle est belle, il attribue aux autres la même satisfaction ; il ne juge pas seulement pour lui, mais au nom de tous et parle alors de la beauté comme d'une propriété des objets ; il dit donc, la *chose* est belle et ne compte pas pour son jugement de satisfaction sur l'adhésion des autres parce qu'il a constaté qu'à diverses reprises leur jugement était d'accord avec le sien, mais il *exige* cette adhésion.

*(**Critique du jugement,** 1790, première partie, section I, livre I, § 7, trad. J. Gibelin, Librairie J. Vrin, p. 47)*

KLEE

2/32 Tandis que l'artiste se concentre encore pour grouper les éléments plastiques d'une manière aussi pure et logique que possible et rendre chacun indispensable à sa place sans nuire à un autre élément, quelque profane prononce déjà par-dessus son épaule les paroles fatales : « Mais l'oncle n'est pas du tout ressemblant. » Le peintre, s'il est maître de ses nerfs, pense : « Oncle par-ci, oncle par-là, je dois continuer à édifier »... « Cette nouvelle pierre, se dit-il, est décidément un peu trop lourde et me tire la chose trop à gauche. Il me faudra placer à droite un sérieux contrepoids pour rétablir l'équilibre. »

*(**Allocution prononcée au Musée d'Iéna en 1924,*** in ***De l'art moderne,** éd. de la Connaissance, Bruxelles)*

LEIBNIZ

2/33 Une machine faite par l'art de l'homme n'est pas machine dans chacune de ses parties... Mais les machines de la nature, c'est-à-dire les corps vivants sont encore machines dans leurs moindres parties, jusqu'à l'infini. C'est ce qui fait la différence entre la Nature et l'Art, c'est-à-dire entre l'art divin et le nôtre.

*(**La Monadologie,** 1714, éd. Émile Boutroux, Delagrave, § 64)*

LICHTENBERG

2/34 Le célèbre peintre Gainsborough avait autant de plaisir à voir un violon qu'à l'entendre.

*(**Aphorismes,** troisième cahier 1775-1779, trad. Marthe Robert, J.-J. Pauvert éd., p. 192)*

MALRAUX

2/35 On peut aimer que le sens du mot art soit tenter de donner conscience à des hommes de la grandeur qu'ils ignorent en eux.

*(**Le Temps du Mépris,** 1936, Préface, Gallimard)*

MONTAIGNE

2/36 Il est vray semblable que nous ne sçavons guiere que c'est que beauté en nature et en general, puisque à l'humaine et nostre beauté nous donnons tant de formes diverses: de laquelle s'il y avoit quelque prescription naturelle, nous la recognoistrions en commun, comme la chaleur du feu.

*(**Essais,** 1580-1595, livre II, chap. XII, Pléiade, Gallimard, p. 534)*

NIETZSCHE

2/37 L'œuvre d'art se rapporte à la nature, comme le cercle mathématique au cercle naturel.

*(**Le Livre du philosophe, Études théorétiques** 1872-1875, trad. A.K. Marietti, Aubier-Flammarion, § 156, p. 145)*

PASCAL

2/38 Quelle vanité que la peinture, qui attire l'admiration par la ressemblance des choses dont on n'admire point les originaux!

*(**Pensées,** posth. 1669, section II, 134, éd. Brunschvicg, Hachette, p. 389)*

PLATON

2/39 Quant à moi, je refuse le nom d'art à une activité irrationnelle.

*(**Gorgias,** 465 a)*

2/40 Si un homme que son habileté rendrait capable de prendre toutes les formes et de tout imiter se présentait dans notre État pour faire parade de sa personne et de ses poèmes, nous lui rendrions hommage comme à un être sacré, admirable et charmant, mais nous lui dirions qu'il n'y a pas de personnage comme lui dans notre État et qu'il n'est pas permis qu'il y en ait ; puis nous le renverrions dans une autre cité après avoir répandu des parfums sur sa tête et après l'avoir couronné de bandelettes.

*(**La République,** livre III, 398 a, trad. Lachièze-Rey, Boivin éd.)*

PROUST

2/41 Par l'art seulement nous pouvons sortir de nous, savoir ce que voit un autre de cet univers qui n'est pas le même que le nôtre, et dont les paysages nous seraient restés aussi inconnus que ceux qu'il peut y avoir dans la lune. Grâce à l'art, au lieu de voir un seul monde, le nôtre, nous le voyons se multiplier, et, autant qu'il y a d'artistes originaux, autant nous avons de mondes à notre disposition, plus différents les uns des autres que ceux qui roulent dans l'infini, et, bien des siècles après qu'est éteint le foyer dont il émanait, qu'il s'appelât Rembrandt ou Ver Meer, nous envoient encore leur rayon spécial.

*(**Le Temps retrouvé,** 1922,* in ***À la recherche du temps perdu,*** *t. III, Pléiade, Gallimard, p. 895)*

ROSTAND (Jean)

2/42 Les fins de l'art ne sont pas moins troubles que ses moyens.

*(**Pensées d'un biologiste,** 1939, chap. VIII, Stock, p.162)*

ROUSSEAU

2/43 Que ferions-nous des arts, sans le luxe qui les nourrit?

*(**Discours sur les sciences et les arts,** 1750, seconde partie)*

SCHOPENHAUER

2/44 Le plaisir esthétique, la consolation par l'art, l'enthousiasme artistique qui efface les peines de la vie, ce privilège spécial du génie qui le dédommage des douleurs dont il souffre davantage à mesure que sa conscience est plus distincte, qui le fortifie contre la solitude accablante à laquelle il est condamné au sein d'une multiplicité hétérogène, tout cela vient de ce que, d'une part, « l'essence » de la vie, la volonté, l'existence elle-même est une douleur constante, tantôt lamentable et tantôt terrible ;

et de ce que, d'autre part, tout cela, envisagé dans la représentation pure ou dans les œuvres d'art, est affranchi de toute douleur et présente un imposant spectacle.

*(**Le monde comme volonté et comme représentation,** 1819, trad. A. Burdeau revue et corrigée par R. Roos, P.U.F., p. 341)*

STIRNER

2/45 Lorsqu'on parle d'organiser le travail, on ne peut avoir en vue que celui dont d'autres peuvent s'acquitter à notre place, par exemple, celui du boucher, celui du laboureur, etc. ; mais il est des travaux qui restent du ressort de l'égoïsme, attendu que personne ne peut exécuter pour vous le tableau que vous peignez, produire vos compositions musicales, etc. ; personne ne peut faire l'œuvre de Raphaël.

*(**L'Unique et sa propriété,** 1844, Deuxième partie II, 2, trad. R.-L. Reclaire, Stock éd., p. 324)*

TAINE

2/46 De même qu'on étudie la température physique pour comprendre l'apparition de telle ou telle espèce de plantes, le maïs ou l'avoine, l'aloès ou le sapin, de même il faut étudier la température morale pour comprendre l'apparition de telle espèce d'art, la sculpture païenne ou la peinture réaliste, l'architecture mystique ou la littérature classique, la musique voluptueuse ou la poésie idéaliste. Les productions de l'esprit humain, comme celles de la nature vivante, ne s'expliquent que par leur milieu.

*(**Philosophie de l'art** [1865], Fayard, 1985, p. 17)*

VALÉRY

2/47 Ce que nous appelons « une Œuvre d'art » est le résultat d'une action dont le but *fini* est de provoquer chez quelqu'un des développements *infinis*.

*(**L'Infini esthétique,** 1934, **Pièces sur l'Art,** in **Œuves,** t. II, Pléiade, Gallimard, p. 1344)*

VINCI

2/48 La peinture surpasse toute œuvre humaine par les subtiles possibilités qu'elle recèle.

*(**Carnets,** posth., Ms 2038 Bib. nat. 19 r.)*

AUTRUI

ALAIN

3/1 Les hommes eurent toujours un grand besoin de s'aimer, les uns les autres. Ils firent cet amour comme ils firent des ponts. Il fallut des voûtes sonores, pour rendre la foule plus présente à la foule ; et des paroles incompréhensibles, afin qu'on les chantât de tout son cœur ; et une musique bien rythmée, afin que tous pussent dire les mêmes choses en même temps.

*(**Propos II,** 22 décembre 1910, Pléiade, Gallimard, p. 193)*

3/2 Ne vouloir faire société qu'avec ceux qu'on approuve en tout, c'est chimérique, et c'est le fanatisme même.

*(**Id.,** 25 juin 1933, p. 965)*

ARISTOTE

3/3 La première union nécessaire est celle de deux êtres qui sont incapables d'exister l'un sans l'autre: c'est le cas pour le mâle et la femelle en vue de la procréation (et cette union n'a rien d'arbitraire, mais comme dans les autres espèces animales et chez les plantes, il s'agit d'une tendance naturelle à laisser après soi un autre être semblable à soi) ; c'est encore l'union de celui dont la nature est de commander avec celui dont la nature est d'être commandé, en vue de leur conservation commune.

*(**La Politique,** I, 2, 1252 a, trad. J. Tricot, Librairie J. Vrin, pp. 24-25)*

BIBLE (LA)

3/4 Et l'homme donna des noms à tout le bétail, aux oiseaux du ciel et à tous les animaux des champs ; mais, pour l'homme, il ne trouva point d'aide semblable à lui. Alors, L'Éternel Dieu fit tomber un profond sommeil sur l'homme, qui s'endormit ; il prit une de ses côtes, et referma la chair à sa place. L'Éternel Dieu forma une femme de la côte qu'il avait prise de l'homme, et il l'amena vers l'homme. Et l'homme dit : Voici cette fois celle qui est os de mes os et chair de ma chair ! On l'appellera femme parce qu'elle a été prise de l'homme.

*(**Ancien Testament, Genèse,** 2, 20-24, trad. sur les textes originaux hébreu et grec, par L. Segond, Maison de la Bible, Genève)*

CHESTERTON

3/5 Nous avons tous souffert d'une certaine sorte de dames qui, par leur altruisme pervers, donnent plus d'ennuis que les égoïstes, qui réclament à grands cris l'assiette impopulaire et se disputent le plus mauvais siège.

*(**Ce qui cloche dans le monde [What is wrong with the world]**, 1910, trad. J.-C. Laurens, Gallimard, 1948, p. 18)*

COMTE

3/6 L'homme, mieux qu'aucun autre animal sociable, tend de plus en plus vers une unité vraiment altruiste, moins facile à réaliser que l'unité égoïste, quoique très supérieure en plénitude et en stabilité.

*(**Système de politique positive,** tome II, 1852, chez l'auteur, 10 rue Monsieur-le-Prince, p. 9)*

3/7 Toute l'éducation humaine doit préparer chacun à vivre pour autrui, afin de revivre dans autrui.

*(**Id.,** p. 371)*

3/8 Il faut que l'être se subordonne à une existence extérieure afin d'y trouver la source de sa propre stabilité. Or cette condition ne peut se réaliser assez que sous l'empire des penchants qui disposent chacun à vivre surtout pour autrui.

*(**Id.,** 1851, **Introduction fondamentale,** chapitre troisième, p. 700)*

DERRIDA

3/9 Le cap n'est pas seulement le nôtre, mais le *cap de l'autre*, devant lequel nous devons répondre et qui figure peut-être la condition d'une identité qui ne soit pas égocentrisme destructeur – de soi et de l'autre. Mais au-delà de *notre cap*, il ne faut pas seulement se rappeler à *l'autre cap* et surtout au *cap de l'autre*, mais à *l'autre du cap*, dans un rapport de l'identité à l'autre qui n'obéisse plus à la forme, au signe ou à la logique du cap, pas même de *l'anti-cap* – ou de la décapitation.

*(**L'autre cap,** in **Le Monde,** Liber N° 5, octobre 1990, p. 11)*

DIDEROT

3/10 L'homme n'est peut-être que le monstre de la femme, ou la femme le monstre de l'homme.

*(**Le Rêve de d'Alembert** posth. 1813, in **Œuvres,** Pléiade, Gallimard, p. 908)*

ÉPICTÈTE

3/11 Comment aurais-je des opinions droites, s'il ne me suffit pas d'être ce que je suis et si je brûle de le paraître?

*(**Entretiens,** IV, VI, trad. E. Bréhier, in **Les Stoïciens,** Pléiade, Gallimard, p. 1077)*

FREUD

3/12 *Autrui* joue toujours dans la vie de l'individu le rôle d'un modèle, d'un objet, d'un associé ou d'un adversaire.

*(**Essais de psychanalyse,** 1927, Payot, 1973, trad. Dr S. Jankélévitch, éd. revue par le Dr Hesnard. 2e part, introd. p. 83)*

GOETHE

3/13 Pour moi, le plus grand supplice serait d'être seul en paradis.

*(**Pensées,** 1815-1832, in **Œuvres,** t. I, trad. J. Porchat, Hachette, p. 343)*

JAURÈS

3/14 On n'enseigne pas ce que l'on veut; je dirai même que l'on n'enseigne pas ce que l'on sait ou ce que l'on croit savoir: on n'enseigne et on ne peut enseigner que ce que l'on est.

*(**Pour la laïque,** in **L'Esprit du socialisme,** anthol., Société d'études jaurésiennes, P.U.F., 1964)*

LA BRUYÈRE

3/15 L'on demande pourquoi tous les hommes ensemble ne composent pas comme une seule nation, et n'ont point voulu parler une seule langue, vivre sous les mêmes lois, convenir entre eux des mêmes usages et d'un même culte ; et moi, pensant à la contrariété des esprits, des goûts et des sentiments, je suis étonné de voir jusqu'à sept ou huit personnes se rassembler sous un même toit, dans une même enceinte, et composer une seule famille.

*(**De l'homme,** § 16,* in ***Les Caractères,*** *1688-1696, Garnier, p. 268)*

3/16 Nous cherchons notre bonheur hors de nous-mêmes, et dans l'opinion des hommes que nous connaissons flatteurs, peu sincères, sans équité, pleins d'envie, de caprices et de préventions. Quelle bizarrerie !

*(**Id.,** § 76, Garnier, p. 279)*

LAGNEAU

3/17 Il est aisé d'imaginer les hommes tout d'une pièce, de les réduire à des formules simples que l'on condamne d'un mot, en négligeant le reste, qui les dément ; ce qui coûterait plus de peine, c'est de sortir de soi pour entrer dans les autres et les juger à leur point de vue, sans parti pris, de suivre dans ses détours et ses incohérences une nature incertaine que le hasard a faite plus que la volonté, de démêler, quand la logique est en défaut, les sophismes à demi conscients, sous lesquels la passion dissimule l'égoïsme de ses conseils.

*(**Discours de Sens,** 1877,* in ***Célèbres leçons et fragments,*** *P.U.F., p. 13)*

LEIBNIZ

3/18 Les philosophes et théologiens mêmes distinguent deux espèces d'amour, savoir l'amour qu'ils appellent de *concupiscence*, qui n'est autre que le désir ou le sentiment qu'on a pour ce qui nous donne du plaisir, sans que nous nous intéressions s'il en reçoit ; et l'amour de *bienveillance*, qui est le sentiment qu'on a pour celui qui, par son plaisir ou bonheur, nous en donne. Le premier nous fait avoir en vue notre plaisir et le second celui d'autrui, mais comme faisant ou plutôt constituant le nôtre ; car s'il ne rejaillissait pas sur nous en quelque façon, nous ne pourrions pas nous y intéresser, puisqu'il est impossible, quoi qu'on dise, d'être détaché du bien propre.

*(**Nouveaux essais sur l'entendement humain,** 1704, publ. posth. 1765, livre II, chap. XX)*

LÉVINAS

3/19 L'autre passe avant moi, je suis pour l'autre. Ce que l'autre a comme devoirs à mon égard, c'est son affaire, ce n'est pas la mienne !...

En ce qui concerne la relation avec autrui, je reviens toujours à ma phrase de Dostoïevski. C'est une phrase centrale des *Frères Karamazov* : « Nous sommes tous responsables de tout et de tous, et moi plus que les autres. »

*(**Emmanuel Lévinas, Qui êtes-vous ?,** La Manufacture, 1987, pp. 101-103)*

LITTRÉ

3/20 « Les autres » est plus général que « autrui » ; les autres, c'est tout le monde excepté nous ; autrui, c'est spécialement cet autre-ci, comme le montre l'étymologie. Voilà pourquoi autrui s'oppose plus précisément à la personne qui parle ou dont on parle, que les autres.

*(**Dictionnaire de la langue française,** 1863-1872, article **Autrui**)*

MILL

3/21 Toutes les tendances égoïstes qu'on trouve chez les hommes, le culte de soi et le mépris des autres, prennent leur source dans l'organisation actuelle des relations entre les hommes et les femmes.

*(**L'Asservissement des femmes,** 1869, trad. M.-F. Cachin, Payot, p. 165)*

MONTAIGNE

3/22 Il faut avoir femmes, enfans, biens, et sur tout de la santé, qui peut ; mais non pas s'y attacher en manière que nostre heur en despende. Il se faut reserver une arriere boutique toute nostre, toute franche, en laquelle nous establissons nostre vraye liberté et principale retraicte et solitude.

*(**Essais,** 1580-1595, livre I, chap. XXXIX, Pléiade, Gallimard, p. 278)*

3/23 Se trouve autant de différence de nous à nous-mêmes que de nous à autrui.

*(**Id.,** II, I)*

3/24 Il est bien plus aisé d'accuser un sexe que d'excuser l'autre. C'est ce qu'on dit : le fourgon se moque de la pelle.

*(**Id.,** III, V)*

NIETZSCHE

3/25 *L'Égoïsme n'est pas méchant,* parce que l'idée du « prochain » — le mot est d'origine chrétienne et ne correspond pas à la réalité — est en nous très faible ; et nous nous sentons libres et irresponsables envers lui presque comme envers la plante et la pierre. La souffrance d'autrui est chose qui doit s'*apprendre :* et jamais elle ne peut être apprise pleinement.

*(**Humain, trop humain,** 1878, trad. Desrousseaux, t. I, Denoël/Gonthier, p. 101)*

3/26 Ce que nous savons de nous-mêmes, ce que notre mémoire en a retenu, est moins décisif qu'on ne pense pour le bonheur de notre vie. Vient un jour où surgit en elle ce que savent (ou croient savoir) *les autres* de ce nous ; nous nous apercevons alors que leur opinion est plus puissante. On s'arrange mieux de sa mauvaise conscience que de sa mauvaise réputation.

*(**Le Gai Savoir,** 1882, trad. A. Vialatte, Gallimard, § 52)*

PASCAL

3/27 Nous sommes plaisants de nous reposer dans la société de nos semblables : misérables comme nous, impuissants comme nous, ils ne nous aideront pas : on mourra seul.

*(**Pensées,** 1669, section III, 211, éd. Brunschvicg, Hachette, p. 429)*

PROUST

3/28 Autrui nous est indifférent et l'indifférence n'invite pas à la méchanceté.

*(**La Prisonnière,** 1923,* in ***À la recherche du temps perdu,*** *Gallimard)*

RENAN

3/29 Je serais assez aisé d'avoir le droit de vie et de mort, pour ne pas en user, et j'aimerais fort à posséder des esclaves, pour être extrêmement doux avec eux et m'en faire adorer.

*(**Souvenirs d'enfance et de jeunesse** 1883, Calmann-Lévy, p. 221)*

RENARD

3/30 Quand les autres me fatiguent, c'est que je me lasse de moi-même.

*(**Journal,** 1887-1910, 27 août 1895, Pléiade, Gallimard, p. 283)*

3/31 Enfin seul, sans *s*.

*(**Id.,** 1er avril 1898, p. 478)*

3/32 Nous nous connaissons mieux qu'il n'y paraît, et nous nous gardons de reprocher à autrui les défauts que nous sommes sûrs d'avoir.

*(**Id.**, 18 juillet 1903, p. 835)*

3/33 La mort des autres nous aide à vivre.

*(**Id.**, 5 octobre 1892, p. 136)*

ROSTAND (Jean)

3/34 L'altruisme est souvent un alibi.

*(**Pensées d'un biologiste,** 1939, chap. X, Stock, p. 232)*

SARTRE

3/35 Autrui, c'est d'abord la fuite permanente des choses vers un terme que je saisis à la fois comme objet à une certaine distance de moi, et qui m'échappe en tant qu'il déplie autour de lui ses propres distances.

*(**L'Être et le Néant,** 1943, Gallimard, p. 311)*

3/36 Autrui, c'est la mort cachée de mes possibilités en tant que je vis cette mort comme cachée au milieu du monde.

*(**Id.**, p. 323)*

3/37 Autrui, c'est ce moi-même dont rien ne me sépare, absolument rien si ce n'est sa pure et totale liberté, c'est-à-dire cette indétermination de soi-même que seul il a à être pour et par soi.

*(**Id.**, p. 330)*

SCHOPENHAUER

3/38 En thèse générale, on ne peut être à l'unisson parfait qu'avec soi-même ; on ne peut pas l'être avec son ami, on ne peut pas l'être avec la femme aimée, car les différences de l'individualité produisent toujours une dissonance, quelque faible qu'elle soit.

*(**Aphorismes sur la sagesse dans la vie,** posth. 1880, trad. de J.-A. Cantacuzène revue et corrigée par R. Roos, P.U.F., p. 102)*

3/39 Nul ne peut voir *par-dessus soi*. Je veux dire par là qu'on ne peut voir en autrui plus que ce qu'on est soi-même, car chacun ne peut saisir et comprendre un autre que dans la mesure de sa propre intelligence.

*(**Id.**, p. 127)*

VALÉRY

3/40 Ce n'est pas vivre que vivre sans objections, sans cette résistance vivante, cette proie, cette autre personne, adversaire, reste individué du monde, obstacle et ombre du moi — autre moi — intelligence rivale, irrépressible — ennemi le meilleur ami, hostilité divine, fatale, intime.

*(**Monsieur Teste,** 1896-1929,* in ***Œuvres*** *t. II, Pléiade, Gallimard, p. 45)*

VAUVENARGUES

3/41 Ceux qui croient n'avoir plus besoin d'autrui deviennent intraitables.

*(**Réflexions et Maximes,** 1746, LXXXIII)*

3/42 Nous découvrons en nous-mêmes ce que les autres nous cachent, et nous reconnaissons dans les autres ce que nous nous cachons à nous-mêmes.

*(**Id.,** CVI)*

BONHEUR

ALAIN

4/1 Le bonheur n'est pas quelque chose que l'on poursuit, mais quelque chose que l'on a. Hors de cette possession il n'est qu'un mot.

*(**Éléments de philosophie,** 1941, Gallimard, livre V, chap. I)*

4/2 Un travail réglé et des victoires après des victoires, voilà sans doute la formule du bonheur.

*(**Propos I,** 18 mars 1911, Pléiade, Gallimard., p. 106)*

4/3 Le bonheur est une récompense qui vient à ceux qui ne l'ont pas cherchée.

*(**Ibid.**)*

4/4 Ce que l'on n'a point assez dit, c'est que c'est un devoir aussi envers les autres que d'être heureux.

*(**Id.,** 16 mars 1923, p. 473)*

ARISTOTE

4/5 Tous les hommes aspirent à la vie heureuse et au bonheur, c'est là une chose manifeste ; mais si plusieurs ont la possibilité d'y atteindre, d'autres ne l'ont pas en raison de quelque malchance ou vice de nature (car la vie heureuse requiert un certain accompagnement de biens extérieurs, en quantité moindre pour les individus doués de meilleures dispositions, et en quantité plus grande pour ceux dont les dispositions sont moins bonnes), et d'autres enfin, tout en ayant la possibilité d'être heureux, impriment dès le début une fausse direction à leur recherche du bonheur.

*(**La Politique,** VII, 13, 1332 a, trad. J. Tricot, Vrin)*

4/6 Une hirondelle ne fait pas le printemps, non plus qu'une seule journée de soleil ; de même ce n'est ni un seul jour ni un court intervalle de temps qui font la félicité et le bonheur.

*(**Éthique à Nicomaque,** livre premier, chap. VII, 16, trad. Voilquin, Garnier)*

4/7 Plus notre faculté de contempler se développe, plus se développent nos possibilités de bonheur et cela, non par accident, mais en vertu même de la nature de la contemplation. Celle-ci est précieuse par elle-même, si bien que le bonheur, pourrait-on dire, est une espèce de contemplation.

*(**Id.**, livre dixième, chap. VIII, 8, trad. Voilquin, Garnier)*

BACHELARD

4/8 Pour être heureux, il faut penser au bonheur d'un autre.

*(**La Psychanalyse du Feu,** 1938, Gallimard, p. 216)*

BIBLE (LA)

4/9 Puis l'Éternel Dieu planta un jardin en Éden, du côté de l'orient, et il y mit l'homme qu'il avait formé. L'Éternel Dieu fit pousser du sol des arbres de toute espèce, agréables à voir et bons à manger, et l'arbre de la vie au milieu du jardin, et l'arbre de la connaissance du bien et du mal.

*(**Ancien Testament, Genèse,** 2, 8-9, trad. Louis Segond, Maison de la Bible, Genève)*

CHAMFORT

4/10 Robinson dans son île, privé de tout, et forcé aux plus pénibles travaux pour assurer sa subsistance journalière, supporte la vie, et même goûte, de son aveu, plusieurs moments de bonheur. Supposez qu'il soit dans une île enchantée, pourvu de tout ce qui est agréable à la vie, peut-être le désœuvrement lui eût-il rendu l'existence insupportable.

*(**Maximes et pensées, caractères et anecdotes,** chap. II, § 144)*

4/11 On est heureux ou malheureux par une foule de choses qui ne paraissent pas, qu'on ne dit point et qu'on ne peut dire.

*(**Id.**, chap. II, § 152)*

4/12 Il en est du bonheur comme des montres. Les moins compliquées sont celles qui se dérangent le moins.

*(**Id.**, chap. V, § 308)*

4/13 « Le bonheur, disait M..., n'est pas chose aisée ; il est très difficile de le trouver en nous, et impossible de le trouver ailleurs. »

*(**Id.**, 1795, seconde partie, § 1095)*

CHATEAUBRIAND

4/14 Si jamais le bonheur m'avait enlevé dans ses bras, il m'eût étouffé.

*(**Mémoires d'outre-tombe,** 1850, livre deuxième, chap. 2)*

CORAN (LE)

4/15 En vérité, pour ceux qui craignent Allâh, il y a un séjour de bonheur,
Des vergers et des vignes,
Des vierges aux seins ronds et fermes, et d'âge égal au leur,
Avec des coupes pleines.
Ils n'entendront là ni discours futile, ni mensonge.

(644-656, trad. E. Montet, sourate 78, versets 31-35, Payot)

DELACROIX

4/16 L'homme heureux est celui qui a *conquis* son bonheur ou le moment de bonheur qu'il ressent actuellement. Le fameux *progrès* tend à supprimer l'effort entre le désir et son accomplissement : il doit rendre l'homme plus véritablement malheureux.

*(**Journal,** 8 avril 1854)*

DESCARTES

4/17 Je crois pouvoir ici conclure que la béatitude ne consiste qu'au contentement de l'esprit, c'est-à-dire au contentement en général ; car bien qu'il y ait des contentements qui dépendent du corps, et des autres qui n'en dépendent point, il n'y en a toutefois aucun que dans l'esprit : mais que, pour avoir un contentement qui soit solide, il est besoin de suivre la vertu, c'est-à-dire d'avoir une volonté ferme et constante d'exécuter tout ce que nous jugerons être le meilleur, et d'employer toute la force de notre entendement à en bien juger.

*(**Lettre à Élisabeth,** 18 août 1645)*

4/18 On peut dire généralement qu'il n'y a aucune chose qui nous puisse entièrement ôter le moyen de nous rendre heureux, pourvu qu'elle ne trouble point notre raison ; et que ce ne sont pas toujours celles qui paraissent les plus fâcheuses, qui nuisent le plus.

*(**Id.**, 1er sept. 1645)*

4/19 Quiconque a vécu en telle sorte, que sa conscience ne lui peut reprocher qu'il ait jamais manqué à faire toutes les choses qu'il a jugées être les meilleures (qui est ce que je nomme ici suivre la vertu), il en reçoit une satisfaction, qui est si puissante pour le rendre heureux, que les plus violents efforts des Passions n'ont jamais assez de pouvoir pour troubler la tranquillité de son âme.

*(**Les Passions de l'âme,** 1649, Seconde partie, art. CXLVIII)*

DIDEROT

4/20 Je veux que la société soit heureuse ; mais je veux l'être aussi ; et il y a autant de manières d'être heureux qu'il y a d'individus. Notre propre bonheur est la base de tous nos vrais devoirs.

*(**Observations sur l'Instruction de S.M.I. aux députés pour la confection des lois,** 1774, art. 252, p. 72)*

ÉPICTÈTE

4/21 Lorsque quelqu'un a de la malchance, souviens-toi que cette malchance vient de lui : car Dieu a créé tous les hommes pour le bonheur et pour la paix.

*(**Entretien,** III, XXIV, trad. Émile Bréhier,* in ***Les Stoïciens,** Pléiade, Gallimard, p. 1020)*

4/22 Il n'y a qu'une route vers le bonheur (que cela soit présent à ton esprit dès l'aurore, jour et nuit), c'est de renoncer aux choses qui ne dépendent pas de notre volonté.

*(**Id.**, IV, IV, p. 1068)*

ÉPICURE

4/23 Une vie heureuse est impossible sans la sagesse, l'honnêteté et la justice, et celles-ci à leur tour sont inséparables d'une vie heureuse.

*(**Lettre à Ménécée,*** in *DIOGÈNE LAËRCE : **Vie, doctrines et sentences des philosophes illustres,** trad. du grec par Robert Genaille, Garnier, t. II, p. 265)*

ÉRASME

4/24 Mon avis, à moi, Folie, est que plus on est fou, plus on est heureux, pourvu qu'on s'en tienne au genre de folie qui est mon domaine, domaine bien vaste à la vérité, puisqu'il n'y a sans doute pas, dans l'espèce humaine, un seul individu sage à toute heure et dépourvu de toute espèce de folie.

*(**Éloge de la folie,** 1511, trad. P. de Nolhac, chap. XXXIX, Garnier)*

GOETHE

4/25 L'homme le plus heureux est celui qui peut relier la fin de sa vie avec son commencement.

*(**Pensées,** 1815-1832,* in ***Œuvres,** t. I, trad. J. Porchat, Hachette, p. 418)*

HUME

4/26 En règle générale, nulle existence n'offre autant de sécurité — car il ne faut pas rêver au bonheur — que l'existence tempérée et modérée qui s'en tient, autant que possible, à la médiocrité et à une sorte d'insensibilité en toutes choses.

*(**L'Histoire naturelle de la religion,** 1757, trad. Michel Malherbe, Vrin, p. 103)*

KANT

4/27 Le bonheur est la satisfaction de tous nos penchants (aussi bien *extensive*, quant à leur variété, qu'*intensive*, quant au degré, et que *protensive*, quant à la durée).

*(**Critique de la raison pure,** 1781, livre II, chap. II, 2e section)*

4/28 Être heureux est nécessairement le désir de tout être raisonnable mais fini, partant c'est inévitablement un principe déterminant de sa faculté de désirer.

*(**Critique de la raison pratique,** 1788, trad. Picavet, P.U.F., 1949, p. 24)*

4/29 Ce peut être à certains égards un devoir de prendre soin de son bonheur : d'une part, parce que le bonheur (auquel se rapportent l'habileté, la santé, la richesse) fournit des moyens de remplir son devoir, d'autre part, parce que la privation du bonheur (par exemple la pauvreté), amène avec elle des tentations de violer son devoir. Seulement travailler à son bonheur ne peut jamais être immédiatement un devoir et encore moins un principe de tout devoir.

(***Id.***, *première partie, livre premier, Examen..., p. 99*)

4/30 Le bonheur est l'état dans le monde d'un être raisonnable, à qui, dans tout le cours de son existence, tout arrive suivant son souhait et sa volonté.

(***Id.***, *livre II, chap. II, V*)

LA BRUYÈRE

4/31 Il y a une espèce de honte d'être heureux à la vue de certaines misères.

(***De l'homme***, *§ 82,* in ***Les Caractères***, *1688-1696*)

LACORDAIRE

4/32 Le bonheur entre et sort. C'est l'éclair qui vient de l'orient et disparaît à l'occident. Toute la terre le voit et tressaille; mais il passe.

(***Lettres à un jeune homme***, *24 février 1858, Poussielgue éd., 1897*)

LEROUX

4/33 Vous imaginez le bonheur absolu possible, c'est le néant que vous désirez.

(***De l'humanité***, *1840, t. I, p. 20*)

LITTRÉ

4/34 Bonheur veut dire proprement bonne chance, et, par conséquent, il exprime l'ensemble des circonstances, des conditions favorables qui font que nous sommes bien. Il y a donc un caractère extérieur objectif, qui en fait la nuance avec félicité. La félicité n'est point liée à ces conditions du dehors; elle est plus propre à l'âme même.

(***Dictionnaire de la langue française***, *1863-1872, art.* ***Bonheur***)

MARC-AURÈLE

4/35 Vivre toujours parfaitement heureux. Notre âme en trouve en elle-même le pouvoir, pourvu qu'elle demeure indifférente à l'égard des choses indifférentes.

*(**Pensées,** trad. A.-I. Trannoy, Les Belles Lettres, Livre XI, 16)*

MAUPASSANT

4/36 Le bonheur, c'est l'attente, l'attente heureuse, la confiance, c'est un horizon plein d'espérance, c'est le rêve ! Oui, ma chère, il n'y a de bon que le rêve.

*(**Contes et nouvelles,** t. 1, **Souvenirs,** 1884, Pléiade, Gallimard, p. 1252)*

MILL

4/37 Il vaut mieux être un homme insatisfait qu'un porc satisfait ; il vaut mieux être Socrate insatisfait qu'un imbécile satisfait.

*(**L'Utilitarisme,** 1861, chap. II, trad. G. Tanesse, Garnier-Frères, p. 54)*

MONTESQUIEU

4/38 Si on ne voulait qu'être heureux, cela serait bientôt fait. Mais on veut être plus heureux que les autres, et cela est presque toujours difficile, parce que nous croyons les autres plus heureux qu'ils ne sont.

*(**Mes pensées,** 1720-1755, VI, I, 1003,* in ***Œuvres complètes,*** *éd. du Seuil, p. 986)*

NIETZSCHE

4/39 Beaucoup de gens ne sont capables que d'un bonheur réduit : le fait que leur sagesse ne puisse leur procurer plus de bonheur ne constitue pas un argument contre elle, pas plus qu'il ne faut voir un argument contre la médecine dans le fait que certaines personnes sont incurables et d'autres toujours maladives. Puisse chacun avoir la chance de trouver justement la conception de la vie qui lui permet de réaliser *son* maximum de bonheur : cela n'empêche pas forcément sa vie de rester pitoyable et peu enviable.

*(**Aurore,** 1880, § 345, trad. Hervier, Gallimard, p. 277)*

4/40 L'élément commun à toutes les impressions de bonheur est double : *plénitude* de sentiment, mêlée de *turbulence*, si bien que l'on se sent dans son élément comme un poisson et que l'on s'y ébat. Les bons chrétiens comprendront ce qu'est l'exubérance chrétienne.

*(**Id.,** § 439, p. 311)*

4/41 Formule de mon bonheur : un « oui », un « non », une ligne droite, un *but*...

*(**Crépuscule des idoles ou Comment philosopher à coups de marteau,** « Götzen-Dämmerung », 1888, trad. de l'allemand par Jean-Claude Hemery, Idées/Gallimard, p. 24)*

PASCAL

4/42 Nous ne vivons jamais, mais nous espérons de vivre ; et, nous disposant toujours à être heureux, il est inévitable que nous ne le soyons jamais.

*(**Pensées,** posth. 1669, section II, 172, éd. Brunschvicg, Hachette, p. 408)*

PROUST

4/43 Plus le désir avance, plus la possession véritable s'éloigne. De sorte que si le bonheur, ou du moins l'absence de souffrance, peut être trouvé, ce n'est pas la satisfaction mais la réduction progressive, l'extinction finale du désir qu'il faut chercher.

*(**Albertine disparue,** 1925,* in ***À la recherche du temps perdu,*** *Gallimard)*

4/44 Le bonheur est salutaire pour les corps, mais c'est le chagrin qui développe les forces de l'esprit.

*(**Le Temps retrouvé,** 1927,* in ***À la recherche du temps perdu,*** *Gallimard)*

RENARD

4/45 Tout de même, un jour, je l'ai vu passer, le bonheur, passer devant moi, à l'horizon, en express.

*(**Journal,** 1887-1910, 5 sept. 1893)*

4/46 Si l'on bâtissait la maison du bonheur, la plus grande pièce en serait la salle d'attente.

*(**Id.**, 1er août 1899)*

4/47 Quand un homme dit : « Je suis heureux », il veut dire bonnement : « J'ai des ennuis qui ne m'atteignent pas. »

*(**Id.**, 20 janvier 1902)*

4/48 Le véritable égoïste accepte même que les autres soient heureux, s'ils le sont à cause de lui.

*(**Id.**, 5 juillet 1908)*

ROSTAND (Jean)

4/49 Une fois que les centres du bonheur ont été lésés, on ne peut plus connaître que des joies segmentaires.

*(**Pensées d'un biologiste,** 1939, chap. IX, Stock, p. 189)*

4/50 Il n'y a pas de bonheur intelligent.

*(**Id.**, p. 195)*

ROUSSEAU

4/51 Malheur à qui n'a plus rien à désirer ! Il perd pour ainsi dire tout ce qu'il possède. On jouit moins de ce qu'on obtient que de ce qu'on espère, et l'on n'est heureux qu'avant d'être heureux.

*(**Julie ou la Nouvelle Héloïse,** 1761, 6e partie, lettre VIII)*

4/52 Si d'abord la multitude et la variété des amusements paraissent contribuer au bonheur, si l'uniformité d'une vie égale paraît d'abord ennuyeuse, en y regardant mieux, on trouve, au contraire, que la plus douce habitude de l'âme consiste dans une modération de jouissance qui laisse peu de prise au désir et au dégoût.

*(**Émile ou De l'éducation,** 1762, Livre quatrième, éd. du Seuil, t. 3, p. 161)*

4/53 Le bonheur est un état trop constant et l'homme un être trop muable pour que l'un convienne à l'autre.

*(**Fragments écrits sur des cartes à jouer,** vers 1776-1777,*
*in **Œuvres complètes,** éd. du Seuil, t. 1, p. 497)*

4/54 Je me levais avec le soleil et j'étais heureux ; je me promenais et j'étais heureux, je voyais Maman et j'étais heureux, je la quittais et j'étais heureux, je parcourais les bois, les coteaux, j'errais dans les vallons, je lisais, j'étais oisif, je travaillais au jardin, je cueillais les fruits, j'aidais au ménage, et le bonheur me suivait partout ; il n'était dans aucune chose assignable, il était tout en moi-même, il ne pouvait me quitter un seul instant.

*(**Les Confessions,** 1781-1788, Première partie, livre VI)*

4/55 Le bonheur est un état permanent qui ne semble pas fait ici-bas pour l'homme. Tout est sur la terre dans un flux continuel qui ne permet à rien d'y prendre une forme constante. Tout change autour de nous. Nous changeons nous-mêmes et nul ne peut s'assurer qu'il aimera demain ce qu'il aime aujourd'hui.

*(**Les Rêveries du promeneur solitaire,** 1782, Neuvième promenade)*

RUSSELL

4/56 Une fois les besoins vitaux satisfaits, le bonheur profond dépend, pour la plupart des hommes, de deux choses : de leur travail et de leurs relations avec les autres.

*(**Le monde qui pourrait être,** 1918, trad. par Maurice de Cheveigné, Denoël/Gonthier, p. 194)*

SAINT-JUST

4/57 Le bonheur est une idée neuve en Europe.

*(**Rapport sur le mode d'exécution du décret contre les ennemis de la Révolution,** Convention nationale, 3 mars 1794)*

SCHOPENHAUER

4/58 Tout bonheur est négatif, sans rien de positif ; nulle satisfaction, nul contentement, par suite, ne peut être de durée ; au fond ils ne sont que la cessation d'une douleur ou d'une privation, et, pour remplacer ces dernières, ce qui viendra sera infailliblement ou une peine nouvelle, ou bien quelque langueur, une attente sans objet, l'ennui.

*(**Le monde comme volonté et comme représentation,** 1819, trad. A. Burdeau, revue et corrigée par R. Roos, P.U.F., p. 404)*

4/59 Le mirage attrayant du lointain nous montre des paradis qui s'évanouissent, semblables à des illusions d'optique, une fois que nous

nous y sommes laissé prendre. Le bonheur réside donc toujours dans l'avenir, ou encore dans le passé, et le présent paraît être un petit nuage sombre que le vent pousse au-dessus de la plaine ensoleillée : devant lui et derrière lui tout est clair ; seul il ne cesse lui-même de projeter une ombre.

*(**Id.**, p. 1335)*

4/60 Le destin est cruel et les hommes sont pitoyables. Dans un monde ainsi fait, celui qui a beaucoup en lui-même est pareil à une chambre d'arbre de Noël, éclairée, chaude, gaie, au milieu des neiges et des glaces d'une nuit de décembre.

*(**Aphorismes sur la sagesse dans la vie,** posth. 1880, trad. de J.-A. Cantacuzène, revue et corrigée par R. Roos, P.U.F., 1964, p. 19)*

STENDHAL

4/61 Je devrais écrire ma vie, je saurai peut-être enfin, quand cela sera fini dans deux ou trois ans, ce que j'ai été, gai ou triste, homme d'esprit ou sot, homme de courage ou peureux, et enfin au total heureux ou malheureux...

*(**Vie de Henry Brulard,** 1835, chap. I,* in ***Œuvres intimes,*** *Pléiade, Gallimard, p. 6)*

STIRNER

4/62 Depuis la Révolution, on cherche à faire le bonheur du Peuple, et pour faire le Peuple heureux, grand, etc., on nous rend malheureux ! Le bonheur du Peuple est — mon malheur.

*(**L'Unique et sa Propriété,** 1844, deuxième partie, II, 2, trad. R.-L. Reclaire, Stock éd., p. 279)*

VALÉRY

4/63 Le « bonheur », idée animale. Ce mot n'a de sens qu'animal. L'organisme heureux s'ignore.

*(**Tel quel, II,** suite, 1930,* in ***Œuvres,*** *t. II, Pléiade, Gallimard, p. 778)*

4/64 Le bonheur a les yeux fermés.
*(**Mauvaises pensées et autres,** 1941,* in ***Œuvres*** *t. II, Pléiade, Gallimard, p. 820)*

4/65 Le bonheur est la plus cruelle des armes aux mains du Temps.
(Ibid.)

CONCEPT

BACHELARD

5/1 Entre l'image et le concept, pas de synthèse. Pas non plus de cette filiation, toujours dite, jamais vécue, par laquelle les psychologues font sortir le concept de la pluralité des images. Qui se donne de tout son esprit aux concepts, de toute son âme aux images, sait bien que les concepts et les images se développent sur des lignes divergentes de la vie spirituelle.

*(**La Terre et les Rêveries du repos: essai sur les images de l'intimité,** José Corti, 1948, p. 45)*

BERGSON

5/2 Je ne nie pas l'utilité des idées abstraites et générales, pas plus que je ne conteste la valeur des billets de banque. Mais de même que le billet de banque n'est qu'une promesse d'or, ainsi une conception ne vaut que par les perceptions éventuelles qu'elle représente.

*(**La Pensée et le Mouvant,** 1903, V, première conférence, **Perception et conception,** P.U.F.)*

DELEUZE

5/3 Le concept, c'est ce qui empêche la pensée d'être une simple opinion, un avis, une discussion, un bavardage.

*(**Signes et événements,** propos recueillis in **Magazine littéraire,** Nº 257, sept. 1988, p. 16)*

5/4 Les philosophes apportent de nouveaux concepts, ils les exposent, mais ne disent pas, ou pas complètement les problèmes auxquels ces concepts répondent. Par exemple, Hume expose un concept original de croyance, mais il ne dit pas pourquoi et comment le problème de la connaissance se pose en sorte que la connaissance soit un mode déterminable de croyance... La philosophie consiste toujours à inventer des concepts... Aujourd'hui, c'est l'informatique, la communication, la production commerciale qui s'approprient les mots *concepts* et *créatif*, et ces *concepteurs* forment une race effrontée qui exprime l'acte de vendre comme suprême pensée capitaliste, le *cogito* de la marchandise. La philosophie se sent petite et seule devant de telles puissances, mais s'il lui arrive de mourir, au moins ce sera de rire.

(***Ibid.***)

5/5 Je conçois la philosophie comme une logique des multiplicités (je me sens proche de Michel Serres à cet égard). Créer des concepts, c'est construire une région du plan, ajouter une région aux précédentes, explorer une nouvelle région, combler le manque. Le concept est un composé, un consolidé de lignes, de courbes.

(***Id.***, *p. 22*)

HEGEL

5/6 Dans le *concept* seul la vérité trouve l'élément de son existence.

(***La Phénoménologie de l'esprit,*** *1807, trad. J. Hyppolite, Aubier-Montaigne, t. I, p. 8*)

KANT

5/7 Toute connaissance exige un concept, si imparfait ou si obscur qu'il puisse être.

(***Critique de la raison pure,*** *1781, I, première division, livre I, chap. II, 2e section, P.U.F.*)

5/8 Il est de la plus haute importance d'avoir au préalable défini très exactement le concept que l'on veut éclaircir par des observations, avant d'interroger l'expérience à son sujet ; car l'expérience ne peut nous procurer ce dont nous avons besoin que si nous savons d'abord ce que nous devons y chercher.

(***Définition du concept de race humaine,*** *1785,* in ***La Philosophie de l'histoire,*** *trad. Piobetta, Aubier-Montaigne, p. 129*)

NIETZSCHE

5/9 Notre entendement est une force de surface, il est *superficiel*, c'est ce qu'on appelle aussi « subjectif ». Il connaît au moyen de *concepts :*

notre penser est un classer, un nommer, donc quelque chose qui revient à l'arbitraire humain et n'atteint pas la chose même.

*(**Le Livre du philosophe, Études théorétiques,** 1872-1875, trad. A.-K. Marietti, Aubier-Flammarion, p. 71)*

5/10 Tout mot devient immédiatement concept par le fait qu'il ne doit pas servir justement pour l'expérience originale, unique, absolument individualisée, à laquelle il doit sa naissance, c'est-à-dire comme souvenir, mais qu'il doit servir en même temps pour des expériences innombrables, plus ou moins analogues, c'est-à-dire, à strictement parler, jamais identiques et ne doit donc convenir qu'à des cas différents. Tout concept naît de l'identification du non-identique.

*(**Id.,** p. 181)*

5/11 À la construction des concepts travaille originellement le langage, et plus tard la science. Comme l'abeille travaille en même temps à construire les cellules et à remplir ces cellules de miel, ainsi la science travaille sans cesse à ce grand columbarium des concepts, ce sépulcre des intuitions ; elle construit toujours de nouveaux étages plus élevés, elle façonne, nettoie, rénove les vieilles cellules, elle s'efforce surtout de remplir ce colombage surélevé jusqu'au monstrueux et d'y ranger le monde empirique tout entier, c'est-à-dire le monde anthropomorphique.

*(**Id.,** p. 193)*

ARISTOTE

6/1 Le fait de vivre doit être posé comme une sorte de connaissance.
*(**Éthique à Eudème**, VII, 12, 1244b, trad. J.-C. Fraisse, P.U.F.)*

BACHELARD

6/2 On ne doit pas s'accorder le droit de parler d'une connaissance qui ne serait pas communicable.
*(**La Dialectique de la durée,** 1936, P.U.F., p. 42)*

BERGSON

6/3 Connaître une réalité, c'est au sens usuel du mot « connaître » : prendre des concepts déjà faits, les doser, et les combiner ensemble jusqu'à ce qu'on obtienne un équivalent pratique du réel. Mais il ne faut pas oublier que le travail de l'intelligence est loin d'être un travail désintéressé. Nous ne visons pas, en général, à connaître pour connaître, mais à connaître pour un parti à prendre, pour un profit à retirer, enfin pour un intérêt à satisfaire.
*(**La Pensée et le Mouvant,** 1903, VI, **Introduction à la métaphysique, Empirisme et rationalisme,** P.U.F.)*

COMTE

6/4 Mieux on médite sur la marche primitive de notre intelligence, plus on reconnaît qu'elle n'exigeait d'autre rectification radicale que de substituer l'étude des lois à la recherche des causes.
*(**Système de politique positive,** 1851, **Introduction fondamentale,** chapitre troisième, Aubier)*

HUME

6/5 Par connaissance, j'entends la certitude qui naît de la comparaison d'idées.
*(**Traité de la nature humaine,** 1739, Livre I, part. III, section XI)*

6/6 Notre raison doit être considérée comme une sorte de cause dont la vérité est l'effet naturel ; mais un effet tel qu'il peut être aisément prévenu par l'intrusion d'autres causes et par l'inconstance de nos facultés mentales. De cette manière toute connaissance dégénère en probabilité ; cette probabilité est plus ou moins grande selon notre expérience de la véracité ou de la fausseté de notre entendement et selon la simplicité ou la complexité de la question.

*(**Id.**, livre I, quatrième partie, sect. I, trad A. Leroy, Aubier-Montaigne, t. I, p. 267)*

KANT

6/7 Si toute notre connaissance débute *avec* l'expérience, cela ne prouve pas qu'elle dérive toute *de* l'expérience.

*(**Critique de la raison pure,** 1781, trad. Trémesaygues et Pacaud, Alcan, Introd., 2e éd.)*

6/8 Intuition et concepts constituent les éléments de toute notre connaissance ; de sorte que ni des concepts, sans une intuition qui leur corresponde de quelque manière, ni une intuition sans concept, ne peuvent donner une connaissance.

*(**Id., Logique transcendantale,** introd., § I)*

6/9 Aucune connaissance a priori ne nous est possible que celle, uniquement, d'objets d'une expérience possible.

*(**Id.,** I, **Analytique transcendantale,** I, chap. II, § 27)*

LEIBNIZ

6/10 La connaissance des vérités nécessaires et éternelles est ce qui nous distingue des simples animaux et nous fait avoir la *Raison* et les sciences, en nous élevant à la connaissance de nous-mêmes et de Dieu.

*(**La Monadologie,** 1714, éd. Émile Boutroux, Delagrave, § 29)*

NIETZSCHE

6/11 Par nature, l'homme n'est pas là pour la connaissance — c'est la *véracité* (et la *métaphore*) qui ont produit le penchant à la vérité. Ainsi un phénomène moral, esthétiquement généralisé, produit l'instinct intellectuel.

*(**Le Livre du philosophe, Études théorétiques,** 1872-1875, trad. A.-K. Marietti, Aubier-Flammarion, p. 123)*

6/12 En quelque coin écarté de l'univers répandu dans le flamboiement d'innombrables systèmes solaires, il y eut une fois une étoile sur laquelle des animaux intelligents inventèrent la connaissance. Ce fut la minute la plus arrogante et la plus mensongère de l'« histoire universelle » ; mais ce ne fut qu'une minute. À peine quelques soupirs de la nature et l'étoile se congela, les animaux intelligents durent mourir.

(**Id.,** *p. 171*)

6/13 La *force* des connaissances ne réside pas dans leur degré de vérité, mais dans leur ancienneté, dans leur degré d'assimilation, dans leur caractère de condition de vie.

(**Le Gai Savoir,** *1882, § 110, trad. Klossowski, Club français du livre*)

6/14 Ne serait-ce pas *l'instinct de la crainte* qui nous incite à connaître? La jubilation de celui qui acquiert une connaissance ne serait-elle pas la jubilation même du sentiment de sécurité recouvré?

(**Id.,** *§ 355*)

6/15 Il est bien des choses que je veux, une fois pour toutes, *ne point* savoir. La sagesse fixe des limites même à la connaissance.

(**Crépuscule des idoles ou Comment philosopher à coups de marteau,** *« Götzen-Dämmerung », 1888, traduit de l'allemand par Jean-Claude Hemery, Idées/Gallimard, p. 14*)

SPINOZA

6/16 Le Connaître est une pure passion, c'est-à-dire une perception dans l'âme de l'essence et de l'existence des choses ; de sorte que ce n'est pas nous qui affirmons ou nions jamais quelque chose d'une chose, mais c'est elle-même qui, en nous, affirme ou nie quelque chose d'elle-même.

(**Court traité,** *1660, Deuxième partie, chap. XVI, (5), trad. Ch. Appuhn,* in **Œuvres, I,** *Garnier-Frères, p. 125*)

6/17 Nous percevons beaucoup de choses et formons des notions universelles : 1° à partir de choses singulières qui nous sont représentées par les sens de façon mutilée et confuse, et sans ordre pour l'entendement ; et c'est pour cette raison que j'ai accoutumé d'appeler de telles perceptions : connaissance par expérience vague. 2° à partir de signes, par exemple, entendant ou lisant certains mots, nous nous souvenons des choses et en formons des idées semblables à celles par lesquelles nous imaginons les choses. Ces deux façons de considérer les choses, je les appellerai par la suite: *connaissance du premier genre*, opinion ou *Imagination*. 3° enfin, de ce que nous avons des notions communes et des idées adéquates des propriétés des choses. Et j'appellerai cela *Raison* et *connaissance du second genre*.

Outre ces deux genres de connaissance, il y en a encore un troisième, que j'appellerai: *Science intuitive*. Et ce genre de connaissance procède de l'idée adéquate de l'essence formelle de certains attributs de Dieu à la connaissance adéquate de l'essence des choses.

*(**Éthique,** posth. 1677, II, prop. XL, scol. II)*

VALÉRY

6/18 Notre savoir consiste en grande partie à « croire savoir », et à croire que d'autres savent.

*(**L'Homme et la Coquille,** 1937,* in ***Œuvres,*** *t. I, Pléiade, Gallimard, p. 890)*

6/19 Je ne vois point d'autre mesure d'une connaissance que la puissance réelle qu'elle confère. *Je ne sais que ce que je sais faire.*

*(**Id.,** p. 899)*

CONSCIENCE

ALAIN

7/1 Toute conscience est d'ordre moral, puisqu'elle oppose toujours ce qui devrait être à ce qui est.

(***Histoire de mes pensées,*** *1936, ch.* ***Abstractions,*** in ***Les Arts et les Dieux,*** *Pléiade, Gallimard, p. 53)*

BERGSON

7/2 Sans donner de la conscience une définition qui serait moins claire qu'elle, je puis la caractériser par son trait le plus apparent : conscience signifie d'abord mémoire.

(***L'Énergie spirituelle,*** *1911, P.U.F., I.,* ***La Conscience et la Vie****)*

7/3 La conscience correspond exactement à la puissance de choix dont l'être vivant dispose ; elle est coextensive à la frange d'action possible qui entoure l'action réelle : conscience est synonyme d'invention et de liberté.

(***L'Évolution créatrice,*** *1907, ch. III,* ***Signification de l'évolution,*** *P.U.F.)*

CANGUILHEM

7/4 Il n'y a rien dans la science qui n'ait d'abord apparu dans la conscience.

(***Le Normal et le Pathologique,*** *I, 1943, P.U.F., p. 53)*

COURNOT

7/5 Non seulement l'attention donnée aux faits de conscience les modifie et les altère, mais souvent elle les fait passer du néant à l'être ; ou, pour parler plus exactement, elle amène à l'état de faits de conscience des phénomènes psychologiques qui n'auraient pas de retentissement dans la conscience sans l'attention qu'on y donne.

*(**Essai sur les fondements de la connaissance et sur les caractères de la critique philosophique,** 1851, Hachette, p. 547)*

FEUERBACH

7/6 La forme suprême de l'affirmation de soi, la forme qui est elle-même une distinction et une perfection, un bonheur et un bien, c'est la conscience.

*(**L'Essence du christianisme,** 1841,* in ***Manifestes philosophiques,*** *trad. de l'allemand par L. Althusser, P.U.F., p. 87)*

7/7 Le matérialiste *dénué d'esprit* déclare : « l'homme se distingue de l'animal par sa *seule* conscience, c'est un animal, mais *doué* de conscience » ; mais il ne remarque pas qu'il se produit dans l'être qui s'est éveillé à la conscience une *modification qualitative* de l'être tout entier.

*(**Id.** p. 125, n. I)*

FREUD

7/8 Conclure du fait que la conscience présente une échelle de netteté et de clarté à l'inexistence de l'inconscient équivaut à affirmer la non-existence de l'obscurité parce que la lumière présente toutes les gradations, depuis l'éclairage le plus cru, jusqu'aux lueurs les plus atténuées, à peine perceptibles, ou à tirer des innombrables degrés de vitalité un argument en faveur de la non-existence de la mort.

*(**Essais de psychanalyse,** articles 1909-1915, Payot, Paris 1927, p. 181)*

GOETHE

7/9 L'homme d'action est toujours sans conscience ; il n'y a de conscience que chez le contemplatif.

*(**Pensées,** 1815-1832,* in ***Œuvres,*** *t. I, trad. J. Porchat, Hachette, p. 421)*

HUSSERL

7/10 Tout état de conscience en général est, en lui-même conscience *de* quelque chose, quoi qu'il en soit de l'existence réelle de cet objet et quelque abstention que je fasse, dans l'attitude transcendantale qui est mienne, de la position de cette existence et de tous les actes de l'attitude naturelle.

*(**Méditations cartésiennes,** 1929, trad. G. Peiffer et E. Lévinas, Librairie J. Vrin, 1953, p. 28)*

7/11 Le mot *intentionalité* ne signifie rien d'autre que cette particularité foncière et générale qu'a la conscience d'être conscience *de* quelque chose, de porter, en sa qualité de *cogito*, son *cogitatum* en elle-même.

*(**Ibid.**)*

KANT

7/12 J'ai conscience de moi-même: cet acte logique n'est pas une proposition car il est sans prédicat.

*(**Opus postumum,** trad. J. Gibelin, Vrin, p. 133)*

LAGNEAU

7/13 La conscience n'est pas distincte de la pensée (proprement dite) même.

*(**Fragment 10,** posth. 1898,* in ***Célèbres leçons et fragments,** P.U.F., p. 54)*

7/14 La conscience n'est pas un épiphénomène, mais un moment de la pensée: ce sur quoi elle se porte, elle le transforme, et inversement ce qui lui échappe se transforme.

*(**Fragment 67,** posth. 1898, **Id.** p. 79)*

LEIBNIZ

7/15 Il y a autant de vérités de fait premières que de perceptions immédiates ou, si l'on veut, de consciences.

*(**Animadversiones in Partem generalem principiorum Cartesianorum — Remarques sur la partie générale des Principes de Descartes,** 1692, sur la première partie, sur l'article 7, trad. L.L.G.)*

MARX

7/16 Dans la production sociale de leur existence, les hommes nouent des rapports déterminés, nécessaires, indépendants de leur volonté ; ces rapports de production correspondent à un degré donné du développement de leurs forces productives matérielles. L'ensemble de ces rapports forme la structure économique de la société, la fondation réelle sur laquelle s'élève un édifice juridique et politique, et à quoi répondent des formes déterminées de la conscience sociale. Le mode de production de la vie matérielle domine en général le développement de la vie sociale, politique et intellectuelle. Ce n'est pas la conscience des hommes qui détermine leur existence, c'est au contraire leur existence sociale qui détermine leur conscience.

*(**Œuvres économiques, I,** 1965, Pléiade, Gallimard, pp. 272-273)*

MARX-ENGELS

7/17 Ce n'est pas la conscience qui détermine la vie, mais la vie qui détermine la conscience.

*(**L'Idéologie allemande,** 1846, trad. de H. Auger, G. Badia, J. Baudrillard, R. Cartelle, Éditions Sociales, p. 51)*

7/18 La conscience est d'emblée un produit social et le demeure aussi longtemps qu'il existe des hommes.

*(**Id.** p. 59)*

MERLEAU-PONTY

7/19 La conscience est originairement non pas un « je pense que », mais un « je peux ».

*(**Phénoménologie de la perception,** 1945, Gallimard, p. 160)*

NIETZSCHE

7/20 La conscience est la dernière et la plus tardive évolution de la vie organique, et par conséquent ce qu'il y a de moins accompli et de plus fragile en elle.

*(**Le Gai Savoir,** 1882, § 11, trad. Klossowski, Club français du livre, p. 86)*

RICŒUR

7/21 Le sens profond de la cure psychanalytique n'est pas une explication de la conscience par l'inconscient, mais un triomphe de la conscience sur ses propres interdits par le détour d'une autre conscience déchiffreuse.

*(**Philosophie de la volonté,** 1949, Aubier, p. 376)*

SARTRE

7/22 Il est impossible d'assigner à une conscience une autre motivation qu'elle-même. Sinon il faudrait concevoir que la conscience, dans la mesure où elle est un effet, est non consciente (de) soi.

*(**L'Être et le Néant,** 1943, Introduction, III, Gallimard, p. 22)*

7/23 La conscience est conscience de part en part. Elle ne saurait donc être limitée que par elle-même.

*(**Ibid.**)*

7/24 La conscience est un être pour lequel il est dans son être question de son être en tant que cet être implique un être autre que lui.

*(**Id.,** Introduction, V, Gallimard, p. 29)*

7/25 La caractéristique de la conscience, c'est qu'elle est une décompression d'être. Il est impossible en effet de la définir comme coïncidence avec soi.

*(**Id.,** deuxième partie, chapitre premier, I, Gallimard, p. 116)*

7/26 Il ne peut pas y avoir de vérité autre, au point de départ, que celle-ci : *je pense donc je suis*, c'est là la vérité absolue de la conscience s'atteignant elle-même.

*(**L'existentialisme est un humanisme,** 1946, Nagel, p. 64)*

SCHOPENHAUER

7/27 La matière donnée de toute philosophie n'est autre que la conscience empirique, laquelle se réduit à la conscience de notre propre moi et à la conscience des autres choses. Telle est, en effet, la seule donnée immédiate, la seule donnée qui soit réellement une donnée.

*(**Le monde comme volonté et comme représentation,** 1819, trad. A. Burdeau, revue et corrigée par R. Roos, P.U.F., p. 761)*

VALÉRY

7/28 *Variations sur Descartes*

Parfois, je pense ; et parfois, je suis.

*(**Tel quel, Choses tues,** 1930,* in ***Œuvres,** t. II, Pléiade, Gallimard, p. 500)*

7/29 La conscience règne et ne gouverne pas.

*(**Mauvaises pensées et autres,** 1941,* in ***Œuvres,** t. II, Pléiade, Gallimard, p. 813)*

DÉSIR

ALAIN

8/1 Le désir a plus de fantaisie que l'inclination et il n'est pas toujours selon le besoin. On peut désirer une chose dont on n'a pas l'expérience. C'est pourquoi il n'y a pas de limite aux désirs que les inventeurs peuvent nous donner, comme d'avion, de T.S.F., de télévision, d'aller dans la lune, etc. On désire du nouveau. La sagesse veut que nous réglions nos désirs sur nos besoins, et même (car on acquiert des besoins) sur le niveau moyen des hommes.

*(**Définitions,** posth. 1953, Art.* **Désir,** in ***Les Arts et les Dieux,*** *Pléiade, Gallimard, p. 1049)*

8/2 Chacun a ce qu'il veut. La jeunesse se trompe là-dessus parce qu'elle ne sait bien que désirer, et attendre la manne. Or il ne tombe point de manne ; et toutes les choses désirées sont comme la montagne, qui attend, que l'on ne peut manquer. Mais aussi il faut grimper.

*(**Discours aux ambitieux,** 21 septembre 1924,* ***Propos sur le Bonheur,*** *XXVIII, Gallimard, p. 88)*

ARISTOTE

8/3 De même que l'enfant doit vivre selon les commandements de son maître, de même notre faculté de désirer doit se conformer aux prescriptions de la raison.

*(**Éthique à Nicomaque,** Liv. III, XII, 8, trad. Voilquin)*

AUGUSTIN (saint)

8/4 Je n'aimais pas encore, et j'aimais à aimer ; dévoré du désir secret de l'amour, je m'en voulais de ne pas l'être plus encore.

*(**Les Confessions,** livre III, chap. premier, trad. Joseph Trabucco)*

BACHELARD

8/5 L'homme est une création du désir, non pas une création du besoin.

*(**La Psychanalyse du Feu,** Gallimard, 1938, p. 39)*

BIBLE (LA)

8/6 N'aimez ni le monde, ni ce qui est dans le monde. Si quelqu'un aime le monde, l'amour du Père n'est point en lui. Car tout ce qui est dans le monde est ou concupiscence de la chair, ou concupiscence des yeux, ou orgueil de la vie : ce qui ne vient point du Père, mais du monde. Or, le monde passe, et la concupiscence du monde passe avec lui ; mais celui qui fait la volonté de Dieu demeure éternellement.

*(**Le Nouveau Testament** [**Première Épître de saint Jean,** II, 15, 16, 17], trad. sur la Vulgate par Lemaistre de Sacy)*

8/7 Quant aux personnes qui ne sont point mariées, ou qui sont veuves, je leur déclare qu'il leur est bon de demeurer en cet état, comme j'y demeure moi-même. S'ils sont trop faibles pour garder la continence, qu'ils se marient ; car il vaut mieux se marier que brûler.

*(**Id.** [**Première Épître de saint Paul aux Corinthiens,** VII, 8-9], trad. sur la Vulgate par Lemaistre de Sacy)*

CHESTERTON

8/8 Personne ne réclame ce qu'il désire : chacun réclame ce qu'il croit pouvoir obtenir.

*(**Ce qui cloche dans le monde** [**What is wrong with the world**] 1910, trad. J.-C. Laurens, Gallimard, 1948, p. 17)*

DESCARTES

8/9 La passion du désir est une agitation de l'âme causée par les esprits qui la disposent à vouloir pour l'avenir les choses qu'elle se représente être convenables. Ainsi on ne désire pas seulement la présence d'un bien absent, mais aussi la conservation du présent, et de plus l'absence du mal, tant de celui qu'on a déjà que de celui qu'on croit pouvoir recevoir au temps à venir.

*(**Les Passions de l'âme,** 1649, art. LXXXVI)*

8/10 Il me semble que l'erreur qu'on commet le plus ordinairement touchant les désirs est qu'on ne distingue pas assez les choses qui dépendent entièrement de nous de celles qui n'en dépendent point.

*(**Id.,** art. CXLIV)*

8/11 Mais parce que la plupart de nos désirs s'étendent à des choses qui ne dépendent pas toutes de nous ni toutes d'autrui, nous devons exactement distinguer en elles ce qui ne dépend que de nous, afin de n'étendre notre désir qu'à cela seul.

*(**Id.**, art. CXLVI)*

DIDEROT

8/12 Si le petit sauvage était abandonné à lui-même, il tordrait le cou à son père et coucherait avec sa mère.

*(**Le Neveu de Rameau,** 1762,* in ***Œuvres,*** *Pléiade, Gallimard, p. 464)*

ÉPICTÈTE

8/13 Ce n'est pas par la satisfaction des désirs que s'obtient la liberté, mais par la destruction du désir.

*(**Entretiens,** IV, chap. premier, conclusion, trad. Souilhé et Jagu, Les Belles Lettres)*

8/14 Désirer ton fils ou ton ami en un temps où ils ne t'ont pas été donnés, c'est, sache-le bien, désirer des figues en hiver.

*(**Entretien,** III, XXIV, trad. Émile Bréhier,* in ***Les Stoïciens,*** *Pléiade, Gallimard, p. 1030)*

8/15 Nulle des choses que l'on admire et que l'on recherche avec zèle n'est utile à ceux qui les ont obtenues ; mais quand on ne les a pas encore, on s'imagine que, si elles arrivent, tous les biens seront présents avec elles ; et quand elles sont là, il y a autant de fièvre, autant d'agitation et de dégoût, autant de désir des choses qu'on n'a pas. Car ce n'est pas en se rassasiant des choses désirées que l'on prépare la liberté, c'est par la suppression des désirs.

*(**Id.**, IV, 1, p. 1060)*

ÉPICURE

8/16 Parmi les désirs, les uns sont naturels et nécessaires, les autres naturels et non nécessaires, et les autres ni naturels ni nécessaires, mais l'effet d'opinions creuses.

*(**Lettre à Ménécée,** in DIOGÈNE LAËRCE:* ***Vie, doctrines et sentences des philosophes illustres,*** *trad. du grec par Robert Genaille, Garnier-Frères, t. II, p. 268)*

FREUD

8/17 Tantôt le malade convient qu'il a eu tort de repousser le désir pathogène, et il accepte totalement ou partiellement ce désir ; tantôt le désir lui-même est aiguillé vers un but plus élevé et, pour cette raison, moins sujet à objection (c'est ce que je nomme la *sublimation du désir*) ; tantôt, on reconnaît qu'il était juste de rejeter le désir, mais on remplace le mécanisme automatique, donc insuffisant, du refoulement, par un jugement de condamnation morale rendu avec l'aide des plus hautes instances spirituelles de l'homme ; c'est en pleine lumière que l'on triomphe du désir.

*(**Cinq leçons sur la psychanalyse,** 1909, trad. Yves Le Lay, Payot 1977, p. 29)*

8/18 L'homme énergique et qui réussit, c'est celui qui parvient à transmuer en réalités les fantaisies du désir.

*(**Id.,** cinquième leçon, p. 59)*

8/19 Chaque rêve qui réussit est un accomplissement du désir de dormir.

*(**L'Interprétation des rêves,** 1900, P.U.F., p. 206)*

8/20 On a beau rêver de boissons : quand on a réellement soif, il faut s'éveiller pour boire.

*(**Introduction à la psychanalyse,** 1917, Payot, p. 235)*

8/21 Le cauchemar est souvent une réalisation non voilée d'un désir, mais d'un désir qui, loin d'être le bienvenu, est un désir refoulé, repoussé.

*(**Id.,** p. 237)*

8/22 Alors qu'on peut dire du rêve infantile qu'il est la réalisation franche d'un désir admis, et du rêve déformé ordinaire, qu'il est la réalisation *voilée* d'un désir refoulé, le cauchemar, lui, ne peut être défini que comme la réalisation *franche* d'un désir repoussé.

*(**Ibid.**)*

HEGEL

8/23 L'élément au sein duquel subsistent mutuellement indifférents et indépendants le désir et son objet est l'être-là vital ; la jouissance du désir supprime cet être-là, en tant qu'il convient à l'objet de ce même désir.

*(**La Phénoménologie de l'esprit,** 1807, trad. J. Hyppolite, Aubier-Montaigne, t. I, p. 298)*

HÉRACLITE

8/24 Pour les hommes, que se produise tout ce qu'ils souhaitent n'est pas mieux.

*(**Fragments**, trad. M. Conche, P.U.F., 1986, p. 184)*

HOLBACH

8/25 Pour trouver des charmes dans la jouissance, il faut que le désir soit irrité par des obstacles... Jouir sans interruption, c'est ne jouir de rien ; l'homme qui n'a rien à désirer est à coup sûr plus malheureux que celui qui souffre.

*(**Le Système de la nature,** Londres, 1770, I, chap. XV)*

HUME

8/26 Nos vœux les plus chimériques ne peuvent se former l'idée d'un état ou d'une situation parfaitement désirable.

*(**L'Histoire naturelle de la religion,** 1757, trad. Michel Malherbe, Vrin, p. 102)*

KANT

8/27 Une propriété de la raison consiste à pouvoir, avec l'appui de l'imagination, créer artificiellement des désirs, non seulement *sans* fondements établis sur un instinct naturel, mais même *en opposition* avec lui ; ces désirs, au début, favorisent peu à peu l'éclosion de tout un essaim de penchants superflus, et qui plus est, contraires à la nature sous l'appellation de « sensualité ».

*(**Conjectures sur les débuts de l'histoire humaine,** 1786, in **La Philosophie de l'histoire, Opuscules,** trad. S. Piobetta, Aubier, p. 156)*

8/28 Il faut distinguer la *concupiscence* (la convoitise) du désir lui-même, la concupiscence étant comme le stimulant de sa détermination. Elle est toujours une détermination sensible de l'esprit, mais qui n'a pas encore abouti à un acte de la faculté de désirer.

*(**Métaphysique des mœurs,** 1797, première partie, **Doctrine du droit,** trad. Philonenko, J. Vrin éd., p. 87)*

8/29 Le *désir* est l'autodétermination du pouvoir d'un sujet par la représentation d'un fait futur, qui serait l'effet de ce pouvoir.

*(**Anthropologie du point de vue pragmatique,** 1798, 2e éd. 1800, trad. M. Foucault, première partie, livre III, § 73, Vrin)*

LA BRUYÈRE

8/30 La vie est courte et ennuyeuse : elle se passe toute à désirer. L'on remet à l'avenir son repos et ses joies, à cet âge souvent où les meilleurs biens ont déjà disparu, la santé et la jeunesse. Ce temps arrive qui nous surprend encore dans les désirs ; on en est là quand la fièvre nous saisit et nous éteint : si l'on eût guéri, ce n'était que pour désirer plus longtemps.

*(**De l'homme,** § 19 in **Les Caractères,** 1688-1696)*

LÉNINE

8/31 Les excès dans la vie sexuelle sont un signe de dégénérescence bourgeoise.

*(**Lettre à Clara Zetkin,** in C. Zetkin : **Lénine tel qu'il fut,** éd. sociales, p. 216)*

LUCRÈCE

8/32 Tant que l'objet que nous désirons n'est pas là, il nous paraît supérieur à tout ; à peine est-il à nous, nous en voulons un autre et notre soif reste la même.

*(**De la nature,** III, 1095)*

MONTAIGNE

8/33 Il n'est rien si empeschant, si desgouté, que l'abondance. Quel appétit ne se rebuteroit à veoir trois cents femmes à sa merci, comme les a le grand seigneur en son serrail ?

*(**Essais,** 1580-1595, livre I, chap. XLII, Pléiade, Gallimard, p. 302)*

8/34 Les cupiditez sont ou naturelles et nécessaires, comme le boire et le manger ; ou naturelles et non nécessaires, comme l'accointance des femelles : ou elles ne sont ny naturelles ny necessaires : de cette dernière sorte sont quasi toutes celles des hommes ; elles sont toutes superfluës et artificielles car c'est merveille combien peu il faut à nature pour se contenter, combien peu elle nous a laissé désirer.

*(**Id.,** livre II, chap. XII, p. 521)*

PASCAL

8/35 La nature nous rendant toujours malheureux en tous états, nos désirs nous figurent un état heureux, parce qu'ils joignent à l'état où nous sommes les plaisirs de l'état où nous ne sommes pas ; et, quand nous arriverions à ces plaisirs, nous ne serions pas heureux pour cela, parce que nous aurions d'autres désirs conformes à ce nouvel état.

*(**Pensées,** posth. 1669, section II, 109, éd. Brunschvicg, Hachette, p. 383)*

8/36 « Tout ce qui est au monde est concupiscence de la chair, ou concupiscence des yeux, ou orgueil de la vie : *libido sentiendi, libido sciendi, libido dominandi.* » Malheureuse la terre de malédiction que ces trois fleuves de feu embrasent plutôt qu'ils n'arrosent.

*(**Id.**, section VII, 458, p. 543)*

PLATON

8/37 Ce qu'on n'a pas, ce qu'on n'est pas, ce dont on manque, voilà les objets du désir et de l'amour.

*(**Le Banquet,** 200 e, trad. Chambry)*

8/38 Nécessairement celui qui désire désire une chose qui lui manque et ne désire pas ce qui ne lui manque pas.

*(**Id.** 204 a)*

8/39 La vraie voie de l'amour, qu'on s'y engage soi-même ou qu'on s'y laisse conduire, c'est de partir des beautés sensibles et de monter sans cesse vers cette beauté surnaturelle en passant comme par échelons d'un beau corps à deux, de deux à tous, puis des beaux corps aux belles actions, des belles actions aux belles sciences, pour aboutir des sciences à cette science qui n'est autre chose que la science de la beauté absolue et pour connaître enfin le beau tel qu'il est en soi.

*(**Id.**, 211 a)*

8/40 Quand la partie bestiale et sauvage de l'âme, pleine de nourriture et de boisson, repoussant le sommeil, cherche à assouvir son désir, comme dépouillée de toute honte et de toute réflexion, elle ne recule devant aucune audace : ni devant l'idée de vouloir s'unir à sa mère ou à n'importe qui, homme, Divinité, bête ; de se souiller de n'importe quel meurtre ; de ne s'abstenir d'aucun aliment.

*(**La République,** IX, § 571 c)*

PLOTIN

8/41 Des désirs, il en est qui se satisfont en remplissant ou en vidant le corps ; ce n'est point l'âme qui subit ces états de plénitude et ces évacuations. Comment éprouverait-elle le désir de se mêler à autre chose ? Une essence reste sans mélange. Pourquoi désirerait-elle introduire en elle ce qui n'y est pas ? Autant chercher à n'être pas ce qu'elle est.

*(**Ennéades,** texte établi et traduit par E. Bréhier, Les Belles Lettres, première Ennéade, 2, p. 39)*

PROUST

8/42 Plus le désir avance, plus la possession véritable s'éloigne. De sorte que si le bonheur, ou du moins l'absence de souffrance, peut être trouvé, ce n'est pas la satisfaction mais la réduction progressive, l'extinction finale du désir qu'il faut chercher.

*(**Albertine disparue,** 1925,* in ***À la recherche du temps perdu,*** *Gallimard)*

ROUSSEAU

8/43 Tant qu'on désire, on peut se passer d'être heureux ; on s'attend à le devenir : si le bonheur ne vient point, l'espoir se prolonge, et le charme de l'illusion dure autant que la passion qui le cause.

*(**Julie ou la Nouvelle Héloïse,** 1761, sixième partie, lettre VIII)*

8/44 Celui qui n'a rien désire peu de chose ; celui qui ne commande à personne a peu d'ambition. Mais le superflu éveille la convoitise ; plus on obtient, plus on désire.

*(**Que l'état de guerre naît de l'état social,*** in ***Œuvres complètes,*** *t. 2, éd. du Seuil, p. 387)*

SARTRE

8/45 Le désir s'exprime par la caresse comme la pensée par le langage.

*(**L'Être et le Néant,** 1943, troisième partie, chap. III, II, Gallimard, p. 459)*

8/46 Le désir n'est pas d'abord ni surtout une relation au monde. Le monde ne paraît ici que comme fond pour des relations explicites avec l'Autre. Ordinairement c'est à l'occasion de la *présence* de l'Autre que le monde se découvre comme monde du désir.

*(**Id.** p. 462)*

8/47 Le désir est une conduite d'envoûtement.

*(**Id.,** p. 463)*

8/48 Ainsi, le sadisme et le masochisme sont-ils les deux écueils du désir, soit que je dépasse le trouble vers une appropriation de la chair de l'Autre, soit que, enivré de mon propre trouble, je ne fasse plus attention qu'à ma chair et que je ne demande plus rien à l'Autre, sinon d'être le regard qui m'aide à réaliser ma chair. C'est à cause de cette inconsistance du désir et de sa perpétuelle oscillation entre ces deux écueils que l'on a coutume d'appeler la sexualité « normale » du nom de « sadico-masochiste ».

*(**Id.**, p. 475)*

SCHOPENHAUER

8/49 Ce que l'homme veut proprement, ce qu'il veut au fond, l'objet des désirs de son être intime, le but qu'ils poursuivent, il n'y a pas d'action extérieure, pas d'instruction, qui puissent le changer ; sans quoi, nous pourrions à nouveau créer l'homme.

*(**Le monde comme volonté et comme représentation,** 1819, trad. A. Burdeau, revue et corrigée par R. Roos, P.U.F., p 374)*

8/50 Entre les désirs et leurs réalisations s'écoule toute la vie humaine.

*(**Id.**, p. 396)*

8/51 Le système génital ne fait qu'un avec le plus violent de tous les désirs : aussi l'ai-je nommé le foyer du vouloir.

*(**Id.**, p. 1125)*

SPINOZA

8/52 Le désir est l'essence même de l'homme, c'est-à-dire l'effort par lequel l'homme s'efforce de persévérer dans son être.

*(**Éthique,** posth. 1677, quatrième partie, prop. XVIII, dem.)*

8/53 Les hommes sont conduits plutôt par le désir aveugle que par la raison.

*(**Traité politique,** posth. 1677, chap. II, § 5)*

VALÉRY

8/54 Faire la table des désirs idiots de l'homme, pour montrer que tous ces désirs forment la contre-épreuve de sa nature...

Connaître l'avenir.
Être immortel.
Agir par la seule pensée.

N'être que plaisir perpétuel.
Impassible, incorruptible, ubique.
Vaincre, conquérir, posséder.
Être adoré, admiré.
Ensemble d'impossibilités ou d'improbabilités.
Construction naïve (par négation) de toutes les perfections du dieu.

*(**Tel quel II, Suite,** 1930,* in ***Œuvres,*** *t. II, Pléiade, Gallimard, p. 760)*

WEIL (Simone)

8/55 C'est pour les faux biens que désir et possession sont différents ; pour le vrai bien, il n'y a aucune différence.

Dès lors, Dieu est, puisque je le désire ; cela est aussi certain que mon existence.

*(**La Connaissance surnaturelle,** 1950, Gallimard, p. 110)*

DEVOIR

ALAIN

9/1 Il n'y a jamais d'autre difficulté dans le devoir que de le faire.
*(**Définitions,** posth. 1953, art.* ***Devoir,*** *in* ***les Arts et les Dieux,*** *Pléiade, Gallimard, p. 1050)*

BERGSON

9/2 Représentez-vous l'obligation comme pesant sur la volonté à la manière d'une habitude, chaque obligation traînant derrière elle la masse accumulée des autres et utilisant ainsi, pour la pression qu'elle exerce, le poids de l'ensemble : vous avez le tout de l'obligation pour une conscience morale simple, élémentaire.
*(**Les deux sources de la morale et de la religion,** 1932, éd. du Centenaire, p. 995)*

9/3 L'obéissance au devoir est une résistance à soi-même.
*(**Id.**, I,* ***La société dans l'individu****)*

COMTE

9/4 Quand même la terre devrait être bientôt bouleversée par un choc céleste, vivre pour autrui, subordonner la personnalité à la sociabilité, ne cesseraient pas de constituer jusqu'au bout le bien et le devoir suprêmes.
*(**Système de politique positive,** 1851, introduction fondamentale, chap. deuxième, p. 507)*

FREUD

9/5 Notre conscience, loin d'être le juge implacable dont parlent les moralistes, est, par ses origines, de l'« angoisse sociale », et rien de plus.
*(**Essais de psychanalyse,** 1909-1915, trad. Dr S. Jankélévitch, éd. Payot, 4e partie, p. 241)*

KANT

9/6 C'est une tentative au plus haut point condamnable que de vouloir tirer de *ce qui se fait* les lois de ce que *je dois faire* ou de vouloir les y réduire.

(***Critique de la raison pure,*** *1781, I, deuxième division, livre I, première section)*

9/7 Le devoir est la nécessité d'accomplir une action par respect pour la loi morale.

(***Fondements de la métaphysique des mœurs,*** *1785, trad. V. Delbos, Delagrave, p. 100)*

9/8 La majesté du devoir n'a rien à faire avec la jouissance de la vie.

(***Critique de la raison pratique,*** *1788, première partie, livre I, chap. III, trad. Picavet, P.U.F., p. 93)*

9/9 Le *devoir* est l'action à laquelle chacun est obligé. C'est donc la matière de l'obligation, et il peut se faire qu'il s'agisse (quant à l'action) du même devoir, bien que nous puissions y être obligés de différentes manières.

(***Métaphysique des mœurs,*** *1797, première partie,* ***Doctrine du droit,*** *trad. Philonenko, J. Vrin éd., p. 97)*

9/10 Dire qu'on peut être *trop vertueux,* c'est-à-dire trop attaché à son devoir, reviendrait à peu près à dire qu'on peut rendre un cercle trop rond ou une ligne droite trop droite.

(***Id.,*** *deuxième partie,* ***Doctrine de la vertu,*** *p. 107, note 1)*

9/11 On ne peut démontrer l'existence de Dieu, mais on ne peut s'empêcher de procéder suivant le principe de cette idée et d'accepter les devoirs comme des commandements divins.

(***Opus postumum,*** *trad. J. Gibelin, Vrin, p. 8)*

9/12 Le concept de liberté dérive de l'impératif catégorique du devoir.

(***Id.,*** *p. 13)*

LAGNEAU

9/13 Le devoir n'est pas une hauteur où les géants seuls puissent atteindre ; il est à la portée de tous, sous la main ; il s'accommode et descend au détail de la vie.

(***Discours de Sens,*** *1877,* in ***Célèbres leçons et fragments,*** *P.U.F., p. 16)*

MONTAIGNE

9/14 Il ne faut pas laisser au jugement de chacun la cognoissance de son devoir ; il le luy faut prescrire, non pas le laisser choisir à son discours ; autrement, selon l'imbécillité et variété infinie de nos raisons et opinions, nous nous forgerions en fin des devoirs qui nous mettroient à nous manger les uns les autres, comme dit Epicurus.

*(**Essais,** 1580-1595, livre II, chap. XII, Pléiade, Gallimard, p. 540)*

NIETZSCHE

9/15 Exiger que le devoir soit *toujours* quelque peu importun — comme le fait Kant — revient à exiger qu'il ne devienne jamais habitude et coutume : dans cette exigence se cache un petit reste de cruauté ascétique.

*(**Aurore,** 1880, **Pensées sur les préjugés moraux,** trad. par Julien Hervier, Gallimard, p. 276)*

ROUSSEAU

9/16 Je dois toujours faire ce que je dois, parce que je le dois, mais non par aucun espoir de succès, car je sais bien que ce succès est désormais impossible.

*(**Fragments écrits sur des cartes à jouer,** vers 1776-1777,* in ***Œuvres complètes,** éd. du Seuil, t. 1, p. 498)*

WEBER

9/17 Il y a une opposition abyssale entre l'attitude de celui qui agit selon les maximes de l'éthique de conviction — dans un langage religieux nous dirions : « Le chrétien fait son devoir et en ce qui concerne le résultat de l'action il s'en remet à Dieu » —, et l'attitude de celui qui agit selon l'éthique de responsabilité qui dit : « Nous devons répondre des conséquences prévisibles de nos actes. »

*(**Politik als Beruf,** 1919,* in ***Le Savant et le Politique,** Plon et 10/18, p. 172)*

DROIT

ALAIN

10/1 Le droit est un système de contrainte générale et réciproque fondé sur la coutume et sur le jugement des arbitres, et qui a pour fin d'accorder l'idéal de la justice avec les nécessités de la situation humaine et les besoins de sécurité qu'impose l'imagination.

*(**Définitions,** posth. 1953, art.* ***Droit,*** in ***les Arts et les Dieux,*** *Pléiade, Gallimard p. 1052)*

CANGUILHEM

10/2 Le concept de droit, selon qu'il s'agit de géométrie, de morale ou de technique, qualifie ce qui résiste à son application de tordu, de tortueux ou de gauche.

*(**Le Normal et le Pathologique,** II, 1966, P.U.F., p. 177)*

CHAMFORT

10/3 Il est plus facile de légaliser certaines choses que de les légitimer.

*(**Maximes et pensées, caractères et anecdotes,** 1795, chap. II, § 134)*

COMTE

10/4 La notion de *droit* doit disparaître du domaine politique comme la notion de *cause* du domaine philosophique.

*(**Catéchisme positiviste ou Sommaire exposition de la religion universelle en onze entretiens systématiques entre une femme et un prêtre de l'humanité,** 1854, troisième partie, dixième entretien)*

COURNOT

10/5 L'idée du *droit* est naturelle à l'homme ; dans quelque état qu'on l'observe, on le trouve imbu de cette croyance qu'il y a des droits attachés à sa personne : soit qu'il les ait acquis par lui-même, par son travail, par son courage ou par sa bonne fortune ; soit qu'il les tienne de ses ancêtres et qu'il les regarde comme des prérogatives de son sang, de sa race, de la tribu dont il fait partie ou de la cité qui lui a donné le jour.

*(**Traité de l'enchaînement des idées fondamentales dans les sciences et dans l'histoire,** 1911, Librairie Hachette, livre IV, chap. IX, § 431, p. 489)*

DÉCLARATION DES DROITS DE L'HOMME ET DU CITOYEN

10/6 Le but de toute association politique est la conservation des droits naturels et imprescriptibles de l'homme ; ces droits sont la liberté, la propriété, la sûreté et la résistance à l'oppression.

(14 nov. 1791, art. II)

DELEUZE

10/7 Dans les États de non-droit, ce qui compte, c'est la nature des processus de libération, forcément nomadiques. Et dans les États de droit, ce ne sont pas les droits acquis et codifiés, mais tout ce qui fait actuellement problème pour le droit et par quoi les acquis risquent toujours d'être remis en question.

*(**Signes et événements,** propos recueillis* in ***Magazine littéraire,** N° 257, sept. 1988, p. 25)*

DEL VECCHIO

10/8 Les notions du droit et du tort sont interdépendantes ou complémentaires. Pour singulier que cela puisse paraître, le droit est *essentiellement violable* et existe en raison de sa violabilité. Si la possibilité du tort faisait défaut, l'affirmation du droit n'aurait pas de sens, puisqu'on ne pourrait établir de distinction entre les actions justes et celles qui sont injustes et il n'y aurait pas de place pour une règle de l'agir.

*(**Leçons sur la philosophie du Droit,** 1936, Dalloz, p. 194)*

FLAUBERT

10/9 Je ne vois rien de plus bête que le Droit, si ce n'est l'étude du Droit.

*(À E. Chevalier, **Correspondance,** t. I, P.U.F., p. 98)*

HEGEL

10/10 Le droit abstrait est droit de contrainte parce que l'acte injuste est une violence contre l'existence de ma liberté dans une chose extérieure. Le maintien de cette existence contre la violence est, comme action elle-même extérieure, une violence qui supprime la première.

*(**Principes de la philosophie du droit,** 1818, première partie : **le droit abstrait,** 3e section, § 94)*

HOBBES

10/11 LE DROIT DE NATURE, que les auteurs appellent généralement *jus naturale*, est la liberté qu'a chacun d'user comme il le veut de son pouvoir propre, pour la préservation de sa propre nature, autrement dit de sa propre vie, et en conséquence de faire tout ce qu'il considérera, selon son jugement et sa raison propres, comme le moyen le mieux adapté à cette fin.

*(**Léviathan,** 1651, trad. Tricaud, Sirey,* © by *Jurisprudence générale Dalloz, XVI, p. 129)*

KANT

10/12 Le problème essentiel pour l'espèce humaine, celui que la nature contraint l'homme à résoudre, c'est la réalisation d'une *Société civile* administrant le droit de façon universelle.

*(**Idée d'une histoire universelle au point de vue cosmopolitique,** 1784, trad. S. Piobetta,* in ***La Philosophie de l'histoire,** Aubier, p. 66)*

10/13 Attendre une paix universelle et durable de ce qu'on appelle l'équilibre des puissances européennes, c'est une pure chimère, semblable à cette maison de Swift, qu'un architecte avait construite d'une façon si parfaitement conforme à toutes les lois de l'équilibre qu'un *moineau* étant venu s'y poser, elle s'écroula aussitôt.

*(**De ce proverbe : « Cela est bon en théorie, mais ne vaut rien en pratique »,** 1793, trad. J. Barni, Durand éd.)*

10/14 La guerre n'étant qu'un triste moyen imposé par le besoin dans l'état de nature (là où n'existe aucune cour de justice pour pouvoir juger avec force de droit) afin de soutenir son droit par la violence, aucune des deux parties ne peut en ce cas être qualifiée d'ennemi injuste (cela présumant déjà une sentence de juge), mais c'est l'*issue* qui décide (tout comme dans les jugements, dits de Dieu) de quel côté se trouve le droit.

*(**Projet de paix perpétuelle,** 1795, trad. J. Gibelin, J. Vrin, p. 9)*

10/15 Le Juriste qui a pris pour symbole la *balance* du droit et de plus le *glaive* de la justice use communément de ce dernier, non, à vrai dire, pour écarter seulement du droit toutes les influences étrangères, mais pour jeter dans le plateau qui ne penche pas, le glaive *(vae victis).*

*(**Id.,** p. 50)*

LA BRUYÈRE

10/16 Les hommes ont tant de peine à s'approcher sur les affaires, sont si épineux sur les moindres intérêts, si hérissés de difficultés, veulent si fort tromper et si peu être trompés, mettent si haut ce qui leur appartient, et si bas ce qui appartient aux autres, que j'avoue que je ne sais par où et comment se peuvent conclure les mariages, les contrats, les acquisitions, la paix, la trêve, les traités, les alliances.

*(**De l'homme,** § 24,* in ***Les Caractères,** 1688-1696)*

LICHTENBERG

10/17 Les tablettes de chocolat et d'arsenic sur lesquelles sont inscrites les lois.

*(**Aphorismes,** troisième cahier 1775-1779, trad. Marthe Robert, J.-J. Pauvert, p. 124)*

10/18 Il est certain que les coquins seraient plus dangereux ou qu'il naîtrait une nouvelle espèce de dangereux coquins, si l'on se mettait un jour à étudier le droit pour voler comme on le fait pour protéger les honnêtes gens. Les coquins contribueraient indiscutablement à la perfection des lois, s'ils les étudiaient à seule fin de leur échapper sans y laisser de plumes.

*(**Id.,** p. 150)*

MONTESQUIEU

10/19 Les lois, dans la signification la plus étendue, sont les rapports nécessaires qui dérivent de la nature des choses et, dans ce sens, tous les êtres ont leurs lois ; la Divinité a ses lois ; le monde matériel a ses lois ; les intelligences supérieures à l'homme ont leurs lois ; les bêtes ont leurs lois ; l'homme a ses lois.

*(**De l'esprit des lois,** 1748, première partie, livre I, chap. 1)*

NIETZSCHE

10/20 Là où *règne le droit*, on maintient un certain état et degré de puissance. On s'oppose à son accroissement et à sa diminution. Le droit des autres est une concession faite par notre sentiment de puissance au sentiment de puissance des autres. Si notre puissance se montre profondément ébranlée et brisée, nos droits cessent : par contre, si nous sommes devenus beaucoup plus puissants, les droits que nous avions reconnus aux autres jusque-là cessent d'exister pour nous.

*(**Aurore,** 1880, livre deuxième, § 112, trad. Julien Hervier, Gallimard, p. 119)*

10/21 C'est se méprendre grossièrement que de voir dans le code pénal d'un peuple une expression de son caractère ; les lois ne révèlent pas ce qu'est un peuple, mais ce qui lui paraît étrange, bizarre, monstrueux, exotique.

*(**Le Gai Savoir,** 1882, trad. A. Vialatte, Gallimard, § 43)*

PLATON

10/22 Ce ne sont pas véritablement des lois, celles qui n'ont pas été instituées en vue de l'intérêt commun de la cité tout entière ; mais, quand elles l'ont été en vue de l'intérêt de quelques-uns, ces gens-là sont des factieux et non point des citoyens ; et ce qu'ils appellent leurs justes droits ne sont que des mots vides de sens.

*(**Les Lois,** IV, 715 b)*

SPINOZA

10/23 Par Droit et Institution de la Nature, je n'entends autre chose que les règles de la nature de chaque individu, règles suivant lesquelles nous concevons chaque être comme déterminé à exister et à se comporter d'une certaine manière. Par exemple, les poissons sont déterminés par la Nature à nager, les grands poissons à manger les petits ; par suite les poissons jouissent de l'eau, et les grands mangent les petits, en vertu d'un droit naturel souverain.

(***Traité théologico-politique,*** *1670, chap. XVI, trad. Ch. Appuhn, Garnier-Frères, p. 261)*

10/24 La justice est une disposition constante de l'âme à attribuer à chacun ce qui d'après le droit civil lui revient; l'injustice au contraire consiste, sous une apparence de droit, à enlever à quelqu'un ce qui lui appartient suivant l'interprétation véritable des lois.

(***Id.,*** *p. 269)*

10/25 Aussi longtemps que le droit naturel humain est déterminé par la puissance de chacun, ce droit sera en réalité inexistant ou du moins n'aura qu'une existence purement théorique puisqu'on n'a aucun moyen assuré de le conserver.

(***Traité politique,*** *posth. 1677, chap. deuxième, § 15, trad. Ch. Appuhn, Garnier-Frères, p. 21)*

10/26 Le droit de celui qui a le pouvoir public, c'est-à-dire du souverain, n'est autre chose que le droit de nature, lequel se définit par la puissance non de chacun des citoyens, pris à part, mais de la masse conduite en quelque sorte par une même pensée. Cela revient à dire que le corps et l'âme de l'État tout entier a un droit qui a pour mesure sa puissance, comme on a vu que c'était le cas pour l'individu dans l'état de nature.

(***Id.,*** *chap. troisième, § 2, p. 25)*

STIRNER

10/27 Lorsqu'on parle de droit, il est une question qu'on se pose toujours: « Qui ou quoi me donne le droit de faire ceci ou cela? » Réponse: « Dieu, l'Amour, la Raison, l'Humanité, etc.! » Hé non, mon ami: ce qui te le donne, ce droit, c'est *ta force*, ta puissance, et rien d'autre.

(***L'Unique et sa Propriété,*** *1844, deuxième partie, II, 1, trad. de R.-L. Reclaire, Stock éd., p. 224)*

10/28 Combien n'a-t-on pas vanté chez Socrate le scrupule de probité qui lui fit repousser le conseil de s'enfuir de son cachot! Ce fut de sa part une pure folie de donner aux Athéniens le droit de le condamner... S'il fut faible, ce fut précisément *en ne fuyant pas*, en gardant cette illusion qu'il avait encore quelque chose de commun avec les Athéniens, et en s'imaginant n'être qu'un membre, un simple membre de ce peuple...

Socrate aurait dû savoir que les Athéniens n'étaient que ses ennemis, et que lui seul était son juge. L'illusion d'une « justice », d'une « légalité », etc., devait se dissiper devant cette considération que toute relation est un rapport de *force*, une lutte de puissance à puissance.

*(**Id.**, deuxième partie, II, 2, p. 257)*

VALÉRY

10/29 Le droit est l'intermède des forces.

*(**Tel quel, Autres Rhumbs,** 1927,* in ***Œuvres,** t. II, Pléiade, Gallimard, p. 693)*

WEBER

10/30 L'élément déterminant du concept de « droit » consiste à nos yeux (il est possible de le délimiter autrement pour d'autres buts de la recherche) dans l'existence d'une *instance* de contrainte...

L'« exhortation fraternelle » qui fut usuelle dans certaines sectes, en tant que moyen de douce contrainte à l'égard du pêcheur, entre dans notre définition, à condition qu'elle fût ordonnée par des règlements et exécutée par une instance.

*(**Wirtschaft und Gesellschaft,** 1925, trad. J. Freund, Plon, 3e édition, t. I, pp. 17-18)*

ÉCHANGES

ARISTOTE

11/1 Chacune des choses dont nous sommes propriétaires est susceptible de deux usages différents : l'un comme l'autre appartiennent à la chose en tant que telle mais ne lui appartiennent pas en tant que telle de la même manière. L'un est l'usage propre de la chose et l'autre est étranger à son usage propre. Par exemple, une chaussure a deux usages : l'un consiste à la porter et l'autre à en faire un objet d'échange ; l'un et l'autre sont bien des modes d'utilisation de la chaussure, car même celui qui échange une chaussure avec un acheteur qui en a besoin, contre de la monnaie ou de la nourriture, utilise la chaussure en tant que chaussure, mais il ne s'agit pas là toutefois de l'usage propre, car ce n'est pas en vue d'un échange que la chaussure a été faite. Il en est de même encore pour les autres objets dont on est propriétaire, car la faculté de les échanger s'étend à eux tous, et elle a son principe et son origine dans l'ordre naturel, en ce que les hommes ont certaines choses en trop grande quantité et d'autres en quantité insuffisante.

*(**La Politique,** trad. Tricot, I, 9, 1257 a)*

11/2 L'art d'acquérir la richesse est de deux espèces : l'une est sa forme mercantile, et l'autre une dépendance de l'économie domestique ; cette dernière forme est nécessaire et louable, tandis que l'autre repose sur l'échange et donne prise à de justes critiques — car elle n'a rien de naturel, elle est le résultat d'échanges réciproques : dans ces conditions, ce qu'on déteste avec le plus de raison, c'est la pratique du prêt à intérêt, parce que le gain qu'on en retire provient de la monnaie elle-même et ne répond plus à la fin qui a présidé à sa création. Car la monnaie a été inventée en vue de l'échange, tandis que l'intérêt multiplie la quantité de la monnaie elle-même.

*(**Id.** I, 10, 1258 a-b)*

MARX

11/3 L'argent est un cristal qui se forme spontanément dans les échanges par lesquels les divers produits du travail sont en fait égalisés entre eux et par cela même transformés en marchandises.

*(**Le Capital,** I, 1867, première section, chap. II, trad. J. Roy, Garnier-Frères, p. 79)*

SMITH (Adam)

11/4 On n'a jamais vu de chien faire de propos délibéré l'échange d'un os avec un autre chien.

*(**Recherches sur la nature et les causes de la richesse des nations,** 1776, édité par G. Mairet, Idées/Gallimard, livre I, chap. II, p. 47)*

11/5 L'homme a presque continuellement besoin du secours de ses semblables, et c'est en vain qu'il l'attendrait de leur seule bienveillance. Il sera bien plus sûr de réussir s'il s'adresse à leur intérêt personnel et s'il le persuade que leur propre avantage leur commande de faire ce qu'il souhaite d'eux. C'est ce que fait celui qui propose à un autre un marché quelconque ; le sens de sa proposition est ceci : *Donnez-moi ce dont j'ai besoin, et vous aurez de moi ce dont vous avez besoin vous-même ;* et la plus grande partie de ces bons offices qui nous sont si nécessaires, s'obtient de cette façon.

*(**Id.** p. 48)*

11/6 La *division du travail* une fois généralement établie, chaque homme ne produit plus par son travail que de quoi satisfaire une très petite partie de ses besoins. La plus grande partie ne peut être satisfaite que par l'échange du surplus de ce produit qui excède sa consommation, contre un pareil surplus du travail des autres. Ainsi chaque homme subsiste d'échanges ou devient une espèce de marchand, et la société elle-même est proprement une société commerçante.

*(**Id.** livre I, chap. IV, p. 55)*

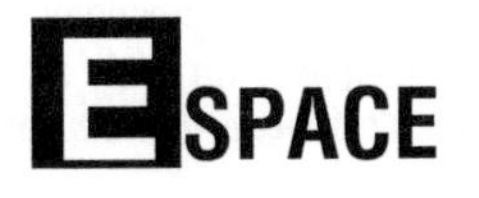

BACHELARD

12/1 On ne trouve pas l'espace, il faut toujours le construire.

*(**Le Nouvel Esprit scientifique,** 1934, P.U.F., p. 122)*

BERGSON

12/2 L'espace concret a été extrait des choses. Elles ne sont pas en lui, c'est lui qui est en elles.

*(**La Pensée et le Mouvant,** 1930, III, **Le Possible et le Réel,** P.U.F.)*

DESCARTES

12/3 La même étendue qui constitue la nature du corps, constitue aussi la nature de l'espace, en sorte qu'ils ne diffèrent entre eux que comme la nature du genre ou de l'espèce diffère de la nature de l'individu.

*(**Les Principes de la philosophie,** 1644, seconde partie, 11)*

HUME

12/4 L'idée d'espace ou d'étendue n'est rien que l'idée des points visibles ou tangibles distribués dans un certain ordre.

*(**Traité de la nature humaine,** 1789, trad. A. Leroy, Aubier-Montaigne, livre I, part. II, section V, Aubier)*

KANT

12/5 La représentation de l'espace ne peut pas être tirée par l'expérience des rapports des phénomènes extérieurs, mais l'expérience extérieure n'est elle-même possible avant tout qu'au moyen de cette représentation.

*(**Critique de la raison pure,** 1781, **Esthétique transcendantale,** 1re section, § 2, 1, p. 66)*

12/6 On ne peut jamais se représenter qu'il n'y ait pas d'espace, quoique l'on puisse bien penser qu'il n'y ait pas d'objets dans l'espace.

*(**Id., Esthétique transcendantale,** 1re section, § 2, 2, p. 66)*

12/7 Nul concept, comme tel, ne peut être pensé comme renfermant *en soi* une multitude infinie de représentations. Et pourtant c'est ainsi que l'espace est pensé (car toutes les parties de l'espace existent simultanément dans l'infini). La représentation originaire de l'espace est donc une *intuition a priori* et non un *concept*.

*(**Id., Esthétique transcendantale,** 1re section, § 2, 5 [2e éd.], p. 68)*

12/8 L'espace n'est rien d'autre que la forme de tous les phénomènes des sens extérieurs, c'est-à-dire la condition subjective de la sensibilité sous laquelle seule nous est possible une intuition extérieure.

*(**Id., Esthétique transcendantale,** 1re section, § 3, b, p. 69)*

VALÉRY

12/9 L'espace est un corps imaginaire comme le temps un mouvement fictif.

*(**Tel quel II, Analecta,** 1926,* in ***Œuvres,*** *t. II, Pléiade, Gallimard, p. 745)*

WITTGENSTEIN

12/10 La solution de l'énigme de la vie dans l'espace et le temps se trouve *hors* de l'espace et du temps.

*(**Tractatus logico-philosophicus,** 1921, § 6.4312, trad. P. Klossowski, Gallimard, p. 173)*

ÉTAT

ARISTOTE

13/1 Les hommes ne s'associent pas en vue de la seule existence matérielle, mais plutôt en vue de la vie heureuse, car autrement une collectivité d'esclaves ou d'animaux serait un État, alors qu'en réalité c'est là une chose impossible, parce que ces êtres n'ont aucune participation au bonheur ni à la vie fondée sur une volonté libre.

*(**La Politique,** trad. Tricot, III, 9, 1280 a)*

13/2 L'État, c'est la communauté du bien-vivre et pour les familles et pour les groupements de familles, en vue d'une vie parfaite et qui se suffise à elle-même.

*(**Id.,** 1280 b)*

COMTE

13/3 On voit d'abord surgir spontanément l'association la plus complète mais la plus restreinte, la société domestique, fondée sur la commune sympathie, et dirigée par l'amour. Elle fournit l'élément naturel de la société politique, plus vaste quoique moins intime, ayant pour principe l'activité collective, et pour règle propre la prépondérance matérielle qui en résulte. La cité ou l'État devient, à son tour, l'élément normal de la société religieuse, la plus étendue et la moins complète de toutes reposant sur la communauté de croyances, et régie par la foi.

*(**Système de politique positive,** 1852, t. II, chap. V, p. 304)*

HEGEL

13/4 L'État est la forme historique spécifique dans laquelle la liberté acquiert une existence objective et jouit de son objectivité.

*(**Cours de 1830,** in **La Raison dans l'histoire,** trad. Kostas Papaioannou, Plon et 10/18, U.G.E., p. 140)*

13/5 Un mot célèbre dit qu'une demi-philosophie éloigne de Dieu (c'est cette moitié qui fait consister le savoir dans une approximation de la vérité), mais que la vraie philosophie conduit à Dieu. Il en est de même avec l'État.

*(**Principes de la philosophie du droit,** 1821, trad. A. Kaan, Gallimard, Préface, p. 44)*

13/6 L'État, d'une manière générale, n'est pas un contrat, et son essence substantielle n'est pas si exclusivement la protection et la sécurité de la vie et de la propriété des individus isolés. Il est plutôt la réalité supérieure et même il revendique cette vie et cette propriété et réclame qu'on les sacrifie.

*(**Ibid.** p. 135)*

KANT

13/7 Un État *(civitas)* est l'unification d'une multiplicité d'hommes sous des lois juridiques.

*(**Métaphysique des mœurs,** première partie, **Doctrine du droit,** 1797, trad. Philonenko, J. Vrin, éd., p. 195)*

LÉNINE

13/8 L'État est l'organisation spéciale d'un pouvoir : c'est l'organisation de la violence destinée à mater une certaine classe.

*(**L'État et la Révolution,** 1917, chap. II, 1, éd. sociales, p. 37)*

13/9 De toute l'histoire du socialisme et de la lutte politique, Marx a déduit que l'État devra disparaître et que la forme transitoire de sa disparition (passage de l'État au non-État) sera « le prolétariat organisé en classe dominante ».

*(**Id.,** chap. III, 5, p. 83)*

MARX

13/10 Les différentes méthodes d'accumulation primitive que l'ère capitaliste fait éclore se partagent d'abord, par ordre plus ou moins chronologique, entre le Portugal, l'Espagne, la Hollande, la France et l'Angleterre, jusqu'à ce que celle-ci les combine toutes, au dernier tiers du

XVIIe siècle, dans un ensemble systématique, embrassant à la fois le régime colonial, le crédit public, la finance moderne et le système protectionniste. Quelques-unes de ces méthodes reposent sur l'emploi de la force brutale, mais toutes sans exception exploitent le pouvoir de l'État, la force concentrée et organisée de la société, afin de précipiter violemment le passage de l'ordre économique féodal à l'ordre économique capitaliste et d'abréger les phases de transition. Et en effet, la force est l'accoucheuse de toute vieille société en travail. La force est un agent économique.

*(**Le Capital,** 1867, livre premier, huitième section, chap. XXXI, trad. par J. Roy, revue par M. Rubel,* in ***Œuvres, Économie I,*** *Pléiade, Gallimard, p. 1213)*

MARX-ENGELS

13/11 L'État étant la forme par laquelle les individus d'une classe dominante font valoir leurs intérêts communs et dans laquelle se résume toute la société civile d'une époque, il s'ensuit que toutes les institutions communes passent par l'intermédiaire de l'État et reçoivent une forme politique. De là, l'illusion que la loi repose sur la volonté et, qui mieux est, sur une volonté *libre,* détachée de sa base concrète. De même on ramène à son tour le droit à la loi.

*(**L'Idéologie allemande,** 1846, trad. de H. Auger, G. Badia, J. Baudrillard, R. Cartelle, éd. sociales, p. 106)*

NIETZSCHE

13/12 La démocratie moderne est la forme historique de la *décadence de l'État.*

*(**Humain, trop humain [Menschliches, Allzumenschliches]**, 1878, traduit par A.-A. Desrousseaux, Denoël/Gonthier, t. II, p. 139)*

13/13 Mettre la société à l'abri des voleurs et de l'incendie, la rendre infiniment commode pour les trafics et transports de toutes sortes et transformer l'État en une Providence, au bon et mauvais sens — ce sont là des buts inférieurs, médiocres et nullement indispensables, auxquels on ne devrait pas tendre avec les moyens et les outils les plus nobles *qui soient au monde* — les moyens qu'il faudrait précisément mettre en réserve pour les fins les plus nobles et les plus exceptionnelles!

*(**Aurore,** 1880, § 179, trad. J. Hervier, Gallimard, p. 186)*

13/14 L'État, c'est le plus froid de tous les monstres froids : il ment froidement et voici le mensonge qui rampe de sa bouche : « Moi, l'État, je suis le Peuple. »

*(**Ainsi parlait Zarathoustra,** 1883-1885, trad. Henri Albert, Mercure de France, p. 66)*

PLATON

13/15 Y a-t-il rien de meilleur pour un État que de constituer la plus belle élite possible, de femmes aussi bien que d'hommes?

*(**La République,** V, 456 e)*

ROBESPIERRE

13/16 La démocratie est un état où le peuple souverain, guidé par des lois qui sont son ouvrage, fait par lui-même tout ce qu'il peut bien faire, et par des délégués tout ce qu'il ne peut faire lui-même.

*(**Sur les principes de morale politique,** 18 pluviôse an II, 5 février 1794,*
*in **Textes choisis III,** éd. sociales, p. 113)*

SCHOPENHAUER

13/17 L'État est un moyen dont se sert l'égoïsme éclairé par la raison, pour détourner les effets funestes qu'il produit et qui se retourneraient contre lui-même ; dans l'État, chacun poursuit le bien de tous, parce que chacun sait que son bien propre est enveloppé dans celui-là. Si l'État pouvait atteindre parfaitement son but, alors disposant des forces humaines, réunies sous sa loi, il saurait s'en servir pour tourner de plus en plus au service de l'homme le reste de la nature et ainsi, expulsant du monde le mal sous toutes ses formes, il arriverait à nous faire un pays de cocagne, ou quelque chose d'approchant. Seulement, d'une part, l'État est toujours resté bien loin de ce but ; de plus, quand il l'atteindrait, on verrait subsister encore une multitude innombrable de maux, inséparables de la vie ; enfin, ces mots viendraient à disparaître, que l'un d'entre eux demeurerait encore ; c'est l'ennui, qui prendrait bien vite la place laissée vide par les autres ; si bien que la douleur ne perdrait aucune de ses positions.

*(**Le monde comme volonté et comme représentation,** 1819,*
trad. A. Burdeau revue et corrigée par R. Roos, P.U.F., p. 440)

13/18 En général, l'iniquité, l'extrême injustice, la dureté, la cruauté même, tels sont les principaux traits de la conduite des hommes les uns envers les autres : le contraire n'est qu'une rare exception. C'est là-dessus, et non sur vos contes en l'air, que repose la nécessité de l'État et de la législation.

*(**Id.,** p. 1340)*

SPINOZA

13/19 Dans un État démocratique, l'absurde est moins à craindre, car il est presque impossible que la majorité des hommes unis en un tout, si ce tout est considérable, s'accordent en une absurdité.

*(**Traité théologico-politique,** 1670, chap. XVI, trad. Ch. Appuhn, Garnier-Frères, p. 267)*

13/20 Cet État est le plus libre, dont les lois sont fondées en droite Raison, car dans cet État chacun, dès qu'il le veut, peut être libre, c'est-à-dire vivre de son entier consentement sous la conduite de la Raison.

*(**Id.,** p. 268)*

13/21 Non, je le répète, la fin de l'État n'est pas de faire passer les hommes de la condition d'êtres raisonnables à celle de bêtes brutes ou d'automates, mais au contraire il est institué pour que leur âme et leur corps s'acquittent en sûreté de toutes leurs fonctions, pour qu'eux-mêmes usent d'une Raison libre, pour qu'ils ne luttent point de haine, de colère ou de ruse, pour qu'ils se supportent sans malveillance les uns les autres. La fin de l'État est donc, en réalité, la liberté.

*(**Id.,** chap. XX, p. 329)*

STIRNER

13/22 L'État ne poursuit jamais qu'un but : limiter, enchaîner, assujettir l'individu, le subordonner à une *généralité* quelconque.

*(**L'Unique et sa Propriété,** 1844, deuxième partie, II, 2, trad. R.-L. Reclaire, Stock éd., p. 272)*

VALÉRY

13/23 Un État est d'autant plus fort qu'il peut conserver en lui ce qui vit et agit contre lui.

*(**Mauvaises pensées et autres,** 1941,* in ***Œuvres,** t. II, Pléiade, Gallimard, p. 903)*

WEBER

13/24 Il faut concevoir l'État contemporain comme une communauté humaine qui, dans les limites d'un territoire déterminé — la notion de territoire étant une de ces caractéristiques — revendique avec succès pour son propre compte *le monopole de la violence physique légitime*. Ce qui est en effet le propre de notre époque, c'est qu'elle n'accorde à tous les autres groupements, ou aux individus, le droit de faire appel à la violence que dans la mesure où l'État le tolère: celui-ci passe donc pour l'unique source du « droit » à la violence. Par conséquent, nous entendrons par politique l'ensemble des efforts que l'on fait en vue de participer au pouvoir ou d'influencer la répartition du pouvoir, soit entre les États, soit entre les divers groupes à l'intérieur d'un même État.

*(**Politik als Beruf,** 1919,* in ***Le Savant et le Politique,*** *Plon et 10/18, p. 100)*

EXISTENCE

ALAIN

14/1 Exister, c'est quelque chose ; cela écrase toutes les raisons. Aucune raison ne peut donner l'existence, aucune existence ne peut donner ses raisons.

*(**Propos I,** 1er avril 1908, Pléiade, Gallimard, p. 33)*

14/2 Lagneau, homme profond et inconnu, était soucieux de prouver que Dieu n'existe pas, car, disait-il, exister, c'est être pris avec d'autres choses dans le tissu de l'expérience.

*(**81 chapitres sur l'esprit et les passions,** 1917, LIII, chap. X)*

14/3 Exister est bon ; non pas meilleur qu'autre chose ; car exister est tout, et ne pas exister n'est rien.

*(**Cent un propos,** III, 114)*

AUGUSTIN (saint)

14/4 Dans l'adversité je souhaite le bonheur : dans le bonheur, j'appréhende l'adversité. Entre ces situations extrêmes est-il un point d'équilibre où l'existence ne soit pas une tentation ?

*(**Les Confessions,** livre X, chap. XXVIII, P.U.F.)*

BERGSON

14/5 Pour un être conscient, exister consiste à changer, changer à se mûrir, se mûrir à se créer indéfiniment soi-même.

*(**L'Évolution créatrice,** 1907, chap. I, **La Durée**)*

BERKELEY

14/6 Ce qu'on dit de l'existence absolue de choses non pensantes, sans rapport à une perception qu'on en aurait, c'est pour moi totalement

inintelligible. Leur *esse* est *percipi*; il est impossible qu'elles aient une existence hors des intelligences ou choses pensantes qui les perçoivent.
*(**Traité concernant les Principes de la connaissance humaine,** 1710, première partie, § 3)*

14/7 Qu'une chose puisse être réellement perçue par mes sens, et en même temps ne pas exister réellement, c'est pour moi une contradiction manifeste; car je ne peux séparer ou abstraire, même par la pensée, l'existence d'une chose de la perception qu'on en a.
*(**Trois dialogues entre Hylas et Philonoüs,** 1713, troisième dialogue)*

BIBLE (LA)

14/8 L'Éternel Dieu dit à l'homme: Puisque tu as écouté la voix de ta femme, et que tu as mangé de l'arbre au sujet duquel je t'avais donné cet ordre: Tu n'en mangeras point! le sol sera maudit à cause de toi. C'est à force de peine que tu en tireras ta nourriture tous les jours de ta vie, il te produira des épines et des ronces, et tu mangeras de l'herbe des champs. C'est à la sueur de ton visage que tu mangeras du pain, jusqu'à ce que tu retournes dans la terre, d'où tu as été pris; car tu es poussière, et tu retourneras dans la poussière.
*(**Ancien Testament, Genèse,** 3, 17-19, trad. L. Segond)*

BLOY

14/9 L'effroyable translation « de l'utérus au sépulcre » qu'on est convenu d'appeler cette vie, comblée de misères, de deuils, de mensonges, de déceptions, de trahisons, de puanteurs et de catastrophes...
*(**Belluaires et porchers,** 1905, Stock, Introd., § 6)*

CHAMFORT

14/10 Robinson dans son île, privé de tout, et forcé aux plus pénibles travaux pour assurer sa subsistance journalière, supporte la vie, et même goûte, de son aveu, plusieurs moments de bonheur. Supposez qu'il soit dans une île enchantée, pourvue de tout ce qui est agréable à la vie, peut-être le désœuvrement lui eût-il rendu l'existence insupportable.
*(**Maximes et pensées, caractères et anecdotes,** 1795, chap. II, § 144)*

CHESTERTON

14/11 Non seulement nous sommes tous embarqués sur le même bateau, mais nous avons tous le mal de mer.

*(**Ce qui cloche dans le monde [What is wrong with the world],** 1910, trad. J.-C. Laurens, Gallimard, p. 84)*

DAUDET

14/12 La vie, c'est une boîte d'instruments qui piquent et coupent. À toute heure nous nous ensanglantons les mains.

*(cité par Jules Renard, **Journal,** 1887-1910, 25 février 1891, Pléiade, Gallimard, p. 80)*

HÉRACLITE

14/13 Nous entrons et nous n'entrons pas dans les mêmes fleuves ; nous sommes et nous ne sommes pas.

*(**Fragments,** trad. M. Conche, P.U.F., 1986, p. 455)*

HUME

14/14 L'idée d'existence, si on l'unit à l'idée d'un objet quelconque, ne lui ajoute rien.

*(**Traité de la nature humaine,** 1739, livre I, part. II, section VI)*

14/15 Une passion est une existence primitive ou, si vous le voulez, un mode primitif d'existence et elle ne contient aucune qualité représentative qui en fasse une copie d'une autre existence ou d'un autre mode.

*(**Id.** livre II, troisième partie, section III, t. II, trad. A. Leroy, Aubier-Montaigne, p. 525)*

KANT

14/16 J'existe dans le temps et l'espace et j'y détermine mon existence comme phénomène ; et j'y suis pour moi objet extérieur et intérieur.

*(**Opus postumum,** liasse VII, F° VIII, p. 3, trad. J. Gibelin, Vrin éd., p. 131)*

14/17 Je suis. Cet acte de la conscience ne dérive pas d'un acte antérieur, comme quand je me dis : je pense, *donc* je suis, car dans ce cas je présumerais mon existence pour la prouver. Ce qui serait une tautologie.

(***Id.*** *p.135)*

KIERKEGAARD

14/18 L'existence est le récif sur lequel la pensée pure fait naufrage.

(***Post-scriptum aux miettes philosophiques,*** *1846, trad. du danois par P. Petit, Gallimard, 2e éd. 1941, p. 209)*

14/19 Exister en prenant pour guide la pensée pure, c'est comme si on voulait voyager au Danemark avec une petite carte de toute l'Europe où le Danemark figure gros comme ma plume — et c'est même plus impossible encore.

(***Id.*** *deuxième partie, 2e sect., chap. III, § I)*

14/20 Exister, si on ne prend pas ce terme d'exister en un sens banal, ne peut se faire sans passion. C'est pourquoi tout penseur grec était aussi, essentiellement, un penseur passionné.

(***Ibid.***)

LA BRUYÈRE

14/21 Si la vie est misérable, elle est pénible à supporter ; si elle est heureuse, il est horrible de la perdre. L'un revient à l'autre.

(***De l'homme,*** *§ 33* in ***Les Caractères,*** *1688-1696)*

14/22 Il n'y a pour l'homme que trois événements : naître, vivre et mourir. Il ne se sent pas naître, il souffre à mourir, et il oublie de vivre.

(***Id.,*** *§ 48)*

LAGNEAU

14/23 L'existence n'est qu'un des trois modes de la réalité : existence, être, valeur.

(***Fragment 87,*** *posth. 1898,* in ***Célèbres leçons et fragments,*** *P.U.F. 1950, p. 92)*

LICHTENBERG

14/24 Un monde où les hommes viendraient au monde vieillards, puis seraient de plus en plus frais jusqu'à ce qu'ils deviennent des enfants,

ceux-ci auraient une jeunesse toujours accrue jusqu'à ce qu'on les enferme dans une bouteille où, après neuf mois, ils perdraient la vie après être devenus si petits qu'on pourrait avaler dix Alexandre sur une tartine beurrée. Les filles de 50 à 60 ans éprouveraient un plaisir particulier à élever en bouteilles leurs mères devenues minuscules.
*(**Aphorismes,** troisième cahier 1775-1779, trad. Marthe Robert, J.-J. Pauvert, p. 117)*

MAINE DE BIRAN

14/25 Il n'y a guère que les gens malsains qui se sentent exister.
*(**Premier journal,** 1794-1795,* in ***Œuvres,** éd. Tisserand, t. I, p. 65, Alcan, 1920)*

MARC-AURÈLE

14/26 L'art de vivre ressemble plutôt à la lutte qu'à la danse en ce qu'il faut toujours se tenir en garde et d'aplomb contre les coups qui fondent sur vous et à l'improviste.
*(**Pensées,** VII, 61)*

MERLEAU-PONTY

14/27 L'existence, au sens moderne, c'est le mouvement par lequel l'homme est au monde, s'engage dans une situation physique et sociale qui devient son point de vue sur le monde.
*(**Sens et non-sens,** 1948, Nagel, p. 125)*

14/28 Philosopher est une manière d'exister entre d'autres, et l'on ne peut pas se flatter d'épuiser, comme dit Marx, dans « l'existence purement philosophique » l'« existence religieuse », l'« existence politique », l'« existence juridique », l'« existence artistique », ni en général « la vraie existence humaine ». Mais si le philosophe le sait, s'il se donne pour tâche de suivre les autres expériences et les autres existences dans leur logique immanente au lieu de se mettre à leur place, s'il quitte l'illusion de contempler la totalité de l'histoire achevée et se sent comme tous les autres hommes pris en elle et devant un avenir *à faire*, alors la philosophie se réalise en se supprimant comme philosophie séparée.
*(**Id.** p. 236)*

MONTAIGNE

14/29 C'est une absolue perfection, et comme divine, de savoir jouir loyalement de son être.
*(**Essais,** 1580-1595, III, XIII, Pléiade, Gallimard, p. 1257)*

14/30 Notre grand et glorieux chef-d'œuvre, c'est vivre à propos.

*(**Id.** p. 1247)*

MONTESQUIEU

14/31 Il me semble que la nature a travaillé pour des ingrats : nous sommes heureux, et nos discours sont tels qu'il semble que nous ne le soupçonnions pas. Cependant, nous trouvons partout des plaisirs : ils sont attachés à notre être, et les peines ne sont que des accidents. Les objets semblent partout préparés pour nos plaisirs : lorsque le sommeil nous appelle, les ténèbres nous plaisent ; et, lorsque nous nous éveillons, la lumière du jour nous ravit. La nature est parée de mille couleurs ; nos oreilles sont flattées par les sons ; les mets ont des goûts agréables ; et, comme si ce n'était pas assez du bonheur de l'existence, il faut encore que notre machine ait besoin d'être réparée sans cesse pour nos plaisirs.

*(**Mes pensées,** 1720-1755, XIII, 549,* in ***Œuvres complètes,*** *éd. du Seuil, p. 916)*

NIETZSCHE

14/32 Croyez-moi ! Le secret pour récolter la plus grande fécondité, la plus grande jouissance de l'existence, consiste à *vivre dangereusement !*

*(**Le Gai Savoir,** 1882, § 283, trad. Klossowski, Club français du livre, p. 274)*

14/33 La lutte pour l'existence n'est qu'une *exception*, qu'une provisoire restriction de la volonté de vivre : la petite comme la grande lutte pour l'existence gravitent sous tous rapports autour de la prépondérance, de la croissance, de l'expansion, conformément à la volonté de puissance qui est justement volonté de vie.

*(**Id.,** § 349, p. 348)*

PASCAL

14/34 Entre nous, et l'enfer ou le ciel, il n'y a que la vie entre deux, qui est la chose du monde la plus fragile.

*(**Pensées,** posth. 1669, III, 213, éd. Brunschvicg, Hachette, p. 429)*

14/35 La vie est un songe un peu moins inconstant.

*(**Id.,** section VI, 386, p. 505)*

RENARD

14/36 La vie est courte, mais l'ennui l'allonge. Aucune vie n'est assez courte pour que l'ennui n'y trouve pas sa place.

*(**Journal,** 5 mars 1906, Pléiade, Gallimard, p. 1038)*

ROSTAND (Jean)

14/37 Aimer la vie, ce serait aimer l'arrachement.

*(**Pensées d'un biologiste,** 1939, chap. IX)*

14/38 La vie peu à peu nous déloge de partout.

*(**Id.** chap. X)*

ROUSSEAU

14/39 Tout ce qui semble étendre ou affermir notre existence nous flatte, tout ce qui semble la détruire ou la resserrer nous afflige. Telle est la source primitive de toutes nos passions.

*(**Fragments philosophiques et moraux,** 1756-1762,* in ***Œuvres complètes,*** *t. 2, éd. du Seuil, p. 326)*

14/40 Ô homme! resserre ton existence au-dedans de toi, et tu ne seras plus misérable. Reste à la place que la nature t'assigne dans la chaîne des êtres, rien ne t'en pourra faire sortir ; ne regimbe point contre la dure loi de la nécessité, et n'épuise pas, à vouloir lui résister, des forces que le ciel ne t'a point données pour étendre ou prolonger ton existence, mais seulement pour la conserver comme il lui plaît et autant qu'il lui plaît.

*(**Émile ou De l'éducation,** 1762, livre second, t. 3, p. 58, éd. du Seuil)*

14/41 Le sentiment de l'existence dépouillé de tout autre affection est par lui-même un sentiment précieux de contentement et de paix qui suffirait seul pour rendre cette existence chère et douce à qui saurait écarter de soi toutes les impressions sensuelles et terrestres qui viennent sans cesse nous en distraire et en troubler ici-bas la douceur.

*(**Les Rêveries du promeneur solitaire,** 1782, cinquième promenade,* in ***Œuvres complètes,*** *t. I, éd. du Seuil, p. 523)*

SARTRE

14/42 Ce qu'ils ont en commun (les existentialistes, chrétiens et athées), c'est simplement le fait qu'ils estiment que l'existence précède l'essence, ou, si vous voulez, qu'il faut partir de la subjectivité.

*(**L'existentialisme est un humanisme,** 1946, Nagel, p. 17)*

14/43 Cette intériorité qui prétend s'affirmer contre toute philosophie dans son étroitesse et sa profondeur infinie, cette subjectivité retrouvée par-delà le langage comme l'aventure personnelle de chacun en face des autres et de Dieu, voilà ce que Kierkegaard a nommé *l'existence.*

*(**Critique de la raison dialectique,** tome, I, 1960, Gallimard, p. 19)*

14/44 Kierkegaard a raison contre Hegel tout autant que Hegel a raison contre Kierkegaard. Hegel a raison : au lieu de se buter comme l'idéologue danois en des paradoxes figés et pauvres qui renvoient finalement à une subjectivité vide, c'est le concret véritable que le philosophe d'Iéna vise par ses concepts et la médiation se présente toujours comme un enrichissement. Kierkegaard a raison : la douleur, le besoin, la passion, la peine des hommes sont des réalités brutes qui ne peuvent être ni dépassées ni changées par le savoir.

*(**Ibid.**)*

SCHOPENHAUER

14/45 L'existence humaine, bien loin d'être empreinte du caractère d'un don, porte dans toutes ses parties celui d'une dette contractée. Le recouvrement de cette dette s'opère sous la forme de besoins pressants, institués par cette existence même, sous celle des désirs torturants et des misères sans fin. En général, le temps entier de la vie s'emploie à acquitter cette dette, et cependant on n'en amortit ainsi que les intérêts. Le paiement du capital ne se fait que par la mort.

*(**Le monde comme volonté et comme représentation,** 1819, trad. A. Burdeau revue et corrigée par R. Roos, P.U.F., p. 1343)*

14/46 On peut comparer la vie à une étoffe brodée dont chacun ne verrait, dans la première moitié de son existence que l'endroit, et, dans la seconde, que l'envers ; ce dernier côté est moins beau, mais plus instructif, car il permet de reconnaître l'enchaînement des fils.

*(**Aphorismes sur la sagesse dans la vie,** posth. 1880, trad. de J.-A. Cantacuzène revue et corrigée par R. Roos, P.U.F., 1964, p. 160)*

VALÉRY

14/47 On pourrait admettre qu'une existence est accomplie, qu'une vie a rempli sa durée, quand le vivant serait parvenu insensiblement à l'état de brûler ce qu'il adorait et d'adorer ce qu'il brûlait.

*(**Moralités, Tel quel I,** 1930,* in ***Œuvres,*** *t. II, Pléiade, p. 542)*

HISTOIRE

ALAIN

15/1 L'esprit historien, en toutes questions, remonte à l'inventeur principal et à la circonstance décisive, comme si les idées avaient leur source ainsi que les fleuves. En quoi il y a du vrai et du faux ; car l'histoire en un sens ne prouve rien du tout ; mais plutôt elle nous intéresse à une idée en nous la montrant prise dans le drame humain ; elle nous invite à y penser sérieusement.

*(**Préliminaires à la mythologie,** écrits en 1932-1933, publ. 1943, in **Les Arts et les Dieux,** Pléiade, Gallimard, p. 1186)*

15/2 La légende est à mes yeux plus vraie que l'histoire.

*(**Histoire de mes pensées,** 1936, in **Les Arts et les Dieux,** Pléiade, Gallimard, p. 204)*

15/3 L'histoire est un grand présent, et pas seulement un passé.

*(**Les Aventures du cœur,** 1945, ch. XXXVIII, Hartmann, p. 166)*

ARON (Raymond)

15/4 Connaître le passé est une manière de s'en libérer puisque seule la vérité permet de donner assentiment ou refus en toute lucidité.

*(**Dimensions de la conscience historique,** 1961, deuxième partie, chap. 4, Plon)*

BAYLE

15/5 L'on accommode l'Histoire à peu près comme les viandes dans une cuisine. Chaque nation les apprête à sa manière de sorte que la même chose est mise en autant de ragoûts différents qu'il y a de pays au monde ; et presque toujours, on trouve plus agréables ceux qui sont conformes à sa coutume.

*(**Nouvelles de la République des Lettres,** mars 1686, 4)*

CHESTERTON

15/6 Il n'est pas dans l'histoire de révolution qui ne soit une restauration.

*(**Ce qui cloche dans le monde** [**What is wrong with the world**], 1910, trad. J.-C. Laurens, Gallimard, 1948, p. 29)*

15/7 Tous les hommes qui, dans l'histoire, ont eu une action réelle sur l'avenir, avaient les yeux fixés sur le passé.

(***Id.***, *p. 30)*

COURNOT

15/8 Qu'il s'agisse de la prévision de l'avenir ou de l'explication du passé, les limites du pouvoir de la raison sont les mêmes, d'où le nom de *prophète du passé* donné en ce sens à l'historien : nous pouvons dans beaucoup de cas dire *en gros* ce qui *doit* arriver, comme ce qui *a dû* arriver ; pousser la prévision ou l'explication théorique jusqu'à certains détails livrés à l'empire des causes fortuites est une chimère.

(***Traité de l'enchaînement des idées fondamentales dans les sciences et dans l'histoire*** *[1861], Hachette, 1922, p. 611)*

15/9 De siècle en siècle, l'histoire des temps passés est reprise, remaniée, refondue, appropriée aux idées et aux vues des générations nouvelles, sans qu'il y ait de terme à ce continuel travail de critique et de synthèse, de démolitions et de constructions alternatives, chaque génération se faisant une histoire comme elle se fait des maisons et, quand elle est assez riche, des villes à sa guise.

(***Des institutions d'instruction publique en France,*** *1864, Hachette, p. 80)*

HEGEL

15/10 La nature organique n'a pas d'histoire.

(***La Phénoménologie de l'esprit,*** *1807, trad. J. Hyppolite, Aubier-Montaigne, t. I, p. 247)*

15/11 La véritable histoire objective d'un peuple commence lorsqu'elle devient aussi une histoire écrite.

(***Cours de 1822,*** in ***La Raison dans l'histoire,*** *Plon et 10/18, trad. Kostas Papaioannou, p. 25)*

15/12 L'histoire n'est pas le lieu de la félicité. Les périodes de bonheur y sont ses pages blanches.

(***Cours de 1830,*** in ***La Raison dans l'histoire,*** *Plon et 10/18, trad. Kostas Papaioannou, p. 116)*

KANT

15/13 On peut envisager l'histoire de l'espèce humaine en gros comme la réalisation d'un plan caché de la nature pour produire une constitution politique parfaite sur le plan intérieur, et, *en fonction de ce but à atteindre*, également parfaite sur le plan extérieur ; c'est le seul état de choses dans lequel la nature peut développer complètement toutes les dispositions qu'elle a mises dans l'humanité.

*(**Idée d'une histoire universelle au point de vue cosmopolitique,** 1784, in **La Philosophie de l'histoire** [**Opuscules**], trad. S. Piobetta, Aubier, éd. Montaigne, p. 73)*

15/14 Au moment où l'esprit le mieux doué est sur le bord des plus grandes découvertes, au moment où son habileté, son expérience, lui permettent de nourrir certains espoirs, déjà la vieillesse intervient ; il s'affaiblit et doit céder la place à une deuxième génération (qui à son tour reprend tout depuis le B, A — BA, et doit encore une fois refaire tout le chemin déjà parcouru) : à elle incombera le rôle de franchir une étape nouvelle vers le progrès de la culture.

*(**Sur les débuts de l'histoire humaine** 1786, in **La Philosophie de l'histoire** [**Opuscules**], trad. S. Piobetta, Aubier, éd. Montaigne, p. 164)*

KIERKEGAARD

15/15 Vouloir prédire l'avenir (prophétiser) et vouloir entendre la nécessité du passé sont une seule et même chose, et ce n'est qu'une affaire de mode si telle génération trouve l'un plus plausible que l'autre.

*(**Riens philosophiques,** 1844, trad. K. Ferlov et Jean-J. Gateau, Gallimard, p. 159)*

15/16 L'éloignement dans le temps trompe le sens de l'esprit comme l'éloignement dans l'espace cause l'erreur des sens. Le contemporain ne voit pas la nécessité de ce qui devient, mais, quand il y a des siècles entre le devenir et l'observateur, alors il voit la nécessité, tel celui qui voit à distance le carré comme un rond.

*(**Id.,** p. 162)*

15/17 Tout ce qui est historique est contingent, car justement par le fait que cela arrive, que cela devient historique, cela reçoit son moment de contingence, car la contingence est précisément le seul facteur de tout ce qui devient.

*(**Post-scriptum aux miettes philosophiques,** 1846, IIe partie, Ire section, chap. 2, § 3, trad. P. Petit, Gallimard, 2e éd. 1941)*

LÉVI-STRAUSS

15/18 Une histoire vraiment totale se neutraliserait elle-même : son produit serait égal à zéro.

*(**La Pensée sauvage,** 1962, Plon, p. 341)*

15/19 L'histoire est un ensemble discontinu formé de domaines d'histoire, dont chacun est défini par une fréquence propre et par un codage différentiel de l'avant et de l'après.

*(**Id.**, p. 346)*

15/20 L'histoire n'est pas liée à l'homme, ni à aucun objet particulier. Elle consiste entièrement dans sa méthode, dont l'expérience prouve qu'elle est indispensable pour inventorier l'intégralité des éléments d'une structure quelconque, humaine ou inhumaine. Loin donc que la recherche de l'intelligibilité aboutisse à l'histoire comme à son point d'arrivée, c'est l'histoire qui sert de point de départ pour toute quête d'intelligibilité. Ainsi qu'on le dit de certaines carrières, l'histoire mène à tout, mais à condition d'en sortir.

*(**Id.**, p. 348)*

MERCIER

15/21 Les hommes ont si peu connu leur faiblesse que plusieurs ont osé entreprendre des histoires universelles, plus insensés que ces bons Indiens qui donnaient du moins quatre éléphants pour base au monde physique.

*(**L'An 2440, rêve s'il en fut jamais,** 1770, chap. XXVIII)*

MERLEAU-PONTY

15/22 À quoi bon se demander si l'histoire est faite par les hommes ou par les choses, puisque de toute évidence les initiatives humaines n'annulent pas le poids des choses et que « la force des choses » opère toujours à travers des hommes?

*(**Signes,** 1960, Gallimard, p. 28)*

15/23 Nous sommes dans le champ de l'histoire comme dans le champ du langage ou de l'être.

*(**Ibid.**)*

15/24 Si l'histoire nous enveloppe tous, c'est à nous de comprendre que ce que nous pouvons avoir de vérité ne s'obtient pas contre l'inhérence historique, mais par elle. Superficiellement pensée, elle détruit toute vérité; pensée radicalement, elle fonde une nouvelle idée de la vérité.

*(**Id.**, p. 137)*

15/25 Le progrès n'est pas nécessaire d'une nécessité métaphysique : on peut seulement dire que très probablement l'expérience finira par éliminer les fausses solutions et par se dégager des impasses. Mais à quel prix, par combien de détours ? Il n'est même pas exclu en principe que l'humanité, comme une phrase qui n'arrive pas à s'achever, échoue en cours de route.

Certes, l'ensemble des êtres connus sous le nom d'hommes et définis par les caractères physiques que l'on sait ont aussi en commun une lumière naturelle, une ouverture à l'être qui rend les acquisitions de la culture communicables à tous et à eux seuls. Mais cet éclair que nous retrouvons en tout regard dit humain, il se voit aussi bien dans les formes les plus cruelles du sadisme que dans la peinture italienne. C'est lui justement qui fait que tout est possible de la part de l'homme, et jusqu'à la fin.

(***Id.***, *p. 304*)

NAPOLÉON Ier

15/26 Cette vérité historique, tant implorée, à laquelle chacun s'empresse d'en appeler, n'est trop souvent qu'un mot : elle est impossible au moment même des événements, dans la chaleur des passions croisées ; et si, plus tard, on demeure d'accord, c'est que les intéressés, les contradicteurs ne sont plus. Mais qu'est alors cette vérité historique, la plupart du temps ? Une fable convenue...

(*in* ***Mémorial de Sainte-Hélène,*** *par Las Cases, 2 nov. 1816*)

NIETZSCHE

15/27 L'histoire appartient au vivant pour trois raisons : parce qu'il est actif et ambitieux — parce qu'il a le goût de conserver et de vénérer — parce qu'il souffre et a besoin de délivrance. À cette triple relation correspond la triple forme de l'histoire, dans la mesure où il est permis de les distinguer : histoire *monumentale,* histoire *traditionaliste,* histoire *critique.*

(***Considérations inactuelles,*** *1873-1876, trad. G. Bianquis, Aubier-Montaigne, p. 223*)

15/28 Quand l'homme qui veut créer de grandes choses a besoin du passé, il use de l'histoire *monumentale.* Au contraire, celui qui veut perpétuer ce qui est habituel et depuis longtemps vénéré s'occupe du passé en *antiquaire* plutôt qu'en historien. Seul celui que la nécessité présente prend à la gorge et qui veut à tout prix en rejeter le poids, sent le besoin d'une histoire *critique*, c'est-à-dire qui juge et qui condamne.

*(**Id.**, p. 237)*

15/29 L'histoire n'est tolérable que pour de fortes personnalités, elle étouffe les personnalités faibles.

*(**Id.**, p. 277)*

15/30 Le verdict du passé est toujours le verdict d'un oracle. Vous ne le comprendrez que si vous êtes les architectes de l'avenir, les connaisseurs du présent.

*(**Id.**, p. 303)*

15/31 La culture historique est une manière de naître avec les cheveux gris, et ceux qui portent ce signe dès l'enfance en viennent nécessairement à croire à la *vieillesse de l'humanité.*

*(**Id.**, p. 323)*

15/32 Les grandes guerres modernes sont la conséquence des études historiques.

*(**Aurore,** 1880, § 180, trad. J. Hervier, Gallimard, p. 186)*

15/33 Les Français de Corneille, et encore ceux de la Révolution s'approprièrent l'antiquité romaine d'une manière pour laquelle nous n'aurions plus maintenant assez de courage — grâce à notre sens historique supérieur.

*(**Le Gai Savoir,** 1882, § 83, trad. Klossowski, Club français du livre, p. 155)*

ROUSSEAU

15/34 Un des grands vices de l'histoire est qu'elle peint beaucoup plus les hommes par leurs mauvais côtés que par les bons ; comme elle n'est intéressante que par les révolutions, les catastrophes, tant qu'un peuple croît et prospère dans le calme d'un paisible gouvernement, elle n'en dit rien ; elle ne commence à en parler que quand, ne pouvant plus se suffire à lui-même, il prend part aux affaires de ses voisins, ou les laisse prendre part aux siennes ; elle ne l'illustre que quand il est déjà sur son déclin : toutes nos histoires commencent où elles devraient finir.

*(**Émile ou De l'éducation,** 1762, livre quatrième, éd. du Seuil, t. 3, p. 167)*

SARTRE

15/35 La notion *d'histoire naturelle* est absurde : l'histoire ne se caractérise ni par le changement ni par l'action pure et simple du passé ;

elle est définie par la reprise intentionnelle du passé par le présent ; il ne saurait y avoir qu'une histoire humaine.

(***Situations III,*** *1949, Gallimard, p. 148)*

SCHOPENHAUER

15/36 De même qu'un cercle d'un pouce de diamètre et un cercle de 40 millions de milles de diamètre ont exactement les mêmes propriétés géométriques, de même les aventures et l'histoire d'un village et d'un empire sont essentiellement les mêmes ; et nous pouvons, aussi facilement dans l'histoire de l'un que dans celle de l'autre, étudier et connaître l'humanité.

(***Le monde comme volonté et comme représentation,*** *1819, trad. A. Burdeau revue et corrigée par R. Roos, P.U.F., p. 317)*

15/37 C'est être à l'antipode de la philosophie, d'aller se figurer qu'on peut expliquer l'essence du monde à l'aide de procédés d'histoire, si joliment déguisés qu'ils soient ; et, c'est le vice où l'on tombe dès que, dans une théorie de l'essence universelle prise en soi, on introduit un devenir, qu'il soit présent, passé ou futur, dès que l'avant et l'après y jouent un rôle, fût-il le moins important du monde, dès que par suite on admet, ouvertement ou furtivement, dans la destinée du monde, un point initial et un point terminal, puis une route qui les réunit, et sur laquelle l'individu, en philosophant, découvre le lieu où il est parvenu.

(***Id.,*** *p. 348)*

15/38 La devise générale de l'histoire devrait être : *Eadem, sed aliter* — les mêmes choses, mais d'une autre manière.

(***Id.,*** *p. 1184)*

VALÉRY

15/39 Dans l'histoire, les personnages qui n'ont pas eu la tête coupée, et les personnages qui n'ont pas fait couper de têtes disparaissent sans laisser de traces.

Il faut être victime ou bourreau, ou sans aucune importance.

(***Mauvaises pensées et autres,*** *1941,* in ***Œuvres,*** *t. II, Pléiade, Gallimard, p. 837)*

15/40 Ce que l'histoire peut nous apprendre de plus sûr, c'est que nous nous trompions sur un point d'histoire.

(***Id.,*** *p. 901)*

15/41 L'Histoire justifie ce que l'on veut. Elle n'enseigne rigoureusement rien, car elle contient tout et donne des exemples de tout.

*(**De l'histoire,** 1931,* in ***Œuvres,*** *t. II, Pléiade, Gallimard, p. 935)*

VIDAL-NAQUET

15/42 Il n'y a pas d'histoire possible là où un État, une Église, une communauté, même respectable, imposent une orthodoxie. Mais à l'inverse, aucun livre, si nouveau, si riche de documents sensationnels, d'aperçus profonds soit-il, n'est un ouvrage *définitif.* Cet adjectif que l'on lit trop souvent dans les comptes rendus : « Nous avons là une étude définitive sur... » Il n'existe pas d'étude définitive. L'histoire est toujours à réviser, à refaire. J'ai dit : *à réviser, à refaire.* Je n'ai pas dit : *à détruire, à défaire.*

(Préface à Arno MAYER, ***La « solution finale » dans l'histoire,*** *Édit. de La Découverte, 1990)*

HOMME

ARISTOTE

16/1 L'homme est par nature un animal politique.
*(**La Politique,** I, 2, 1253 a, trad. J. Tricot, Vrin éd.)*

16/2 L'homme est le seul des animaux à se tenir droit.
*(**Des parties des animaux,** II, 10, 656 b, trad. J.-C. Fraisse, P.U.F.)*

BEAUMARCHAIS

16/3 Boire sans soif et faire l'amour en tout temps, Madame, il n'y a que ça qui nous distingue des autres bêtes.
*(**Le Mariage de Figaro ou la Folle Journée,** 1784, acte II, scène 21)*

CAMUS

16/4 Qu'est-ce que l'homme? Il est cette force qui finit toujours par balancer les tyrans et les dieux.
*(**Lettres à un ami allemand,** 1943-1945, Gallimard)*

CHESTERTON

16/5 Surhomme : ce mot suffit à rendre absurde toute discussion où il pénètre.
*(**Ce qui cloche dans le monde** [**What is wrong with the world**], 1910, trad. J.-C. Laurens, Gallimard, 1948, p. 75)*

COMTE

16/6 Je vous recommande la pratique journalière de l'Imitation, dans l'original et dans Corneille. Voyez-y un admirable poème sur la nature humaine, et lisez-le en vous proposant d'y remplacer Dieu par l'Humanité.
*(**Lettre à Monsieur de Blignières,** Paris le jeudi soir 2 Moïse 63 [2 janvier 1851], Vrin éd., p. 3)*

16/7 L'homme proprement dit, considéré dans sa réalité fondamentale, et non d'après les rêves matérialistes ou spiritualistes, ne peut être compris sans la connaissance préalable de l'humanité, dont il dépend nécessairement.

*(**Système de politique positive ou Traité de sociologie instituant la religion de l'humanité,** 1852, chap. septième, p. 433)*

16/8 Puisque les vivants sont sans cesse, et même de plus en plus, dirigés par les morts, le vrai sacerdoce pourra constamment dire aux plus orgueilleux tyrans: *L'homme s'agite, et l'Humanité le mène.*

*(**Id.,** p. 455)*

DESCARTES

16/9 Mais qu'est-ce qu'un homme? Dirai-je que c'est un animal raisonnable? Non, certes car il me faudrait par après rechercher ce que c'est qu'animal, et ce que c'est que raisonnable; et ainsi d'une seule question je tomberais insensiblement en une infinité d'autres plus difficiles et plus embarrassées; et je ne voudrais pas abuser du peu de temps et de loisir qui me reste, en l'employant à démêler de semblables difficultés.

*(**Méditations métaphysiques,** 1641, méditation seconde)*

DURKHEIM

16/10 L'homme est double. En lui, il y a deux êtres: un être individuel qui a sa base dans l'organisme et dont le cercle d'action se trouve, par cela même, étroitement limité, et un être social qui représente en nous la plus haute réalité, dans l'ordre intellectuel et moral, que nous puissions connaître par l'observation, j'entends la société.

*(**Les Formes élémentaires de la vie religieuse,** Alcan, 1925, p. 23)*

FEUERBACH

16/11 Le matérialiste *dénué d'esprit* déclare: « L'homme se distingue de l'animal par sa *seule* conscience, c'est un animal, mais *doué* de conscience »; mais il ne remarque pas qu'il se produit dans l'être qui s'est éveillé à la conscience une *modification qualitative* de l'être tout entier.

*(**L'Essence du christianisme,** 1841, Introd., in **Manifestes philosophiques,** trad. L. Althusser, P.U.F., et 10/18, p. 125, n. 1)*

GOETHE

16/12 L'homme ne comprend jamais combien il est anthropomorphe.

*(**Pensées,** 1815-1832,* in ***Œuvres,*** *t. I, trad. J. Porchat, Hachette, p. 426)*

IBN KHALDOUN

16/13 L'homme est le fils de ses habitudes et de ses usages, et non de sa nature et de son tempérament.

*(**La Muqaddima, [Les Prolégomènes]**, 1375-1379, trad. J.-E. Bencheikh, Hachette-Alger, p. 59)*

KANT

16/14 Aucune créature individuelle, sous les conditions individuelles de son existence, ne cadre entièrement avec l'idée de la plus grande perfection de son espèce (pas plus que l'homme n'est adéquat à l'idée de l'humanité qu'il porte, il est vrai, dans son âme comme l'archétype de ses actions).

*(**Critique de la raison pure,** 1781, **Dialectique transcendantale, Des idées en général,** trad. Trémesaygues et Pacaud)*

16/15 Posséder le Je dans sa représentation : ce pouvoir élève l'homme infiniment au-dessus de tous les autres êtres vivants sur la terre. Par là, il est une personne ; et grâce à l'unité de la conscience dans tous les changements qui peuvent lui survenir, il est une seule et même personne, c'est-à-dire un être entièrement différent, par le rang et la dignité, de *choses* comme le sont les animaux sans raison, dont on peut disposer à sa guise.

*(**Anthropologie du point de vue pragmatique,** 1798, 2e éd. 1800, trad. M. Foucault, librairie J. Vrin, p. 17)*

LICHTENBERG

16/16 Il vaudrait la peine de chercher s'il n'y a pas quelque inconvénient à cultiver exagérément l'éducation des enfants. Nous ne connaissons pas l'homme assez bien encore pour retirer entièrement cette tâche au hasard, si j'ose dire. Je crois que si nos pédagogues menaient leurs intentions à bien, c'est-à-dire s'ils réussissaient à maintenir les enfants sous leur influence absolue, nous n'aurions plus un seul vrai grand homme.

*(**Aphorismes,** troisième cahier 1775-1779, trad. Marthe Robert, J.-J. Pauvert, p. 146)*

MARC-AURÈLE

16/17 Le propre de l'homme, c'est d'aimer même ceux qui l'offensent.

*(**Pensées,** VII, 22)*

MONTAIGNE

16/18 Il n'y a point de bête au monde tant à craindre à l'homme que l'homme.

*(**Essais,** 1580-1595, II, XIX)*

PASCAL

16/19 Quelle chimère est-ce donc que l'homme? Quelle nouveauté, quel monstre, quel chaos, quel sujet de contradiction, quel prodige! Juge de toutes choses, imbécile ver de terre; dépositaire du vrai, cloaque d'incertitude et d'erreur; gloire et rebut de l'univers.

*(**Pensées,** posth. 1669, section VI, 434)*

PLATON

16/20 Le sens du mot *anthrôpôs,* « homme », est que, les autres animaux étant incapables de réfléchir sur rien de ce qu'ils voient, ni d'en raisonner, ni d'en « faire l'étude », *anathreïn,* l'homme au contraire, en même temps qu'il voit, autrement dit qu'« il a vu », *opôpé,* « fait l'étude » aussi, *anathreï,* de ce qu'« il a vu », *opôpé,* et il en raisonne. De là vient donc que, seul entre les animaux, l'homme a été à bon droit nommé « homme », *anthrôpôs:* « faisant l'étude de ce qu'il a vu », *anathrôn-ha-opôpé.*

*(**Cratyle,** 399 c, trad. Robin)*

PROTAGORAS

16/21 L'homme est la mesure de toutes choses, mesure de l'être des choses qui sont, mesure du non-être des choses qui ne sont pas.

*(**Discours terrassants,** début; cité par Sextus Empiricus, **Contre les Logiciens,** I, 60)*

SARTRE

16/22 Être homme, c'est tendre à être Dieu ; ou, si l'on préfère, l'homme est fondamentalement désir d'être Dieu.

*(**L'Être et le Néant,** 1943, quatrième partie, chap. II, I, Gallimard, p. 654)*

16/23 L'homme est une passion inutile.

*(**Id.,** quatrième partie, chap. II, III, p. 708)*

SCHOPENHAUER

16/24 L'homme est un animal métaphysique.

*(**Le monde comme volonté et comme représentation,** 1819, trad. A. Burdeau, revue et corrigée par R. Roos, P.U.F., p. 851)*

VALÉRY

16/25 Songez qu'il n'est peut-être pas, dans toute la série animale, un seul être autre que l'homme, qui soit mécaniquement capable de faire un nœud de fil ; et observez, d'autre part, que cet acte banal, tout banal et facile qu'il est, offre de telles difficultés à l'analyse intellectuelle que les ressources de la géométrie la plus raffinée doivent s'employer pour ne résoudre que très imparfaitement les problèmes qu'il peut suggérer.

*(**Discours aux chirurgiens,** 17 oct. 1938, in **Œuvres,** t. I, Pléiade, Gallimard, p. 918)*

WEIL (Éric)

16/26 Il est probable qu'il existe un plus grand nombre de définitions de l'homme que d'aucun autre animal, et pour cause : n'est-ce pas lui qui donne les définitions ?

*(**Logique de la philosophie,** 1967, Vrin, p. 3)*

IDÉE

ALAIN

17/1 Il n'est pas difficile d'avoir une idée. Le difficile, c'est de les avoir toutes. Et le plus difficile, c'est de les mélanger, fil et trame, comme Platon l'enseigne, pour en faire quelque chose qui soit presque réel.

*(**Propos II,** 638, 1er juin 1936, Pléiade, Gallimard, p. 1102)*

BERKELEY

17/2 Je ne peux pas nier absolument qu'il y ait des idées générales, je nie seulement qu'il y ait des *idées générales abstraites.*

*(**Traité concernant les principes de la connaissance humaine,** 1710, introd., p. 12)*

17/3 Je ne veux pas transformer les choses en idées, mais plutôt les idées en choses ; car les objets immédiats de la perception qui, selon vous, sont seulement les apparences des choses, je les tiens pour les choses réelles elles-mêmes.

*(**Trois dialogues entre Hylas et Philonoüs,** 1713, IIIe dialogue)*

DESCARTES

17/4 Par le mot *idea*, j'entends tout ce qui peut être en notre pensée.

*(**Lettre à Mersenne,** 16 juin 1641)*

17/5 On doit savoir que toute idée étant un ouvrage de l'esprit, sa nature est telle qu'elle ne demande de soi aucune autre réalité formelle que celle qu'elle reçoit et emprunte de la pensée, ou de l'esprit, dont elle est seulement un mode, c'est-à-dire une manière ou façon de penser.

*(**Méditations métaphysiques,** 1641, méditation troisième)*

17/6 J'ai souvent remarqué en beaucoup d'exemples qu'il y avait une grande différence entre l'objet et son idée ; comme, par exemple, je trouve dans mon esprit deux idées du soleil toutes diverses ; l'une tire son origine des sens, et doit être placée dans le genre de celles que j'ai dit ci-dessus venir du dehors par laquelle il me paraît extrêmement petit ; l'autre est prise des raisons de l'Astronomie, c'est-à-dire de certaines notions nées avec moi, ou enfin est formée par moi-même de quelque sorte que ce puisse être par laquelle il me paraît plusieurs fois plus grand que toute la terre.

(***Ibid.***)

HEGEL

17/7 Semblable à Mercure, le conducteur des âmes, l'Idée est en vérité ce qui mène les peuples et le monde, et c'est l'Esprit, sa volonté raisonnable et nécessaire, qui a guidé et continue de guider les événements du monde.

(***Cours de 1882,*** in ***La Raison dans l'histoire,*** *trad. K. Papaioannou, Plon et 10/18, p. 39*)

HUME

17/8 Par *idées*, j'entends les images affaiblies des impressions dans la pensée et le raisonnement.

(***Traité de la nature humaine,*** *1739, livre I, part. I, section I*)

17/9 Toutes nos idées simples à leur première apparition dérivent des impressions simples qui leur correspondent et qu'elles représentent exactement.

(***Ibid.***)

KANT

17/10 Qu'un homme n'agisse jamais d'une manière adéquate à ce que contient l'idée pure de la vertu, cela ne prouve pas qu'il y ait dans cette notion quelque chose de chimérique. Cela n'empêche pas, en effet, que tout jugement sur la valeur ou le manque de valeur morale ne soit possible qu'au moyen de cette idée ; par suite, cette idée sert nécessairement de fondement à tout progrès vers la perfection morale, si loin, d'ailleurs, que nous en soyons tenus éloignés par les obstacles que nous rencontrons dans la nature humaine et dont il nous est impossible de déterminer le degré.

(***Critique de la raison pure,*** *1781, I, 2e division, livre I, première section,* ***Des idées en général***)

17/11 J'entends par idée un concept rationnel nécessaire auquel nul objet qui lui corresponde ne peut être donné dans les sens.

*(**Critique de la raison pure,** 1781, I, 2e division, livre I, 2e section)*

17/12 La liberté est une simple idée, dont la réalité objective ne peut en aucune façon être mise en évidence d'après des lois de la nature, par suite dans aucune expérience possible, qui en conséquence, par cela même qu'on ne peut jamais mettre sous elle un exemple, selon quelque analogie, ne peut jamais être comprise ni même seulement aperçue.

*(**Fondements de la métaphysique des mœurs,** 1785, trad. V. Delbos, 3e section, p. 203)*

LEIBNIZ

17/13 Les idées des choses auxquelles nous ne pensons pas actuellement, sont cependant dans notre esprit, comme la forme d'Hercule dans le bloc de marbre.

*(**Meditationes de cognitione, veritate et ideis,** 1684, § 6, in **Opuscula philosophica selecta,** Boivin et Cie éd., p. 8)*

MALEBRANCHE

17/14 L'objet immédiat de notre esprit, lorsqu'il voit le soleil, par exemple, n'est pas le soleil, mais quelque chose qui est intimement unie à notre âme, et c'est ce que j'appelle *idée*. Ainsi par ce mot *idée*, je n'entends ici autre chose que ce qui est l'objet immédiat, ou le plus proche de l'esprit quand il aperçoit quelque objet.

*(**De la recherche de la vérité,** 1674, livre III, deuxième partie, chap. premier, I)*

MARX-ENGELS

17/15 La production des idées, des représentations et de la conscience est d'abord directement et intimement mêlée à l'activité matérielle et au commerce matériel des hommes, elle est le langage de la vie réelle.

*(**L'Idéologie allemande,** 1846, trad. H. Auger, G. Badia, J. Baudrillard, R. Cartelle, éd. sociales, p. 50)*

PLATON

17/16 Au terme du monde intelligible est l'idée du Bien, difficile à voir, mais qu'on ne peut voir sans conclure qu'elle est universellement la cause de toutes les choses bonnes et belles, elle qui a engendré, dans le monde visible, la lumière et le souverain de la lumière, étant elle-même souveraine dans le monde intelligible, dispensatrice de vérité et d'intelligence : c'est elle qu'il faut voir si l'on veut agir sagement, soit dans la vie privée, soit dans la vie publique.

*(**La République,** VII, 517 b-c)*

17/17 Si Dieu faisait seulement deux lits, il en surgirait en revanche un troisième, dont les deux premiers, de leur côté, réaliseraient l'idée, et ce serait celui-là, mais non pas les deux autres, qui serait le lit essentiel.

*(**Id.,** X, 597 c)*

SCHOPENHAUER

17/18 L'Idée, que l'on peut à la rigueur définir le représentant adéquat du concept, est absolument concrète ; elle a beau représenter une infinité de choses particulières, elle n'en est pas moins déterminée sur toutes ses faces ; l'individu, en tant qu'individu, ne la peut jamais connaître ; il faut, pour la concevoir, dépouiller toute volonté, toute individualité, et s'élever à l'état de sujet connaissant pur ; autant vaut dire qu'elle est cachée à tous, si ce n'est au génie et à celui qui, grâce à une exaltation de sa faculté de connaissance pure (due le plus souvent aux chefs-d'œuvre de l'art), se trouve dans un état voisin du génie.

*(**Le monde comme volonté et comme représentation,** 1819, trad. A. Burdeau, revue et corrigée par R. Roos, P.U.F., p. 300)*

SPINOZA

17/19 On appelle idée vraie celle qui montre une chose comme elle est en elle-même ; fausse, celle qui montre une chose autrement qu'elle n'est en réalité. Car les idées ne sont rien d'autre que des récits ou des histoires de la nature dans l'esprit.

*(**Pensées métaphysiques,** 1663, partie I, chap. VI)*

17/20 Par idée, j'entends un concept de l'esprit, que l'esprit forme parce qu'il est une chose pensante.

*(**Éthique,** posth. 1677, II, définition III)*

ILLUSION

BAUDELAIRE

18/1 « Les illusions — me disait mon ami — sont aussi innombrables peut-être que les rapports des hommes entre eux, ou des hommes avec les choses. Et, quand l'illusion disparaît, c'est-à-dire quand nous voyons l'être ou le fait tel qu'il existe en dehors de nous, nous éprouvons un bizarre sentiment, compliqué moitié de regret pour le fantôme disparu, moitié de surprise agréable devant la nouveauté, devant le fait réel. »

*(**Petits poèmes en prose,** XXX, **La Corde,** 7 fév. 1864)*

CHAMFORT

18/2 La nature a voulu que les illusions fussent pour les sages comme pour les fous, afin que les premiers ne fussent pas trop malheureux par leur propre sagesse.

*(**Maximes et pensées, caractères et anecdotes,** 1795, chap. I, § 76)*

18/3 L'honnête homme, détrompé de toutes les illusions, est l'homme par excellence. Pour peu qu'il ait de l'esprit, sa société est très aimable. Il ne saurait être pédant, ne mettant d'importance à rien. Il est indulgent, parce qu'il se souvient qu'il a eu des illusions, comme ceux qui en sont encore occupés.

*(**Id.,** chap. V, § 339)*

DELACROIX

18/4 Ce qu'il y a de plus réel pour moi, ce sont les illusions que je crée avec ma peinture. Le reste est un sable mouvant.

*(**Journal,** 27 février 1824)*

ÉRASME

18/5 Le peuple ne supporterait pas longtemps son prince, le valet son maître, la suivante sa maîtresse, l'écolier son précepteur, l'ami son ami, la femme son mari, l'employé son patron, le camarade son camarade, l'hôte son hôte, s'ils ne se maintenaient l'un l'autre dans l'illusion, s'il n'y avait entre eux tromperie réciproque, flatterie, prudente connivence, enfin le lénifiant échange du miel de la Folie.

*(**Éloge de la folie,** 1509-1511, trad. Pierre de Nolhac, chap. XXI)*

FREUD

18/6 La croyance à la nécessité interne de la mort n'est peut-être qu'une de ces nombreuses illusions que nous nous sommes créées pour nous rendre « supportable le fardeau de l'existence ».

*(**Essais de psychanalyse,** articles 1909-1915, I, 6, trad. Dr S. Jankélévitch, Payot)*

18/7 Non, notre science n'est pas une illusion. Mais ce serait une illusion de croire que nous puissions trouver ailleurs ce qu'elle ne peut nous donner.

*(**L'Avenir d'une illusion,** 1927, P.U.F., p. 80)*

KANT

18/8 Est *illusion* le leurre qui subsiste même quand on sait que l'objet supposé n'existe pas.

*(**Anthropologie du point de vue pragmatique,** 1798, 2e éd. 1800, trad. Michel Foucault, Vrin, p. 34)*

LA BOÉTIE

18/9 Les tyrans faisaient largesse d'un quart de blé, d'un setier de vin et d'un sesterce ; et lors c'était pitié d'ouïr crier : « Vive le roy ! » Les lourdauds ne s'avisaient pas qu'ils ne faisaient que recouvrer une partie du leur, et que cela même qu'ils recouvraient, le tyran ne leur eût pu donner, si devant il ne l'avait ôté à eux-mêmes.

*(**Discours de la servitude volontaire,** 1547?, in **Œuvres,** Delalain éd., p. 53)*

LAGNEAU

18/10 Le propre de l'erreur est de pouvoir être réfutée par l'expérience et le raisonnement. Les illusions des sens ne peuvent pas être réfutées ainsi ; ce sont seulement des manières de percevoir qui ne sont pas normales. D'ailleurs même les manières normales de percevoir sont des illusions ; toute perception est en somme une illusion.

*(**Cours sur la perception,** posth. 1926,* in ***Célèbres leçons et fragments,*** *P.U.F., p. 181)*

MARX

18/11 La vie sociale, dont la production matérielle et les rapports qu'elle implique forment la base, ne sera dégagée du nuage mystique qui en voile l'aspect, que le jour où s'y manifestera l'œuvre d'hommes librement associés, agissant consciemment et maîtres de leur propre mouvement social.

*(**Le Capital,** 1867, livre I, première section, chap. premier, IV, trad. J. Roy, Garnier-Frères, p. 74)*

MONTAIGNE

18/12 Une femme, pensant avoir avalé une esplingue avec son pain, crioit et se tourmentoit comme ayant une douleur insupportable au gosier, où elle pensoit la sentir arrestée ; mais, par ce qu'il n'y avoit ny enfleure ny alteration par le dehors, un habil' homme, ayant jugé que ce n'estoit que fantasie et opinion, prise de quelque morceau de pain qui l'avoit piquée en passant, la fit vomir et jetta à la desrobée dans ce qu'elle rendit, une esplingue tortue. Cette femme, cuidant l'avoir rendue, se sentit soudain deschargée de sa douleur.

*(**Essais,** 1580-1595, livre I, chap. XXI, Pléiade, Gallimard, p. 131)*

18/13 C'est pitié que nous nous pipons de nos propres singeries et inventions, comme les enfants qui s'effrayent de ce mesme visage qu'ils ont barbouillé et noircy à leur compaignon.

*(**Id.,** livre II, chap. XII, p. 592)*

NIETZSCHE

18/14 La vie a besoin d'illusions, c'est-à-dire de non-vérités tenues pour des vérités.

*(**Le Livre du philosophe, Études théorétiques,** 1872-1875, trad. A.-K. Marietti, Aubier-Flammarion, p. 63)*

18/15 Il faut établir la proposition : nous ne vivons que grâce à des illusions — notre conscience effleure la surface.

*(**Id.,** p. 67)*

18/16 Les hommes ne haïssent pas l'illusion, mais les conséquences fâcheuses et hostiles de certaines sortes d'illusion.

*(**Id.**, p. 177)*

18/17 Le savoir historique, quand il règne *sans frein* et qu'il pousse à bout ses conséquences, déracine l'avenir, parce qu'il détruit les illusions et prive les choses présentes de l'atmosphère indispensable à leur vie.

*(**Considérations inactuelles,** 1873-1876, trad. G. Blanquis, Aubier-Montaigne, p. 305)*

18/18 Celui qui détruit des illusions, les siennes et celles des autres, la nature le punit avec toute la rigueur d'un tyran.

*(**Id.**, p. 307)*

18/19 Les signes distinctifs que l'on attribue à l'« être-vrai » des choses sont les signes distinctifs du non-être, du *néant* — on a édifié le « monde vrai » en prenant le contre-pied du monde réel : c'est en fait un monde d'apparence, dans la mesure où c'est une illusion *d'optique et de morale.*

*(**Crépuscule des idoles ou Comment philosopher à coups de marteau,** « Götzen-Dämmerung », 1888, traduit de l'allemand par Jean-Claude Hemery, Idées/Gallimard, p. 41)*

PASCAL

18/20 La vie humaine n'est qu'une illusion perpétuelle ; on ne fait que s'entre-tromper et s'entre-flatter. Personne ne parle de nous et notre présence comme il en parle en notre absence. L'union qui est entre les hommes n'est fondée que sur cette mutuelle tromperie ; et peu d'amitiés subsisteraient, si chacun savait ce que son ami dit de lui lorsqu'il n'y est pas, quoiqu'il en parle alors sincèrement et sans passion.

*(**Pensées,** posth. 1669, section II, 100, édition L. Brunschvicg, Hachette)*

18/21 Et qui doute que si on rêvait en compagnie, et que par hasard les songes s'accordassent, ce qui est assez ordinaire, et qu'on veillât en solitude, on ne crût les choses renversées ? Enfin, comme on rêve souvent qu'on rêve, entassant un songe sur l'autre, ne se peut-il faire que cette moitié de la vie où nous pensons veiller est elle-même un songe sur lequel les autres sont entés, dont nous nous éveillons à la mort, pendant laquelle nous avons aussi peu les principes du vrai et du bien que pendant le sommeil naturel ; ces différentes pensées qui nous y agitent n'étant peut-être que des illusions, pareilles à l'écoulement du temps et aux vains fantômes de nos songes ?

*(**Id.**, section VII, 434, p. 529)*

PLATON

18/22 Quand on juge contrairement à la réalité et qu'on est dupe d'une illusion, manifestement c'est un mal qui s'est insinué en nous sous l'action de certaines similitudes.

*(**Phèdre,** 262 b)*

RENARD

18/23 Il faut avoir de grosses illusions bien grasses: on a moins de peine à les nourir.

*(**Journal,** 6 septembre 1893)*

ROSTAND (Jean)

18/24 Néoténie humaine: celui qui, à l'âge d'homme, conserve encore certaines illusions fait songer à ces salamandres mexicaines qui, jusqu'en l'âge adulte, gardent les branchies de l'état larvaire.

*(**Pensées d'un biologiste,** 1939, chap. X)*

SCHOPENHAUER

18/25 À la vérité s'oppose l'*erreur*, qui est l'illusion de la raison, comme la réalité a pour contraire l'apparence, illusion de l'entendement.

*(**Le monde comme volonté et comme représentation,** 1819, trad. A. Burdeau, revue et corrigée par R. Roos, P.U.F., p. 50)*

18/26 C'est une illusion voluptueuse qui abuse l'homme en lui faisant croire qu'il trouvera dans les bras d'une femme dont la beauté le séduit une plus grande jouissance que dans ceux d'une autre, ou en lui inspirant la ferme conviction que tel individu déterminé est le seul dont la possession puisse lui procurer la suprême félicité. Aussi il s'imagine qu'il accomplit tous ces efforts et tous ces sacrifices pour sa jouissance personnelle, et c'est seulement pour la conservation du type de l'espèce dans toute sa pureté ou pour la procréation d'une individualité bien déterminée qui ne peut naître que de ces parents-là.

*(**Id.,** pp. 1295-1296)*

18/27 Le mirage attrayant du lointain nous montre des paradis qui s'évanouissent, semblables à des illusions d'optique, une fois que nous

nous y sommes laissés prendre. Le bonheur réside donc toujours dans l'avenir, ou encore dans le passé, et le présent paraît être un petit nuage sombre que le vent pousse au-dessus de la plaine ensoleillée : devant lui et derrière lui tout est clair ; seul il ne cesse lui-même de projeter une ombre.

(***Id.***, *p. 1335*)

SPINOZA

18/28 Si le grand secret du régime monarchique et son intérêt majeur est de tromper les hommes et de colorer du nom de religion la crainte qui doit les maîtriser, afin qu'ils combattent pour leur servitude, comme s'il s'agissait de leur salut, et croient non pas honteux, mais honorable au plus haut point de répandre leur sang et leur vie pour satisfaire la vanité d'un seul homme, on ne peut, par contre, rien concevoir ni tenter de plus fâcheux dans une libre république, puisqu'il est entièrement contraire à la liberté commune que le libre jugement propre soit asservi aux préjugés ou subisse aucune contrainte.

(***Traité théologico-politique,*** *1670, préface, trad. Ch. Appuhn, Garnier-Frères,* in ***Œuvres,*** *t. II, p. 21*)

STIRNER

18/29 Qu'un pauvre fou dans son cabanon se nourrisse de l'illusion qu'il est Dieu le Père, l'Empereur du Japon, le Saint-Esprit, ou qu'un brave bourgeois s'imagine qu'il est appelé par sa destinée à être bon chrétien, fidèle protestant, citoyen loyal, homme vertueux, — c'est identiquement la même « idée fixe » !

(***L'Unique et sa Propriété,*** *1844, première partie, II, § 2, trad. de R.L. Reclaire, Stock éd., p. 49*)

18/30 Combien n'a-t-on pas vanté chez Socrate le scrupule de probité qui lui fit repousser le conseil de s'enfuir de son cachot ! Ce fut de sa part une pure folie de donner aux Athéniens le droit de le condamner... S'il fut faible, ce fut précisément *en ne fuyant pas*, en gardant cette illusion qu'il avait encore quelque chose de commun avec les Athéniens, et en s'imaginant n'être qu'un membre, un simple membre de ce peuple... Socrate aurait dû savoir que les Athéniens n'étaient que ses ennemis, et que lui seul était son juge. L'illusion d'une « justice », d'une « légalité », etc., devait se dissiper devant cette considération que toute relation est un rapport de *force*, une lutte de puissance à puissance.

(***Id.***, *deuxième partie, II, 2, p. 257*)

VALÉRY

18/31 La clarté dans les choses non pratiques résulte *toujours* d'une illusion.

*(**Tel quel I, Choses tues,** 1930,* in ***Œuvres,*** *t. II., Pléiade, Gallimard. p. 496)*

18/32 La Société ne vit que d'illusions. Toute société est une sorte de rêve collectif.

Ces illusions deviennent des illusions dangereuses quand elles commencent à cesser de faire illusion.

Le réveil de ce genre de rêve est un cauchemar.

*(**Mauvaises pensées et autres,** 1914,* in ***Œuvres,*** *t. II, Pléiade, Gallimard, p. 854)*

IMAGINATION

ALAIN

19/1 Le paradoxe de l'imagination est en ceci que l'imaginaire n'est rien et ne paraît jamais. Le regard droit a fait mourir les dieux.

(***Les Idées et les Âges,*** *1927, livre XIII, chap. III)*

19/2 L'homme d'imagination est peut-être un homme qui ne sait pas se contenter de ce qui est informe, un homme qui veut savoir ce qu'il imagine.

(***Vingt leçons sur les Beaux-Arts,*** *1931, première leçon)*

19/3 C'est parce que l'imagination est incapable de créer dans l'esprit seulement, c'est pour cela qu'il y a des Beaux-Arts.

(***Vingt leçons sur les Beaux-Arts,*** *1931, dix-neuvième leçon)*

AUGUSTIN (saint)

19/4 Les images des voluptés s'offrent à moi, sans force à l'état de veille ; mais dans le sommeil, elles m'imposent non seulement le plaisir, mais le consentement au plaisir et l'illusion de la chose même. Ces fictions ont un tel pouvoir sur mon âme, sur ma chair, que, toutes fausses qu'elles sont, elles suggèrent à mon sommeil ce que les réalités ne peuvent me suggérer quand je suis éveillé. Ai-je donc alors cessé d'être moi-même, Seigneur mon Dieu?

(***Les Confessions,*** *livre X, chap. XXX)*

BACHELARD

19/5 On veut toujours que l'imagination soit la faculté de *former* des images. Elle est plutôt la faculté de *déformer* les images fournies par la perception, elle est surtout la faculté de nous libérer des images premières, de *changer* les images.

(***L'Air et les Songes, essai sur l'imagination des forces,*** *1943, J. Corti, introduction, I)*

19/6 L'Imagination est une des forces de l'audace humaine.

*(**Id.**, p. 13)*

19/7 Imaginer, c'est hausser le réel d'un ton.

*(**Id.**, p. 98)*

BRETON

19/8 Ce n'est pas la crainte de la folie qui nous forcera à laisser en berne le drapeau de l'imagination.

*(**Premier manifeste du surréalisme,** 1924)*

COMTE

19/9 L'état normal de la nature humaine subordonne autant l'imagination à la raison que celle-ci au sentiment. Toute inversion prolongée de cet ordre fondamental est également funeste au cœur et à l'esprit. Le prétendu règne de l'imagination deviendrait encore plus corrupteur que celui de la raison, s'il n'était pas encore moins compatible avec les conditions réelles de l'humanité.

*(**Système de politique positive,** 1851, discours préliminaire, cinquième partie, p. 280)*

19/10 Le sentiment lui-même, suprême principe de toute notre existence, se subordonne au dogme objectif que construit la philosophie sur l'ordre extérieur qui domine l'humanité. À plus forte raison l'imagination doit-elle s'y soumettre.

*(**Id.**, p. 284)*

19/11 Nos perfectionnements artificiels ne peuvent jamais consister qu'à modifier sagement l'ordre naturel, qu'il faut avant tout respecter sans cesse. Mais nos embellissements imaginaires, quoique plus étendus, ne sont pas moins assujettis à cette loi fondamentale, que la philosophie positive impose également à la poésie et à la politique.

*(**Id.**, p. 285)*

19/12 Les utopies sont, pour l'art social proprement dit, ce que les types géométriques, mécaniques, etc., sont envers les arts correspondants.

*(**Id.**, p. 286)*

DESCARTES

19/13 Notre imagination n'est propre qu'à se représenter des choses qui tombent sous les sens... Et comme les bornes de notre imagination sont fort courtes et fort étroites, au lieu que notre esprit n'en a presque point, il y a peu de choses, même corporelles, que nous puissions imaginer, bien que nous soyons capables de les concevoir.

*(**Lettre à Mersenne,** juillet 1641, Pléiade, Gallimard, p. 1125)*

19/14 Que si je veux penser à un Chiliogone, je conçois bien à la vérité que c'est une figure composée de mille côtés, aussi facilement que je conçois qu'un triangle est une figure composée de trois côtés seulement, mais je ne puis pas imaginer les mille côtés d'un Chiliogone, comme je fais les trois d'un triangle, ni pour ainsi dire, les regarder comme présents avec les yeux de mon esprit.

*(**Méditations métaphysiques,** 1641, méditation sixième)*

19/15 C'est une seule et même force qui, si elle s'applique avec l'imagination au sens commun, est dite voir, toucher, etc. ; si elle s'applique à l'imagination seule en tant que celle-ci est couverte de figures variées, elle est dite se souvenir ; si elle s'applique à l'imagination pour créer de nouvelles figures, elle est dite imaginer ou se représenter ; si enfin elle agit seule, elle est dite comprendre.

*(**Règles pour la direction de l'esprit,** posth. 1701, règle XII, Pléiade, Gallimard, p. 79)*

FREUD

19/16 Le royaume de l'imagination est une « réserve », organisée lors du passage douloureusement ressenti du principe du plaisir au principe de réalité, afin de permettre un substitut à la satisfaction des instincts à laquelle il faut renoncer dans la vie réelle.

*(**Ma vie et la psychanalyse,** Gallimard, 1928, p. 101)*

GOETHE

19/17 De même qu'il y avait à Rome, outre les Romains, un peuple de statues, il existe en dehors de ce monde réel un monde imaginaire, beaucoup plus vaste peut-être, dans lequel vivent la plupart des hommes.

*(**Pensées,** 1815-1832,* in ***Œuvres,** t. I, trad. J. Porchat, Hachette, p. 428)*

HOBBES

19/18 De même que dans l'eau nous voyons les vagues, même si le vent s'arrête, pendant longtemps encore ne pas cesser d'ondoyer, de même en va-t-il pour ce mouvement qui se produit dans les parties intérieures de l'homme lorsqu'il voit, qu'il rêve, etc., car après que l'objet a été ôté, ou l'œil fermé, nous gardons encore une image de la chose vue, moins distincte cependant que lorsque nous la voyons. Et c'est là ce que les Latins appellent *imagination,* à cause de l'image produite par la vision ; et ils appliquent le même mot aux autres sensations, quoique improprement. Mais les Grecs appellent cela *phantasme,* ce qui signifie apparition, et convient également bien à toutes les sensations. L'IMAGINATION n'est donc rien d'autre qu'une *sensation en voie de dégradation ;* on la trouve chez les hommes et chez beaucoup d'autres créatures vivantes, dans le sommeil comme dans la veille.

*(**Léviathan,** 1651, trad. Tricaud, éd. Sirey © by Jurisprudence générale Dalloz, Première partie, chap. II, p. 14)*

HUME

19/19 Rien n'est plus libre que l'imagination humaine ; bien qu'elle ne puisse déborder le stock primitif des idées fournies par les sens externes et internes, elle a un pouvoir illimité de mêler, composer, séparer et diviser ces idées dans toutes les variétés de la fiction et de la rêverie.

*(**Enquête sur l'entendement humain,** 1748, trad. A. Leroy, Aubier-Montaigne 1947, p. 94)*

KANT

19/20 La colombe légère, pendant que, d'un libre vol, elle fend l'air dont elle sent la résistance, pourrait s'imaginer qu'elle volerait encore bien mieux dans le vide.

*(**Critique de la raison pure,** 1781, Introduction, III)*

19/21 L'IMAGINATION est le pouvoir de se représenter dans l'intuition un objet *même en son absence.*

*(**Id.,** I, **Analytique transcendantale,** I, chap. II, § 24, trad. Tremesaygues et Pacaud)*

19/22 On peut peut-être pardonner à l'imagination si parfois elle divague, c'est-à-dire si elle ne se maintient pas prudemment dans les limites de l'expérience, car tout au moins est-elle animée et fortifiée par la liberté d'un semblable élan et il sera toujours plus facile de modérer sa hardiesse que de venir en aide à sa lassitude ; mais que l'entendement qui doit penser divague au contraire, voilà ce qu'on ne pourra jamais lui pardonner : car ce n'est qu'avec l'aide de l'entendement qu'on peut mettre un terme aux divagations de l'imagination quand cela devient nécessaire.

*(**Prolégomènes à toute métaphysique future qui voudra se présenter comme science,** 1783, trad. J. Gibelin, § 35)*

19/23 Dans les ténèbres, l'imagination travaille plus activement qu'en pleine lumière.

*(**La Fin de toutes choses,** 1794, trad. Festugière, Vrin, p. 217)*

LICHTENBERG

19/24 Quelle importance a, dans le monde, la façon de présenter les choses ! Je n'en veux pour exemple que le café qui, *bu* dans des verres à vin est une boisson abominable, ou la viande découpée à table avec des ciseaux, ou même, ce que j'ai vu une fois, des tartines beurrées à l'aide d'un vieux rasoir très propre.

*(**Aphorismes,** cinquième cahier, 1793-1799, trad. Marthe Robert, J.-J. Pauvert, p. 241)*

MALEBRANCHE

19/25 Les organes de nos sens sont composés de petits filets, qui d'un côté se terminent aux parties extérieures du corps et à la peau, et de l'autre aboutissent vers le milieu du cerveau. Or ces petits filets peuvent être remués en deux manières, ou en commençant par les bouts qui se terminent dans le cerveau, ou par ceux qui se terminent au-dehors. L'agitation de ces petits filets ne pouvant se communiquer jusqu'au cerveau que l'âme n'aperçoive quelque chose, si l'agitation commence par l'impression que les objets font sur la surface extérieure des filets de nos nerfs, et qu'elle se communique jusqu'au cerveau, alors l'âme sent et juge que ce qu'elle sent est au-dehors, c'est-à-dire qu'elle aperçoit un objet comme présent. Mais s'il n'y a que les filets intérieurs qui soient légèrement ébranlés par le cours des esprits animaux, ou de quelque autre manière, l'âme imagine, et juge que ce qu'elle imagine n'est point au-dehors, mais au-dedans du cerveau, c'est-à-dire qu'elle aperçoit un objet comme absent. Voilà la différence qu'il y a entre sentir et imaginer.

*(**De la recherche de la vérité,** 1674, livre II, première partie, chap. premier, I)*

MARC-AURÈLE

19/26 Abolis l'imagination. Arrête cette agitation de pantin.

*(**Pensées** VII, 29)*

MONTAIGNE

19/27 Il est vray semblable que le principal crédit des miracles, des visions, des enchantements, et de tels effects extraordinaires, vienne de la puissance de l'imagination agissant principalement contre les ames du vulgaire, plus molles.

*(**Essais,** 1580-1595, livre I, chap. XXI, Pléiade, Gallimard p. 125)*

19/28 Qu'on loge un philosophe dans une cage de menus fils de fer clairsemés, qui soit suspendue au haut des tours de Notre-Dame de Paris, il verra par raison évidente qu'il est impossible qu'il en tombe, et cependant ne se saurait garder (s'il n'a accoutumé le métier des recouvreurs) que la vue de cette hauteur extrême ne l'épouvante et ne le transisse.

*(**Id.,** livre II, chap. XII)*

PASCAL

19/29 C'est cette partie décevante dans l'homme, cette maîtresse d'erreur et de fausseté, et d'autant plus fourbe qu'elle ne l'est pas toujours ; car elle serait règle infaillible de vérité, si elle l'était infaillible du mensonge. Mais, étant le plus souvent fausse, elle ne donne aucune marque de sa qualité, marquant du même caractère le vrai et le faux.

*(**Pensées,** posth. 1669, section II, 82, édition L. Brunschvicg, Hachette)*

19/30 L'imagination grossit les petits objets jusqu'à en remplir notre âme, par une estimation fantastique ; et, par une insolence téméraire, elle amoindrit les grands jusqu'à sa mesure, comme en parlant de Dieu.

*(**Id.,** section II, 84)*

ROUSSEAU

19/31 Le pays des chimères est en ce monde le seul digne d'être habité ; et tel est le néant des choses humaines qu'hors l'Être existant par lui-même il n'y a rien de beau que ce qui n'est pas.

*(**Julie ou la Nouvelle Héloïse,** 1761, sixième partie, lettre VIII)*

19/32 Il est impossible aux hommes et difficile à la nature elle-même de passer en richesse mon imagination.

*(**Les Confessions,** 1781-1788, livre IV, éd. du Seuil, t. I, p. 182)*

SCHOPENHAUER

19/33 L'homme doué d'imagination peut en quelque sorte évoquer des esprits propres à lui révéler, au moment voulu, des vérités que la nue réalité des choses ne lui offre qu'affaiblies, rarement et presque toujours à contretemps. Il existe entre lui et l'homme dénué d'imagination le même rapport qu'entre l'animal libre dans ses mouvements ou même pourvu d'ailes et le coquillage soudé à son rocher et réduit à attendre ce que le hasard voudra bien lui apporter.

*(**Le monde comme volonté et comme représentation,** 1819, trad. A. Burdeau, revue et corrigée par R. Roos, P.U.F., p. 1107)*

SPINOZA

19/34 Comme les Prophètes ont saisi les révélations divines avec le secours de l'imagination, il n'est pas douteux qu'ils ont pu percevoir beaucoup de choses dépassant les limites de l'entendement ; car, avec des mots et des images, on peut composer beaucoup plus d'idées qu'avec les seuls principes et notions sur lesquels est construite toute notre connaissance naturelle.

*(**Traité théologico-politique,** 1670, chap. I)*

19/35 L'imagination est quelque chose de vague et par quoi l'âme pâtit.

*(**Traité de la réforme de l'entendement,** § 84)*

19/36 Une imagination est une idée qui indique davantage l'état présent du corps humain que la nature d'un corps extérieur, non certes distinctement, mais confusément.

*(**Éthique,** posth. 1677, quatrième partie, prop. I, scholie)*

VALÉRY

19/37 L'homme a inventé le pouvoir des choses absentes — par quoi il s'est rendu « puissant et misérable » ; mais enfin, ce n'est que par elles qu'il est *homme*.

*(**Tel quel I, Moralités,** 1930,* in ***Œuvres,*** *t. II, Pléiade, Gallimard, p. 542)*

INCONSCIENT

ALAIN

20/1 Les rêves seraient inexprimables et tout de suite sans intérêt, c'est-à-dire oubliés aussitôt, sans une complaisance d'imagination. Et c'est cette faiblesse d'esprit qui fait les fous.

(21 sept. 1913, in ***Propos II,*** *228, Pléiade, Gallimard, p. 326)*

20/2 Cette idée de l'inconscient, tant vantée et si bien vendue, je n'en fais rien ; je n'y suis jamais conduit naturellement ; quand j'ai voulu en user, afin de me mettre à la mode, elle n'a rien saisi de l'homme, ni rien éclairé.

(23 sept. 1921, ***Fantômes,*** in ***Propos I,*** *Pléiade, Gallimard, p. 298)*

20/3 L'ingénieux système de Freud, un moment célèbre, perd déjà de son crédit par ceci, qu'il est trop facile de faire croire tout ce qu'on veut à un esprit inquiet et qui, comme dit Stendhal, a déjà son imagination pour ennemie.

(4 déc. 1923, ***Des caractères,*** in ***Propos sur le bonheur,*** *XXI, Gallimard, p. 68)*

20/4 Dans les disputes sur l'inconscient, où, contre toutes les autorités établies et reconnues, je ne cède jamais un pouce de terrain, il y a plus qu'une question de mots. Qu'un mécanisme semblable à l'instinct des bêtes, nous fasse souvent parler et agir, et par suite penser, cela est connu et hors de discussion. Mais il s'agit de savoir si ce qui sort ainsi de mes entrailles, sans que je l'aie composé, ni délibéré, est une sorte d'oracle, c'est-à-dire une pensée venant des profondeurs ; ou si je dois plutôt le prendre comme un mouvement de nature, qui n'a pas plus de sens que le mouvement des feuillages dans le vent.

(janvier 1931, in ***Propos II,*** *522, Pléiade, Gallimard, p. 849)*

20/5 Je devais être jugé sévèrement par tous les docteurs, du moment que je n'adorais pas à quatre pattes l'inconscient, le subconscient, le seuil de la conscience, et autres articles de la philosophie simiesque.

*(****Histoire de mes pensées,*** *1936, chap.* ***Générosité,***
in ***Les Arts et les Dieux,*** *Pléiade, Gallimard, p. 190)*

FREUD

20/6 L'inconscient est le psychique lui-même et son essentielle réalité. Sa nature intime nous est aussi inconnue que la réalité du monde extérieur, et la conscience nous renseigne sur lui d'une manière aussi incomplète que nos organes des sens sur le monde extérieur.

*(**L'Interprétation des rêves [Die Traumdeutung],** 1900, trad. I. Meyerson, rev. par D. Berger, P.U.F., 1967, p. 520)*

20/7 Mon expérience m'a bien des fois montré que ceux qui combattent l'inconscient comme étant chose absurde ou impossible, n'ont pas puisé leurs impressions aux sources qui m'ont obligé, moi du moins, de reconnaître son existence.

*(**Le mot d'esprit et ses rapports avec l'inconscient,** 1905, trad. M. Bonaparte et le Dr M. Nathan, Gallimard, Les Essais, p. 188)*

20/8 J'ai acquis en outre l'impression de ce que la théorie de « l'inconscient » se heurtait principalement à des résistances d'ordre affectif qui s'expliquent par ce fait que personne ne veut connaître son inconscient, et partant trouve plus expédient d'en nier la possibilité.

*(**Id.,** p. 189)*

20/9 Tout ce qui est refoulé est inconscient, mais nous ne pouvons affirmer que tout ce qui est inconscient soit refoulé.

*(**Délire et rêves dans la Gradiva de Jensen,** 1907, trad. M. Bonaparte, Gallimard, 1949, p. 155)*

LACAN

20/10 L'inconscient est cette partie du discours concret en tant que transindividuel, qui fait défaut à la disposition du sujet pour rétablir la continuité de son discours conscient.

*(**Écrits I, Fonction et champ de la parole et du langage en psychanalyse,** 1966, éd. du Seuil, p. 136)*

20/11 L'inconscient est le discours de l'Autre.

*(**Écrits II, D'une question préliminaire à tout traitement possible de la psychose,** 1971, éd. du Seuil, p. 63)*

LAGNEAU

20/12 Le seul inconscient qui existe, c'est ce qui a été agrégé automatiquement, sans pensée au sens strict, par suite sans conscience et, n'ayant pas été d'abord dans la conscience, n'est pas susceptible d'y rentrer.

*(**Fragment 12,** § 2, posth, 1898,* in ***Célèbres leçons et fragments,*** *P.U.F. 1950, p. 54)*

LEIBNIZ

20/13 Chaque âme connaît l'infini, connaît tout, mais confusément. Comme en me promenant sur le rivage de la mer, et entendant le grand bruit qu'elle fait, j'entends les bruits particuliers de chaque vague, dont le bruit total est composé, mais sans les discerner ; nos perceptions confuses sont le résultat des impressions que tout l'univers fait sur nous.

*(**Principes de la nature et de la grâce fondés en raison,** 1714, § 13)*

MERLEAU-PONTY

20/14 L'*inconscient* de Freud : il suffit de suivre les transformations de cette notion — Protée dans l'œuvre de Freud, la diversité de ses emplois, les contradictions où elle entraîne —, pour s'assurer que ce n'est pas là une notion mûre et qu'il reste encore, comme Freud le laisse entendre dans les *Essais de Psychanalyse*, à formuler correctement ce qu'il visait sous cette désignation provisoire.

*(**Signes,** 1960, Gallimard, p. 291)*

20/15 L'inconscient ne peut pas être un processus « en troisième personne », puisque c'est lui qui choisit ce qui, de nous, sera admis à l'existence officielle, qui évite les pensées ou les situations auxquelles nous résistons et qu'il n'est donc pas un *non-savoir*, mais plutôt un savoir non reconnu, informulé, que nous ne voulons pas assumer. Dans un langage approximatif, Freud est ici sur le point de découvrir ce que d'autres ont mieux nommé *perception ambiguë*.

*(**Ibid.**)*

20/16 Tant que notre philosophie ne nous aura pas donné les moyens d'exprimer mieux cet *intemporel*, cet *indestructible* en nous qui est, dit Freud, l'inconscient même, peut-être vaut-il mieux continuer de l'appeler inconscient — à la seule condition de savoir que le mot est l'index d'une énigme —, car il garde, comme l'algue ou le caillou qu'on rapporte, quelque chose de la mer où il a été pris.

*(Préface à l'ouvrage de A. Hesnard, **L'Œuvre de Freud et son importance dans le monde moderne,** 1960, Payot, p. 9)*

NIETZSCHE

20/17 De longues périodes durant, on a considéré la pensée consciente en tant que la pensée au sens absolu : à partir de maintenant seulement la vérité se fait jour en nous que la majeure partie de notre activité intellectuelle se déroule inconsciente et insensible à nous-mêmes.

*(**Le Gai Savoir,** 1882, § 333, trad. Klossowski, Club français du livre, p. 316)*

SCHOPENHAUER

20/18 Il y a quelque chose de tout particulier dans le sérieux profond et inconscient avec lequel deux jeunes gens de sexe différent, qui se voient pour la première fois, se considèrent l'un l'autre, dans le regard scrutateur et pénétrant qu'ils jettent l'un sur l'autre, dans cet examen attentif qu'ils font subir réciproquement à tous les traits et à toutes les parties de leur personne. Cette analyse si minutieuse, c'est la *méditation du génie de l'espèce* sur l'individu qui peut naître d'eux et la combinaison de ses qualités. Du résultat de cette méditation dépend la force de leur sympathie et de leurs désirs réciproques.

*(**Le monde comme volonté et comme représentation,** 1819, trad. A. Burdeau revue et corrigée par R. Roos, P.U.F., p. 1306)*

IRRATIONNEL

ALAIN

21/1 Si je cherchais au monde quelque miracle, ce ne sont point les événements extraordinaires que j'appellerais miracles, mais bien plutôt le cours ordinaire des saisons et la forme invariable des groupes d'étoiles. Si quelque chose pouvait prouver qu'il y a un dieu, ce serait l'ordre plutôt que le désordre, et le retour constant des jours et des saisons, plutôt que le spectacle d'un homme marchant sur la mer.

(1er oct. 1907 in ***Propos II,*** *28, Pléiade, Gallimard, p. 36)*

21/2 Tout événement, si on le prenait dans sa singularité, est invraisemblable avant qu'il soit, mais naturel et explicable dès qu'il est. Je n'insiste pas sur cette idée, qui est fort difficile pour tous et pour moi ; je veux montrer seulement que le miraculeux, en ce sens-là, dépend de nos désirs.

*(**La Mythologie humaine,** écrit en 1932-1933, publ. 1943,*
in ***Les Arts et les Dieux,*** *Pléiade, Gallimard, p. 1154)*

ARNAULD et NICOLE

21/3 Après que l'on voit tant de gens infatués des folies de l'Astrologie judiciaire, et que des personnes graves traitent cette manière sérieusement, on ne doit plus s'étonner de rien. Il y a une constellation dans le ciel qu'il a plu à quelques personnes de nommer Balance, et qui ressemble à une balance comme à un moulin à vent ; la balance est le symbole de la justice : donc ceux qui naîtront sous cette constellation seront justes et équitables. Il y a trois autres signes dans le Zodiaque, qu'on nomme l'un Bélier, l'autre Taureau, l'autre Capricorne, et qu'on eût pu aussi bien appeler Éléphant, Crocodile, et Rhinocéros : le Bélier, le Taureau et le Capricorne sont des animaux qui ruminent : donc ceux qui prennent médecine, lorsque la lune est sous ces constellations, sont en danger de la revomir. Quelque extravagants que soient ces raisonnements, il se trouve des personnes qui les débitent, et d'autres qui s'en laissent persuader.

*(**La Logique ou l'Art de penser**, 1662, premier discours)*

BACHELARD

21/4 L'histoire des sciences est l'histoire des défaites de l'irrationalisme.

*(**L'Activité rationaliste de la physique contemporaine** 1951, P.U.F., p. 27)*

BIBLE (LA)

21/5 Jésus-Christ ne m'a pas envoyé pour baptiser, mais pour prêcher l'Évangile, et le prêcher sans y employer la sagesse de la parole, pour ne pas anéantir la vertu de la croix de Jésus-Christ. Car la parole de la croix est une folie pour ceux qui se perdent ; mais pour ceux qui se sauvent, c'est-à-dire pour nous, elle est l'instrument de la puissance de Dieu.

*(**Nouveau Testament [Première épître de saint Paul aux Corinthiens,** I, 17-18], trad. sur la Vulgate par Lemaistre de Sacy)*

COMTE

21/6 Il serait superflu d'insister sur la tendance involontaire qui, même aujourd'hui, nous entraîne tous évidemment aux explications essentiellement théologiques, aussitôt que nous voulons pénétrer directement le mystère inaccessible du mode fondamental de production de phénomènes quelconques, et surtout envers ceux dont nous ignorons encore les lois réelles. Les plus éminents penseurs peuvent alors constater leur propre disposition naturelle au plus naïf fétichisme, quand cette ignorance se trouve momentanément combinée avec quelque passion prononcée.

*(**Discours sur l'esprit positif,** 1844, Librairie Schleicher, p. 9)*

DIDEROT

21/7 Il est aussi sûr que deux et deux font quatre, que César a existé ; il est aussi sûr que Jésus-Christ a existé que César. Donc il est aussi sûr que Jésus-Christ a ressuscité, que lui ou César a existé. Oh que nenni ! L'existence de Jésus-Christ et de César n'est pas un miracle.

*(**Addition aux Pensées philosophiques,** 1770, XXVII, in **Œuvres philosophiques,** Garnier, p. 62)*

HUME

21/8 Je crois vraiment qu'aucun dogme païen ne saurait donner meilleure prise au ridicule que le dogme de la *présence réelle.* Car ce dernier est si absurde qu'il est au-delà des forces de tout argument. Il y a même quelques histoires plaisantes de cette sorte qui, quoique assez sacrilèges, sont souvent racontées par les Catholiques eux-mêmes. Un jour, dit-on, un prêtre donna par inadvertance, en guise de sacrement, un jeton qui était tombé accidentellement au milieu des saintes hosties. Le communiant attendit patiemment pendant quelque temps, espérant qu'il se dissoudrait sur sa langue. Mais découvrant qu'il restait toujours entier, il l'enleva de sa bouche. *Je souhaite,* cria-t-il au prêtre, *que vous ne vous soyez pas trompé; je souhaite que vous ne m'ayez pas donné Dieu le Père: il est si dur et si coriace que je ne peux l'avaler.*

*(**L'Histoire naturelle de la religion,** 1757, trad. Michel Malherbe, Vrin, pp. 79-80)*

KIERKEGAARD

21/9 Je me propose maintenant de tirer de l'histoire d'Abraham, sous forme de problèmes, la dialectique qu'elle comporte pour voir quel paradoxe inouï est la foi, paradoxe capable de faire d'un crime un acte saint et agréable à Dieu, paradoxe qui rend à Abraham son fils, paradoxe que ne peut réduire aucun raisonnement, parce que la foi commence précisément où finit la raison.

*(**Crainte et tremblement,** 1843, traduit du danois par P.H. Tisseau, Aubier-Montaigne, 1943, p. 81)*

LICHTENBERG

21/10 Certaines personnes considèrent comme divines les choses qui n'ont aucun sens rationnel. Le plaisir ressenti à contempler d'inutiles calculs algébriques que l'on a faits soi-même entre dans cette catégorie.

*(**Aphorismes,** quatrième cahier, 1789-1793, trad. Marthe Robert, J.-J. Pauvert, p. 209)*

MONTAIGNE

21/11 Il est vray semblable que le principal credit des miracles, des visions, des enchantements, et de tels effects extraordinaires, vienne de la puissance de l'imagination agissant principalement contre les ames du vulgaire, plus molles.

*(**Essais,** 1580-1595, livre I, chap. XXI, Pléiade, Gallimard, p. 125)*

PASCAL

21/12 Quand je considère la petite durée de ma vie, absorbée dans l'éternité précédant et suivant, le petit espace que je remplis et même que je vois, abîmé dans l'infinie immensité des espaces que j'ignore et qui m'ignorent, je m'effraie et m'étonne de me voir ici plutôt que là, car il n'y a point de raison pourquoi ici plutôt que là, pourquoi à présent plutôt que lors. Qui m'y a mis? Par l'ordre et la conduite de qui ce lieu et ce temps a-t-il été destiné à moi? *Memoria hospitis unius diei praetereuntis.*

*(**Pensées,** posth. 1669, section III, 205, éd. Brunschvicg, Hachette, p. 427)*

21/13 Pourquoi ma connaissance est-elle bornée? ma taille? ma durée à cent ans plutôt qu'à mille? Quelle raison a eue la nature de me la donner telle, et de choisir ce nombre plutôt qu'un autre, dans l'infinité desquels il n'y a pas plus de raison de choisir l'un que l'autre, rien ne tentant plus que l'autre?

*(**Id,** section III, 208, p. 428)*

21/14 La dernière démarche de la raison est de reconnaître qu'il y a une infinité de choses qui la surpassent; elle n'est que faible, si elle ne va jusqu'à connaître cela.

Que si les choses naturelles la surpassent, que dira-t-on des surnaturelles?

*(**Id,** section IV, 267, p. 455)*

21/15 Les miracles sont plus importants que vous ne pensez: ils ont servi à la fondation et serviront à la continuation de l'Église, jusqu'à l'Antechrist, jusqu'à la fin.

*(**Id,** section XIII, 852, p. 726)*

PUTNAM

21/16 Le fait de prendre sans autre explication, de manière délibérée et arbitraire, une décision qui affecte négativement la vie des autres (et peut-être aussi notre propre vie), est un exemple paradigmatique d'irrationalité, et non seulement d'irrationalité, mais de perversion.

*(**Raison, vérité et histoire** 1981, trad. de l'anglais par A. Gerschenfeld, Éd. de Minuit, p. 236)*

ROSTAND (Jean)

21/17 Travaillant pour le néant, tous nous ressemblons plus ou moins à ces insectes qui, mus par l'instinct stupide, s'obstinent à déposer leur ponte dans des nids éventrés.

*(**Pensées d'un biologiste,** 1939, chap. VIII)*

ROUSSEAU

21/18 Il y a des mystères qu'il est non seulement impossible à l'homme de concevoir, mais de croire, et je ne vois pas ce qu'on gagne à les enseigner aux enfants, si ce n'est de leur apprendre à mentir de bonne heure.

*(**Émile ou De l'éducation,** 1762, livre quatrième, éd. du Seuil, t. 3, p. 179)*

SPINOZA

21/19 Quant aux miracles, je suis convaincu que l'on peut fonder la certitude de la révélation divine sur la seule sagesse de ses enseignements et non sur des miracles, c'est-à-dire sur l'ignorance.

*(**Lettre LXXIII,** à Oldenburg, 1675, trad. Ch. Appuhn, in **Œuvres,** t. 4, Garnier-Frères, p. 335)*

21/20 Cessez, je le répète, d'appeler mystères d'absurdes erreurs, et de confondre piteusement l'inconnu, le non encore connu avec des croyances dont l'absurdité est démontrée, tels les terribles secrets de cette Église que vous croyez surpasser d'autant plus l'entendement qu'ils choquent davantage la droite raison.

*(**Lettre LXXVI,** à Albert Burgh, 1675, trad. Ch. Appuhn, in **Œuvres,** t. 4, Garnier-Frères, p. 344)*

VALÉRY

21/21 *Signification des miracles.* — Le mépris du dieu pour les esprits humains se marque par les miracles. Il les juge indignes d'être mus vers lui par d'autres voies que celles de la stupeur et des modes les plus grossiers de la sensibilité.

Il sait bien qu'un corps qui s'élève les étonne bien plus qu'un corps qui tombe ; qu'un mort ressuscité les saisit infiniment plus que mille enfants qui naissent. Il les prend pour ce qu'ils sont. Il désespère de leur intelligence ; et par là, tente quelques-uns d'entre eux de désespérer de la sienne.

*(**Tel quel, Suite,** 1930, in **Œuvres,** t. II, Pléiade, Gallimard, p. 777)*

JUGEMENT

ALAIN

22/1 Dès que le plus faible des hommes a compris qu'il peut garder son pouvoir de juger, tout pouvoir extérieur tombe devant celui-là.

(3 fév. 1923, in ***Propos II,*** *Pléiade, Gallimard, p. 539)*

22/2 Nul au monde n'a puissance sur le jugement intérieur ; si l'on peut te forcer à dire en plein jour qu'il fait nuit, nulle puissance ne peut te forcer à le penser.

(Ibid.)

ARNAUD et NICOLE

22/3 On appelle *juger*, l'action de notre esprit, par laquelle, joignant ensemble diverses idées, il affirme de l'une qu'elle est l'autre, ou nie de l'une qu'elle soit l'autre, comme lorsque ayant l'idée de la Terre, et l'idée du rond, j'affirme de la Terre qu'elle est ronde, ou je nie qu'elle soit ronde.

(La Logique ou l'Art de penser, *1662, p. 2)*

COMTE

22/4 Il n'est pas toujours possible ni convenable de suspendre le jugement.

(Système de politique positive, *tome II, 1852,* ***Statique sociale,*** *chap. premier, p. 88)*

DESCARTES

22/5 J'expérimente en moi-même une certaine puissance de juger, laquelle sans doute j'ai reçue de Dieu, de même que tout le reste des choses que je possède.

(Méditations métaphysiques, *1641, méditation quatrième)*

22/6 Il est certain que nous ne prendrons jamais le faux pour le vrai tant que nous ne jugerons que de ce que nous apercevons clairement et distinctement.

*(**Les Principes de la philosophie,** 1644, première partie, 43)*

ÉPICTÈTE

22/7 Ce qui trouble les hommes, ce ne sont point les événements, mais les jugements qu'ils portent sur les événements.

*(**Manuel,** trad. A. Jagu, Les Belles Lettres, Paris 1950, [V], p. 413)*

HUME

22/8 La nature, par une nécessité absolue et incontrôlable, nous a déterminés à juger aussi bien qu'à respirer et à sentir.

*(**Traité de la nature humaine,** 1739, livre I, quatrième partie, sect. I, trad. A. Leroy, Aubier-Montaigne, t. I, p. 270)*

KANT

22/9 Le jugement est la connaissance médiate d'un objet, par conséquent la représentation d'une représentation de cet objet.

*(**Critique de la raison pure,** 1781, trad. Tremesaygues et Pacaud, I, Ire division, I, chap. premier)*

22/10 Nous pouvons ramener à des jugements tous les actes de l'entendement, de telle sorte que l'entendement en général peut être représenté comme un *pouvoir de juger.*

*(**Id.,** I, Ire division, I, chap. premier)*

22/11 Un jugement n'est pas autre chose que la manière de ramener des connaissances données à l'unité *objective* de l'aperception.

*(**Id.,** I, Ire division, chap. II, 2e section, III)*

22/12 La croyance, ou la valeur subjective du jugement, par rapport à la conviction (qui a en même temps une valeur objective), présente les trois degrés suivants : l'*opinion*, la *foi* et la *science.* L'*opinion* est une croyance qui a conscience d'être insuffisante *aussi bien* subjectivement qu'objectivement. Si la croyance n'est que subjectivement suffisante et si elle est en même temps tenue pour objectivement insuffisante, elle s'appelle *foi.* Enfin, la croyance suffisante aussi bien subjectivement qu'objectivement s'appelle *science.*

*(**Id.,** II, chap. II, 3e section,* ***De l'opinion, de la science et de la foi,*** *p. 635)*

22/13 Le jugement en général est la faculté de penser le particulier comme compris sous l'universel.

*(**Critique du jugement,** 1790, introd., IV, début)*

LAGNEAU

22/14 Au fond de tout jugement se trouve cette assertion : il est vrai que...

*(**Cours sur le jugement,** posth. 1926,* in ***Célèbres leçons et fragments,*** *P.U.F., p. 187)*

MONTAIGNE

22/15 Ce ne sont pas seulement les fièvres, les breuvages et les grands accidents qui renversent nostre jugement ; les moindres choses du monde le tournevirent.

*(**Essais,** 1580-1595, livre II, chap. XII, Pléiade, Gallimard, p. 635)*

22/16 Tous jugements en gros sont lâches et imparfaits.

*(**Id.,** livre III, chap. IX, p. 1057)*

NIETZSCHE

22/17 Le « est » dans le jugement synthétique est faux, il comporte une transposition, deux sphères d'ordre différent sont comparées, entre lesquelles une équation ne peut jamais prendre place.

*(**Le Livre du philosophe, Études théorétiques,** 1872-1875, trad. A.K. Marietti, Aubier-Flammarion, p. 143)*

SEXTUS EMPIRICUS

22/18 La formule « je suspends mon jugement » signifie pour nous que le sujet est incapable de dire à quelle chose il convient d'accorder ou au contraire de refuser créance. Nous entendons par là que les objets nous procurent des représentations dignes et indignes de foi. Remarquons bien que nous n'affirmons rien touchant leur égalité effective ; mais que cette égalité porte seulement sur notre représentation, telle qu'elle vient nous affecter. Le terme de « suspension du jugement », ou « époché », vient de l'état de suspension propre au jugement qui se trouve dans l'impossibilité d'affirmer ou de nier en raison de la force égale propre aux objets de sa recherche.

*(**Hypotyposes pyrrhoniennes,** I, 196, trad. J.-P. Dumont,*
*in **Les Sceptiques grecs,** P.U.F.)*

JUSTICE

ALAIN

23/1 La justice est la puissance établie de la partie raisonnable sur la partie rapace, avide, cupide, voleuse, ce qui conduit à résoudre ces problèmes du tien et du mien comme un arbitre ou par l'arbitre.

Comme la partie rapace est fort rusée, et d'abord égare le jugement, la justice ne se maintient que par des ruses ou précautions contraires. La principale est le contrat, qui est établi dans les temps où la cupidité n'a pas encore d'objets présents. Quelqu'un inventa ce contrat de partage entre deux héritiers : « Tu fais les parts et je choisis, ou bien je fais les parts et tu choisis. » Cela peut suggérer d'autres ruses...

*(**Définitions,** posth. 1953, in **Les Arts et les Dieux,** Pléiade, Gallimard, p. 1067)*

23/2 L'injustice est fardée comme une vieille gueuse. Il faut la voir avant sa toilette.

*(15 mars 1906, in **Propos II,** Pléiade, Gallimard, p. 7)*

23/3 La justice n'existe point ; la justice appartient à l'ordre des choses qu'il faut faire justement parce qu'elles ne sont point.

*(2 déc. 1912, in **Propos II,** Pléiade, Gallimard, p. 280)*

ARISTOTE

23/4 L'action injuste comporte deux extrêmes : l'un d'eux, le moindre, consiste à subir l'injustice ; l'autre, le plus grave, à la commettre.

*(**Éthique à Nicomaque,** livre cinquième, chap. V, 18, trad. Voilquin)*

23/5 Il y a une justice et une injustice dont tous les hommes ont comme une divination et dont le sentiment leur est naturel et commun, même quand il n'existe entre eux aucune communauté ni aucun contrat.

*(**Rhétorique,** 1373 b, trad. M. Dufour, Les Belles Lettres)*

BIBLE (LA)

23/6 Bienheureux ceux qui ont faim et soif de la justice, car ils seront rassasiés !...

Bienheureux ceux qui souffrent persécution pour la justice, car le royaume des cieux est à eux!

*(**Nouveau Testament, Évangile selon saint Matthieu,** 5, 6, 10)*

CHAMFORT

23/7 Celui qui est juste au milieu, entre notre ennemi et nous, nous paraît être plus voisin de notre ennemi. C'est un effet des lois de l'optique, comme celui par lequel le jet d'eau d'un bassin paraît plus éloigné de l'autre bord que de celui où vous êtes.

*(**Maximes et pensées, caractères et anecdotes,** 1795, chap. II, § 103)*

COMTE

23/8 Il existe des organisations vicieuses, dont l'humanité doit se préserver dignement, sans jamais espérer de les rectifier assez. Gall a même remarqué sagement que l'entière abolition du dernier supplice, rêvée par une vague philanthropie, serait directement contraire aux lois positives de notre nature individuelle. J'ose ajouter qu'elle choquerait encore davantage celles qui sont propres à l'organisme collectif.

*(**Système de politique positive,** t. II, 1852, p. 419)*

DIDEROT

23/9 La promulgation publique de la grâce est une contradiction formelle au but du châtiment. La grâce montre toujours un être au-dessus de la loi qui doit être sans exception au-dessus de tous.

*(**Observations sur l'Instruction de S.M.I. aux députés pour la confection des lois,** 1774, art. 79, p. 36)*

ÉPICURE

23/10 La justice n'est rien en soi, elle n'a de sens que dans les contrats liant les parties et rédigés pour déclarer que l'on évitera de se nuire mutuellement.

*(**Lettre à Ménécée,** in DIOGÈNE LAËRCE, **Vie, doctrines et sentences des philosophes illustres,** trad. du grec par Robert Genaille, Garnier-Frères, t. II, p. 268)*

FREUD

23/11 Si l'État interdit à l'individu le recours à l'injustice, ce n'est pas parce qu'il veut supprimer l'injustice, mais parce qu'il veut monopoliser ce recours, comme il monopolise le sel et le tabac.

*(**Essais de psychanalyse,** articles 1909-1915, quatrième partie, trad. Dr S. Jankélévitch, nouv. éd. par le Dr A. Hesnard, Payot, p. 240)*

HÉRACLITE

23/12 S'il n'y avait pas d'injustice, on ignorerait jusqu'au nom de la justice.

*(in **Les Penseurs grecs avant Socrate,** trad. Jean Voilquin, Garnier-Frères, 1964, p. 75)*

HOBBES

23/13 Avant qu'il y ait un gouvernement, il n'y a ni *juste* ni *injuste*, parce que la nature de ces choses est relative à un commandement, et que toute action est de soi-même indifférente. La *justice* ou *l'injustice* viennent du droit de celui qui gouverne.

*(**Du citoyen,** 1642, chap. XII, a I)*

23/14 Avant que les mots juste et injuste puissent être utilisés, il faut qu'il y ait une puissance coercitive, d'une part pour contraindre également les hommes à l'exécution de leurs pactes par la Terreur de quelque châtiment plus grand que le bénéfice qu'ils attendent du fait de les rompre, d'autre part pour leur confirmer la propriété de ce qu'ils acquièrent par contrat mutuel en compensation du droit universel qu'ils abandonnent ; et une telle puissance, il n'y en a point avant l'établissement d'un état.

*(**Id.,** première partie, chap. XV)*

IBN KHALDOUN

23/15 L'existence d'un grand bien ne peut avoir lieu sans qu'un peu de mal s'y trouve, ce qui tient à la matière (dont ce bien est la forme). Le bien n'est pas perdu pour cela : il existe réellement, malgré la petite quantité de mal qu'il contient. Voilà comment on explique l'introduction de l'injustice dans la création.

*(**La Muqaddima** [**Les Prolégomènes**], 1375-1379, trad. J.-E. Bencheikh, Hachette-Alger, p. 127)*

KANT

23/16 Si la justice disparaît, c'est chose sans valeur que le fait que des hommes vivent sur la terre. — Que doit-on penser du dessein suivant : conserver la vie à un criminel condamné à mort, s'il acceptait que l'on pratique sur lui de dangereuses expériences et se trouvait assez heureux pour en sortir sain et sauf, de telle sorte que les médecins acquièrent, ce faisant, un nouvel enseignement, précieux pour la chose publique ? C'est avec mépris qu'un tribunal repousserait le collège médical qui ferait une telle proposition ; car la justice cesse d'être la justice, dès qu'elle se donne pour un quelconque prix.

*(**Métaphysique des mœurs,** première partie, **Doctrine du droit,** 1797, trad. Philonenko, J. Vrin éd., p. 214)*

23/17 Si le criminel a commis un meurtre, il doit *mourir.* Il n'existe ici aucune commutation de peine qui puisse satisfaire la justice. Il n'y a aucune *commune mesure* entre une vie, si pénible qu'elle puisse être, et la mort et par conséquent aucune égalité du crime et de la réparation, si ce n'est que par l'exécution légale du coupable sous la condition que la mort soit délivrée de tout mauvais traitement qui pourrait avilir l'humanité dans la personne du patient.

*(**Id.,** p. 216)*

LA BRUYÈRE

23/18 Le devoir des juges est de rendre la justice ; leur métier, de la différer. Quelques-uns savent leur devoir, et font leur métier.

*(**De quelques usages,** § 43,* in *
Les Caractères, 1688-1696)*

LEIBNIZ

23/19 Comme la justice, prise généralement, n'est autre chose que la bonté conforme à la sagesse, il faut bien qu'il y ait aussi une justice souveraine en Dieu.

*(**Principes de la nature et de la grâce fondés en raison,** 1714, § 9)*

MACHIAVEL

23/20 À l'époque de leur réunion en société, les hommes commencèrent à connaître ce qui est bon et honnête et à le distinguer de ce qui est vicieux et mauvais. On vit un homme nuire à son bienfaiteur. Deux sentiments s'élevèrent à l'instant dans tous les cœurs ; la haine pour l'ingrat, l'amour pour l'homme bienfaisant. On blâma le premier, et on honora d'autant plus ceux qui, au contraire, se montrèrent reconnaissants, que chacun d'eux sentit qu'il pouvait éprouver pareille injure. Pour prévenir de pareils maux, les hommes se déterminèrent à faire des lois, et à ordonner des punitions pour qui y contreviendrait. Telle fut l'origine de la justice.

(***Discours sur la première décade de Tite-Live,*** *1513-1520, livre I, chap. II, trad. Giraudet*)

MERLEAU-PONTY

23/21 Xénophon faire dire à Socrate : on peut obéir aux lois en souhaitant qu'elles changent, comme on sert à la guerre en souhaitant la paix. Ce n'est donc pas que les lois soient bonnes, mais c'est qu'elles sont l'ordre et qu'on a besoin de l'ordre pour le changer. Quand Socrate refuse de fuir, ce n'est pas qu'il reconnaisse le tribunal, c'est pour mieux le récuser. En fuyant il deviendrait un ennemi d'Athènes, il rendrait la sentence vraie. En restant, il a gagné, qu'on l'acquitte ou qu'on le condamne, soit qu'il prouve sa philosophie en la faisant accepter par les juges, soit qu'il la prouve encore en acceptant la sentence.

(***Éloge de la philosophie,*** *1953, Gallimard, p. 52*)

MONTAIGNE

23/22 La femme de Socrates rengregeoit [redoublait] son deuil par telle circonstance : O qu'injustement le font mourir ces meschans juges ! — Aimerois-tu donc mieux que ce fut justement, luy repliqua il.

(***Essais,*** *1580-1595, livre II, chap. XII, Pléiade, Gallimard, p. 656*)

MONTESQUIEU

23/23 Il n'y a point de plus cruelle tyrannie que celle que l'on exerce à l'ombre des lois et avec les couleurs de la justice, lorsqu'on va pour ainsi dire noyer des malheureux sur la planche même sur laquelle ils s'étaient sauvés.

(***Considérations sur les causes de la grandeur des Romains et de leur décadence,*** *1734, chap. XIV*)

PASCAL

23/24 La justice sans la force est impuissante ; la force sans la justice est tyrannique.

(***Pensées,*** *posth. 1669, Section V, 298, édition Brunschvicg, Hachette*)

23/25 Il faut que nous naissions coupables, — ou Dieu serait injuste.
*(**Id.**, section VII, 489)*

PLATON

23/26 Il faut absolument, quand on veut combattre réellement pour la justice et si l'on veut vivre quelque temps, se confiner dans la vie privée et ne pas aborder la vie publique.
*(**Apologie de Socrate,** 32 a)*

23/27 L'homme juste ne permet pas qu'aucune partie de lui-même fasse rien qui lui soit étranger, ni que les trois principes de son âme empiètent sur leurs fonctions respectives ; il établit au contraire un ordre véritable dans son intérieur, il se commande lui-même, il se discipline, il devient ami de lui-même, il harmonise les trois parties de son âme absolument comme les trois termes de l'échelle musicale, le plus élevé, le plus bas, le moyen, et tous les tons intermédiaires qui peuvent exister, il lie ensemble tous ces éléments et devient un de multiple qu'il était, il est tempérant et plein d'harmonie et dès lors dans tout ce qu'il entreprend, soit qu'il travaille à s'enrichir, soit qu'il signe son corps, soit qu'il s'occupe de politique, soit qu'il traite avec des particuliers, il juge et nomme toujours juste et belle l'action qui maintient et contribue à réaliser cet état d'âme et il tient pour sagesse la science qui inspire cette action ; au contraire il appelle injuste l'action qui détruit cet état, et ignorance l'opinion qui inspire cette action.
*(**La République,** livre IV, 443 d, trad. Chambry)*

RENARD

23/28 Contrairement à ce qui est dit dans le Sermon sur la Montagne, si tu as soif de justice, tu auras toujours soif.
*(**Journal,** 18 juil. 1896)*

23/29 Sommeil du Juste! le Juste ne devrait pas pouvoir dormir.
*(**Id.,** 30 juil. 1903)*

ROUSSEAU

23/30 Toute justice vient de Dieu, lui seul en est la source ; mais si nous savions la recevoir de si haut, nous n'aurions besoin ni de gouvernement ni de lois. Sans doute est-il une justice universelle émanée de la raison seule ; mais cette justice, pour être admise entre nous doit être réciproque. À considérer humainement les choses, faute de sanction naturelle, les lois de la justice sont vaines parmi les hommes ; elles ne font que le bien du méchant et le mal du juste, quand celui-ci les observe avec tout le monde sans que personne les observe avec lui. Il faut donc des conventions et des lois pour unir les droits aux devoirs et ramener la justice à son objet.

*(**Du contrat social,** 1762, II, VI)*

23/31 Il y a dans l'état de nature une égalité de fait réelle et indestructible, parce qu'il est impossible dans cet état que la seule différence d'homme à homme soit assez grande pour rendre l'un dépendant de l'autre. Il y a dans l'état civil une égalité de droit chimérique et vaine, parce que les moyens destinés à la maintenir servent eux-mêmes à la détruire, et que la force publique ajoutée au plus fort pour opprimer le faible rompt l'espèce d'équilibre que la nature avait mis entre eux.

*(**Émile ou De l'éducation,** 1762, Livre quatrième, éd. du Seuil, t. 3, p. 165)*

23/32 Un innocent persécuté prend longtemps pour un pur amour de la justice l'orgueil de son petit individu.

*(**Les Rêveries du promeneur solitaire,** 1782, Huitième Promenade)*

SERRES

23/33 Les procès de Socrate, de Jésus, de Galilée... ne font pas, et de loin, exception... Les archontes d'Athènes, les pontifes et Ponce Pilate, les cardinaux de la curie, notre héritage consent à les mettre au pilori, où les rejoignent les membres du tribunal révolutionnaire qui fit trancher la tête de Lavoisier, chimiste, ou ceux du jury anglais qui accula Türing, logicien, au suicide, alors que ses inventions, en informatique, avaient contribué de manière décisive à sauver les îles Britanniques de l'invasion nazie, ou ceux de la justice soviétique dont l'ignominie freina la biologie dans leur pays, dans l'affaire Lyssenko.

*(**Le Contrat naturel,** Éd. François Bourin, 1990, p. 127)*

SPINOZA

23/34 La justice est une disposition constante à attribuer à chacun ce qui d'après le droit civil lui revient.

*(**Traité théologico-politique,** 1670, trad. Ch. Appuhn, chap. XVI)*

23/35 Il n'y a rien dans la nature que l'on puisse dire appartenir de droit à l'un et non à l'autre, mais tout est à tous, c'est-à-dire que chacun a droit dans la mesure où il a pouvoir. Dans un État au contraire, où la loi commune décide ce qui est à l'un et ce qui est à l'autre, celui-là est appelé juste, qui a une volonté constante d'attribuer à chacun le sien, injuste au contraire celui qui s'efforce de faire sien ce qui est à un autre.

*(**Traité politique,** posth, 1677, chap. deuxième, § 23, trad. Ch. Appuhn, Garnier-Frères, p. 24)*

STIRNER

23/36 Combien n'a-t-on pas vanté chez Socrate le scrupule de probité qui lui fit repousser le conseil de s'enfuir de son cachot ! Ce fut de sa part une pure folie de donner aux Athéniens le droit de le condamner... S'il fut faible, ce fut précisément *en ne fuyant pas*, en gardant cette illusion qu'il avait encore quelque chose de commun avec les Athéniens, et en s'imaginant n'être qu'un membre, un simple membre de ce peuple... Socrate aurait dû savoir que les Athéniens n'étaient que ses ennemis, et que lui seul était son juge. L'illusion d'une « justice », d'une « légalité », etc., devait se dissiper devant cette considération que toute relation est un rapport de *force*, une lutte de puissance à puissance.

*(**L'Unique et sa Propriété,** 1844, deuxième partie, II, 2, trad. de R.L. Reclaire, Stock éd., p. 257)*

VALÉRY

23/37 L'idée de justice est au fond une idée de théâtre, de dénouement, de retour à l'équilibre ; après quoi, il n'y a plus rien. On s'en va. Fini le drame.

*(**Mauvaises pensées et autres,** 1941, in **Œuvres,** t. II, Pléiade, Gallimard, p. 839)*

23/38 Le Juste est une sorte d'idéal de l'homme que s'est fait Dieu.

*(**Id.,** p. 849)*

LANGAGE

ALAIN

24/1 Le discours, qu'il soit récit, poésie ou prière, fait un autre monde, de choses, de bêtes, et d'hommes, et de tout ce qu'on peut nommer ; un monde qui n'apparaît jamais.

*(**Les Dieux,** 1934, ch. IV, **Prières,** in **Les Arts et les Dieux,** Pléiade, Gallimard, p. 1227)*

24/2 Si étrange que cela soit, nous sommes dominés par la nécessité de parler sans savoir ce que nous allons dire ; et cet état sibyllin est originaire en chacun ; l'enfant parle naturellement avant de penser, et il est compris des autres bien avant qu'il se comprenne lui-même.

*(**Éléments de philosophie,** 1941, livre III, chap. II, Gallimard, p. 159)*

ARISTOTE

24/3 La nature, selon nous, ne fait rien en vain ; et l'homme, seul de tous les animaux, possède la parole. Or, tandis que la voix (*phonè*) ne sert qu'à indiquer la joie et la peine, et appartient pour ce motif aux autres animaux également (car leur nature va jusqu'à éprouver les sensations de plaisir et de douleur, et à se les signifier les uns aux autres), le discours (*logos*) sert à exprimer l'utile et le nuisible, et, par suite aussi, le juste et l'injuste : car c'est le caractère propre de l'homme par rapport aux autres animaux, d'être le seul à avoir le sentiment du bien et du mal, du juste et de l'injuste, et des autres notions morales, et c'est la communauté de ces sentiments qui engendre famille et cité.

*(**La Politique,** trad. J. Tricot, 1, 2, 1253 a)*

BACHELARD

24/4 Le langage est aux postes de commande de l'imagination.

*(**La Terre et les rêveries de la volonté, essai sur l'imagination des forces,** 1948, José Corti, p. 8)*

BERGSON

24/5 Nous parlons plutôt que nous ne pensons.

*(**Essai sur les données immédiates de la conscience,** 1889, Conclusion)*

BIBLE (LA)

24/6 *La tour de Babel*:
Toute la terre avait une seule langue et les mêmes mots...
Ils dirent : Allons ! bâtissons-nous une ville et une tour dont le sommet touche au ciel, et faisons-nous un nom, afin que nous ne soyons pas dispersés sur la face de toute la terre. L'Éternel descendit pour voir la ville et la tour que bâtissaient les fils des hommes. Et l'Éternel dit : Voici, ils forment un seul peuple et ont tous une même langue, et c'est là ce qu'ils ont entrepris ; maintenant rien ne les empêcherait de faire tout ce qu'ils auraient projeté. Allons ! descendons, et là confondons leur langage, afin qu'ils n'entendent plus la langue les uns des autres. Et l'Éternel les dispersa loin de là sur la face de toute la terre ; et ils cessèrent de bâtir la ville. C'est pourquoi on l'appela du nom de Babel, car c'est là que l'Éternel confondit le langage de toute la terre, et c'est de là que l'Éternel les dispersa sur la face de toute la terre.

(***Ancien Testament, Genèse,*** *II, trad. sur les textes originaux hébreu et grec par L. Segond)*

24/7 Au commencement était le Verbe, et le Verbe était avec Dieu ; et le Verbe était Dieu.

(***Nouveau Testament, Évangile selon St Jean.*** *I,1, trad. sur la Vulgate par Lemaistre de Sacy)*

24/8 Jésus dit toutes ces choses au peuple en paraboles ; et il ne leur parlait point sans paraboles ; afin que cette parole du prophète fût accomplie : J'ouvrirai ma bouche pour parler en paraboles ; je publierai des choses qui ont été cachées depuis la création du monde.

(***Nouveau Testament, Évangile selon St Matthieu,*** *13, 34-35, trad. sur la Vulgate par Lemaistre de Sacy)*

BLOY

24/9 Quand un employé d'administration ou un fabricant de tissus fait observer par exemple : « qu'on ne se refait pas ; qu'on ne peut pas tout avoir ; que les affaires sont les affaires ; que la médecine est un sacerdoce ; que Paris ne s'est pas bâti en un jour ; que les enfants ne demandent pas à venir au monde ; etc., etc., etc. », qu'arriverait-il si on lui prouvait instantanément que l'un ou l'autre de ces clichés centenaires correspond à quelque Réalité divine, a le pouvoir de faire osciller les mondes et de déchaîner des catastrophes sans merci ?

(***Exégèse des lieux communs,*** *1902-1913, Gallimard, p. 34)*

CÉLINE

24/10 Il n'y a de terrible en nous et sur la terre et dans le ciel peut-être que ce qui n'a pas encore été dit. On ne sera tranquille que lorsque tout aura été dit, une bonne fois pour toutes, alors enfin on fera silence et on n'aura plus peur de se taire. Ça y sera.

*(**Voyage au bout de la nuit,** 1932, Pléiade, Gallimard, p. 323)*

CHAMFORT

24/11 Pour avoir une idée juste des choses, il faut prendre les mots dans la signification opposée à celle qu'on leur donne dans le monde. Misanthrope, par exemple, cela veut dire Philanthrope ; mauvais Français, veut dire bon citoyen, qui indique certains abus monstrueux ; philosophe, homme simple, qui sait que deux et deux font quatre, etc.

*(**Maximes et pensées, caractères et anecdotes,** 1795, chap. III, § 258)*

COMTE

24/12 C'est surtout à la religion que le langage doit être directement comparé, puisque l'un et l'autre se rapportent spontanément à l'ensemble de notre existence. Ils surgissent pareillement des fonctions mêmes qu'ils sont destinés à régulariser. Leur émanation s'y accomplit semblablement, d'après deux sources naturelles, l'une morale qui dirige, l'autre intellectuelle qui assiste, complète et développe. En effet, le langage est, comme la religion, inspiré par le cœur et construit par l'esprit.

*(**Système de politique positive,** tome deuxième, 1852, chap. IV, chez l'auteur, 10 rue Monsieur-le-Prince, p. 218)*

24/13 Les plus grands efforts des génies les plus systématiques ne sauraient parvenir à construire personnellement aucune langue réelle.

*(**Id.,** p. 220)*

24/14 Le public humain est le véritable auteur du langage, comme son vrai conservateur. Une juste répugnance aux innovations inopportunes garantit ainsi la convenance qui caractérise toujours ces acquisitions graduelles quand on remonte à leur étymologie, parce qu'elles émanent d'un besoin longtemps éprouvé. Même les ambiguïtés, qu'on attribue dédaigneusement à la pénurie populaire, attestent souvent de profonds rapprochements, heureusement saisis par l'instinct commun, plusieurs siècles avant que la raison systématique y puisse atteindre.

*(**Id.,** p. 259)*

24/15 Au milieu des luttes les plus acharnées, l'homme éprouva toujours une répugnance involontaire à détruire l'ennemi qui lui demandait merci dans sa propre langue.

(***Id.***, *p. 261)*

24/16 Il était, sans doute, absurde d'espérer la langue universelle en laissant prévaloir des croyances divergentes et des mœurs hostiles. Mais il serait autant contradictoire de concevoir toutes les populations humaines unies par une foi positive dirigeant une activité pacifique, et parlant ou écrivant des langues toujours différentes.

(***Id.***, *p. 262)*

COURNOT

24/17 Des termes dont l'acception ne peut pas être, ou du moins n'a pas été jusqu'à présent nettement circonscrite, ne laissent pas que de circuler dans le discours avec l'indétermination qui y est inhérente et avec avantage pour le mouvement et la manifestation de la pensée.

(***Essai sur les fondements de la connaissance,*** *1851, Hachette, p. 328)*

24/18 La pensée philosophique est bien moins que la pensée poétique sous l'influence des formes du langage, mais elle en dépend encore, tandis que la science se transmet sans modification aucune d'un idiome à l'autre.

(***Id.***, *p. 476)*

DERRIDA

24/19 Quant aux enjeux de l'écriture, ils ne sont pas délimitables. Tout en démontrant qu'elle ne se laisse pas assujettir à la parole, on peut ouvrir et généraliser le concept de l'écriture, l'étendre jusqu'à la voix et à toutes les traces de différence, tous les rapports à l'autre.

(***Entretiens avec « Le Monde »,*** *Éd. La Découverte et journal Le Monde, 1984, p. 85)*

DESCARTES

24/20 On peut bien concevoir qu'une machine soit tellement faite qu'elle profère des paroles, et même qu'elle en profère quelques-unes à propos des actions corporelles qui causeront quelque changement en ses organes ; comme si on la touche en quelque endroit, qu'elle demande ce qu'on lui veut dire, si en un autre, qu'elle crie qu'on lui fait mal, et choses semblables ; mais non pas qu'elle les arrange diversement pour répondre au sens de tout ce qui se dira en sa présence, ainsi que les hommes les plus hébétés peuvent faire.

*(**Discours de la méthode,** 1637, cinquième partie)*

24/21 Tous les hommes donnent leur attention aux paroles plutôt qu'aux choses ; ce qui est cause qu'ils donnent bien souvent leur consentement à des termes qu'ils n'entendent point, et qu'ils ne se soucient pas beaucoup d'entendre, ou parce qu'ils croient les avoir autrefois entendus, ou parce qu'il leur a semblé que ceux qui les leur ont enseignés en connaissaient la signification, et qu'ils l'ont apprise par même moyen.

*(**Les Principes de la philosophie,** 1644, première partie, 74)*

24/22 Enfin il n'y a aucune de nos actions extérieures, qui puisse assurer ceux qui les examinent, que notre corps n'est pas seulement une machine qui se remue de soi-même, mais qu'il y a aussi en lui une âme qui a des pensées, excepté les paroles, ou autres signes faits à propos des sujets qui se présentent, sans se rapporter à aucune passion.

*(**Lettre au Marquis de Newcastle,** 23 nov. 1646, Pléiade, Gallimard, p. 1255)*

24/23 La parole a beaucoup plus de force pour persuader que l'écriture.

*(**Lettre à Chanut,** 21 fév. 1648)*

DIDEROT

24/24 On ne retient presque rien sans le secours des mots, et les mots ne suffisent presque jamais pour rendre précisément ce que l'on sent.

*(**Pensées détachées sur la peinture, la sculpture et la poésie. Du goût**)*

ECO

24/25 Bien que toutes les choses disparaissent, nous conservons d'elles de purs noms. Je rappelle aussi qu'Abélard utilisait l'exemple de l'énoncé *nulla rosa est* (il n'y a pas de rose) pour montrer à quel point le langage pouvait tout autant parler des choses abolies que des choses inexistantes.

*(**Apostille au « Nom de la rose »,** Grasset, 1985, p. 6)*

GADAMER

24/26 Plus une conversation est vraiment une conversation, moins sa conduite dépend de la volonté de l'un ou de l'autre partenaire. Ainsi donc, la conversation effectivement menée n'est jamais celle que nous voulions mener. Au contraire, il est en général plus exact de dire que nous sommes entraînés, pour ne pas dire empêtrés dans une conversation.

*(**Vérité et méthode,** 1960, Éd. du Seuil, p. 229)*

GOETHE

24/27 Tout homme, parce qu'il parle, croit pouvoir parler de la parole.

*(**Pensées,** 1815-1832,* in ***Œuvres,*** *t. I, trad. J. Porchat, Hachette, p. 421)*

HEGEL

24/28 Langage et travail sont des extériorisations dans lesquelles l'individu ne se conserve plus et ne se possède plus en lui-même ; mais il laisse aller l'intérieur tout à fait en dehors de soi, et l'abandonne à la merci de quelque chose d'Autre.

*(**La Phénoménologie de l'esprit,** 1807, trad. J. Hyppolite, Aubier-Montaigne, t. I, p. 259)*

KANT

24/29 On ne lèse personne par de simples paroles, seraient-elles fausses ; il suffit de ne pas y croire.

*(**Opus postumum,** trad. J. Gibelin, Vrin, p. 87)*

LAMY (R. P.)

24/30 Les muets du grand Seigneur se parlent et s'entendent, même dans la plus obscure nuit, s'entretouchant de différentes manières.

*(**La Rhétorique ou l'Art de parler,** 1741, nouv. éd., I, i, p. 3)*

LICHTENBERG

24/31 À mesure que l'on distingue plus de choses dans une langue par la raison, il devient plus difficile de la parler.

*(**Aphorismes,** second cahier 1772-1775, trad. Marthe Robert, J.-J. Pauvert, p. 88)*

MALEBRANCHE

24/32 Il faut bien distinguer la force et la beauté des paroles, de la force et de l'évidence des raisons.

*(**De la recherche de la vérité,** 1674, livre II, troisième partie, chap. IV)*

MALLARMÉ

24/33 Donner un sens plus pur aux mots de la tribu.

*(**Poésies,** 1898, **Le Tombeau d'Edgar Poe**)*

MERCIER

24/34 La science des langues étend très peu le cercle des connaissances humaines. On consomme la plus grande partie de sa vie à surcharger la tête de mots, sans augmenter, que de très peu, le nombre de ses idées. Ne vaut-il pas mieux avoir sept pensées à une seule langue, qu'une seule pensée en sept langues?

*(**L'An 2440, Rêve s'il en fut jamais,** 2e éd., 1786, **Science des langues**)*

MERLEAU-PONTY

24/35 La parole n'est pas le « signe » de la pensée, si l'on entend par là un phénomène qui en annonce un autre comme la fumée annonce le feu. La parole et la pensée n'admettraient cette relation extérieure que si elles étaient l'une et l'autre thématiquement données ; en réalité elles sont enveloppées l'une dans l'autre, le sens est pris dans la parole et la parole est l'existence extérieure du sens.

*(**Phénoménologie de la perception,** 1945, Gallimard, p. 211)*

24/36 Les statues d'Olympie, qui font tant pour nous attacher à la Grèce, nourrissent cependant aussi, dans l'état où elles nous sont parvenues, — blanchies, brisées, détachées de l'œuvre entière —, un mythe frauduleux de la Grèce, elles ne savent pas résister au temps comme le fait un manuscrit, même incomplet, déchiré, presque illisible. Le texte d'Héraclite jette pour nous des éclairs comme aucune statue en morceaux ne peut le faire, parce que la signification en lui est autrement déposée, autrement concentrée qu'en elles, et que rien n'égale la ductilité de la parole. Enfin le langage dit, et les voix de la peinture sont les voix du silence.

*(**Signes,** 1960, Gallimard, p. 101)*

MONTAIGNE

24/37 Quant au parler, il est certain que, s'il n'est pas naturel, il n'est pas nécessaire. Toutefois, je crois qu'un enfant qu'on auroit nourry en pleine solitude, esloigné de tout commerce (qui seroit un essay mal aisé à faire), auroit quelque espece de parolle pour exprimer ses conceptions ; et il n'est pas croyable que nature nous ait refusé ce moyen qu'elle a donné à plusieurs autres animaux : car, qu'est ce autre chose que parler, cette faculté que nous leur voyons de se plaindre, de se resjouyr, de s'entr'appeller au secours, se convier à l'amour, comme ils font par l'usage de leur voix?

*(**Essais,** 1580-1595, livre II, chap. XII, Pléiade, Gallimard, p. 505)*

24/38 Je conseillois, en Italie, à quelqu'un qui estoit en peine de parler Italien, que pourveu qu'il ne cerchast qu'à se faire entendre, sans y vouloir autrement exceller, qu'il employast seulement les premiers mots qui luy viendroyent à la bouche, Latins, François, Espaignols ou Gascons, et qu'en y ajoustant la terminaison Italienne, il ne faudroit jamais à rencontrer quelque idiome du pays, ou Thoscan, ou Romain, ou Venitien, ou Piemontois, ou Napolitain, et de se joindre à quelqu'un de tant de formes.

*(**Id.,** p. 612)*

MONTESQUIEU

24/39 Un prince pourrait faire une belle expérience. Nourrir trois ou quatre enfants comme des bêtes, avec des chèvres ou des nourrices sourdes et muettes. Ils se feraient une langue. Examiner cette langue. Voir la nature en elle-même, et dégagée des préjugés de l'éducation ; savoir d'eux, après leur instruction ce qu'ils auraient pensé ; exercer leur esprit, en leur donnant toutes les choses nécessaires pour inventer ; enfin, en faire l'histoire.

*(**Cahiers** 1716-1755, Grasset, p. 70)*

NIETZSCHE

24/40 Toutes les *figures de rhétorique* — c'est-à-dire l'essence du langage — sont de *faux syllogismes.* Et c'est avec eux que commence la raison !

*(**Le Livre du philosophe, Études théorétiques,** 1872-1875,*
trad. A.K. Marietti, Aubier-Flammarion, p. 133)

24/41 Le langage est-il l'expression adéquate de toutes les réalités?
*(**Id.**, p. 177)*

24/42 Comparées entre elles, les différentes langues montrent qu'on ne parvient jamais par les mots à la vérité, ni à une expression adéquate: sans cela il n'y aurait pas de si nombreuses langues.
*(**Id.**, p. 179)*

24/43 L'importance du langage pour le développement de la civilisation réside en ce qu'en lui l'homme a placé un monde propre à côté de l'autre, position qu'il jugeait assez solide pour soulever de là le reste du monde sur ses gonds et se faire le maître du monde.
*(**Humain, trop humain,** 1878, trad. A.-M. Desrousseau, Denoël-Gonthier, t. I, § 11, p. 25)*

24/44 Celui qui se sait profond s'efforce d'être clair; celui qui aimerait sembler profond à la foule s'efforce d'être obscur.
*(**Le Gai Savoir,** 1882, § 173, trad. A. Vialatte, Gallimard)*

PASCAL

24/45 Les mots diversement rangés font un divers sens, et les sens diversement rangés font différents effets.
*(**Pensées,** posth. 1669, section I, 23, édition Brunschvicg, Hachette)*

24/46 En amour un silence vaut mieux qu'un langage. Il est bon d'être interdit; il y a une éloquence de silence qui pénètre plus que la langue ne saurait faire.
*(**Discours sur les passions de l'amour,** 1652,* in ***Pensées et Opuscules,** Hachette, p. 132)*

PLATON

24/47 Le moyen le plus radical d'abolir toute espèce de discours, c'est d'isoler chaque chose de toutes les autres; car c'est la combinaison réciproque des formes qui a donné chez nous naissance au discours.
*(**Le Sophiste,** 259 e)*

24/48 Le sens du mot *anthrôpôs*, « homme », est que, les autres animaux étant incapables de réfléchir sur rien de ce qu'ils voient, ni d'en raisonner, ni d'en « faire l'étude », *anathreïn*, l'homme au contraire, en même temps qu'il voit, autrement dit qu'« il a vu », *opôpé*, « fait l'étude » aussi, *anathreï*, de ce qu'« il a vu », *opôpé*, et il en raisonne. De là vient donc que, seul entre les animaux, l'homme a été à bon droit nommé « homme », *anthrôpôs*: « faisant l'étude de ce qu'il a vu », *anathrôn-ha-opôpé*.

(***Cratyle,*** *399 c, trad. Robin)*

24/49 Lorsqu'on est à même de juger par quels discours tel homme peut être persuadé et qu'on peut, à la vue d'un individu, le pénétrer et se dire: Voilà l'homme, voilà le caractère dont on m'a fait leçon jadis ; il est là devant moi, et il faut lui appliquer des discours de telle sorte pour lui persuader telle chose ; quand on est maître de tous ces moyens, qu'on sait en outre discerner les occasions de parler ou de se taire, d'être concis, émouvant, véhément, et s'il est à propos ou mal à propos de recourir à telle espèce de discours, apprise à l'école, alors on aura atteint la perfection de l'art ; auparavant, non pas.

(***Phèdre,*** *271 et 272 b, trad. Chambry)*

PRADINES

24/50 Le langage semble avoir été surtout pour la technique un instrument de recherche... Il n'y a pas de différence entre la curiosité silencieuse qui fait rechercher à l'enfant le geste qui ouvre infailliblement une porte verrouillée et cette curiosité parlante qui lui fait demander: *Qu'est ceci?* et se satisfaire dans la réponse: *C'est un verrou.*

(***Traité de psychologie générale,*** *1946, P.U.F., t. II, 1, p. 481)*

QUINE

24/51 L'entreprise de traduction se révèle affectée d'une certaine indétermination systématique... L'indétermination de la traduction affecte même la question de savoir quels objets il y a lieu de donner à un terme comme corrélat.

(***Le Mot et la Chose,*** *1959, trad. de l'américain par les Professeurs J. Dopp et P. Gochet, Flammarion, 1977, Préface, p. 21)*

24/52 Les personnes réfléchies qui ne prennent pas leurs désirs pour des réalités peuvent avoir de temps en temps des raisons de se demander de quoi elles parlent, et s'il existe seulement quelque chose de quoi elles parlent.

(***Id.***, *p 335*)

RENARD

24/53 Les mots sont comme une voûte sur la pensée souterraine.

(***Journal,*** *17 oct. 1899*)

RETZ (CARDINAL DE)

24/54 Il est moins imprudent d'agir en maître que de ne pas parler en sujet.

(***Propos sur les hommes et le gouvernement des hommes,*** *éd. du Sagittaire, p. 99*)

ROUSSEAU

24/55 Le langage humain n'est pas assez clair. Dieu lui-même, s'il daignait nous parler dans nos langues, ne nous dirait rien sur quoi l'on ne pût disputer.

(***Lettre à Monseigneur de Beaumont,*** *18 nov. 1762,* in ***Œuvres complètes,*** *t. 3, éd. du Seuil, p. 356*)

24/56 Pour entendre le langage des inspirés il faudrait être inspiré soi-même. Sans quoi, tout ce qu'ils nous disent d'obscur et d'inconcevable n'est pour nous que des mots sans idées. C'est comme s'ils ne nous disaient rien.

(***Fragments préparatoires de la lettre à Beaumont,*** *1762, fragment 17,* in ***Œuvres complètes,*** *t. 3, éd. du Seuil, p. 380*)

SARTRE

24/57 Le langage n'est pas un phénomène surajouté à l'être-pour-autrui : il *est* originellement l'être-pour-autrui, c'est-à-dire le fait qu'une subjectivité s'éprouve comme objet pour l'autre.

(***L'Être et le Néant,*** *1943, troisième partie, chap. III, I, Gallimard, p. 440*)

SAUSSURE

24/58 Prise en elle-même, la pensée est comme une nébuleuse où rien n'est nécessairement délimité. Il n'y a pas d'idées préétablies, et rien n'est distinct avant l'apparition de la langue.

(***Cours de linguistique générale,*** *chap. IV, § 1, Payot, 3e éd., 1967, p. 155*)

SPINOZA

24/59 L'essence des mots et des images est constituée par les seuls mouvements corporels qui n'enveloppent en aucune façon le concept de la pensée.

*(**Éthique,** posth. 1677, trad. Ch. Appuhn. Garnier-Frères, II, prop. 49, Scolie)*

VALÉRY

24/60 La plupart ignorent ce qui n'a pas de nom ; et la plupart croient à l'existence de tout ce qui a un nom.

*(**Mauvaises pensées et autres,** 1941,* in ***Œuvres,** t. II, Pléiade, Gallimard, p. 791)*

WEIL (Simone)

24/61 On peut, si on veut, ramener tout l'art de vivre à un bon usage du langage.

*(**Leçons de philosophie,** Roanne 1933-1934, Plon et 10/18, p. 82)*

WITTGENSTEIN

24/62 Tout ce qui peut être dit peut être dit clairement ; et ce dont on ne peut parler on doit le taire.

*(**Tractatus logico-philosophicus,** 1921, trad. P. Klossowski, Gallimard, Idées, Préface, p. 39)*

24/63 *Les limites de mon langage* signifient les limites de mon propre monde.

*(**Id.,** Prop. 5, 6, p. 141)*

24/64 Le langage travestit la pensée. Et notamment de telle sorte que d'après la forme extérieure du vêtement l'on ne peut conclure à la forme de la pensée travestie ; pour la raison que la forme extérieure du vêtement vise à tout autre chose qu'à permettre de reconnaître la forme du corps.

Les arrangements tacites pour la compréhension du langage quotidien sont d'une énorme complication.

*(**Id.,** Prop. 4.002, p. 71)*

LIBERTÉ

ALAIN

25/1 On peut appeler aussi destinée cette puissance intérieure qui finit par trouver passage ; mais il n'y a de commun que le nom entre cette vie si bien armée et composée, et cette tuile de hasard qui tua Pyrrhus. Ce que m'exprimait un sage, disant que la prédestination de Calvin ne ressemblait pas mal à la liberté elle-même.

(3 oct. 1923, ***Propos I, De la Destinée,*** *Pléiade, Gallimard, p. 542)*

ARISTOTE

25/2 Celui qui a lancé une pierre ne peut plus la reprendre ; et cependant, il dépendait de lui de la lancer ou de la laisser tomber, car le mouvement initial était en lui. Il en est de même pour l'homme injuste et le débauché qui pouvaient, au début, éviter de devenir tels : aussi le sont-ils volontairement ; mais une fois qu'ils le sont devenus, ils ne peuvent plus ne pas l'être.

*(****Éthique à Nicomaque,*** *livre III, chap. V, 14)*

BERGSON

25/3 On appelle liberté le rapport du moi concret à l'acte qu'il accomplit. Ce rapport est indéfinissable, précisément parce que nous sommes libres.

*(****Essai sur les données immédiates de la conscience,*** *1889, P.U.F., chap. III)*

25/4 Nous sommes libres quand nos actes émanent de notre personnalité entière, quand ils l'expriment, quand ils ont avec elle cette indéfinissable ressemblance qu'on trouve parfois entre l'œuvre et l'artiste.

*(****Ibid.****)*

25/5 Si nous sommes libres toutes les fois que nous voulons rentrer en nous-mêmes, il nous arrive rarement de le vouloir.

*(****Id.,*** *conclusion)*

BLUM

25/6 Toute société qui prétend assurer aux hommes la liberté, doit commencer par leur garantir l'existence.

*(**Nouvelles conversations de Goethe avec Eckermann,** Gallimard, 7 juil. 1898)*

COMTE

25/7 L'esprit ne peut réellement choisir qu'entre deux maîtres, la personnalité et la sociabilité. Quand il se croit libre, il subit seulement le joug le plus puissant et le moins noble, qui lui cache l'ascendant du dehors en fixant sa destination au-dedans.

*(**Système de politique positive ou Traité de sociologie instituant la religion de l'humanité,** 1852, chap. sixième, p. 387)*

DÉCLARATION DES DROITS DE L'HOMME ET DU CITOYEN

25/8 La liberté consiste à pouvoir faire tout ce qui ne nuit pas à autrui, ainsi l'exercice des droits naturels de chaque homme n'a de bornes que celles qui assurent aux autres membres de la société, la jouissance de ces mêmes droits ; ces bornes ne peuvent être déterminées que par la loi.

(14 nov. 1791, Art. IV)

DESCARTES

25/9 Si je connaissais toujours clairement ce qui est vrai et ce qui est bon, je ne serais jamais en peine de délibérer quel jugement et quel choix je devrais faire ; et ainsi je serais entièrement libre, sans jamais être indifférent.

*(**Méditations métaphysiques,** 1641, méditation quatrième)*

DIDEROT

25/10 Regardez y de près et vous verrez que le mot liberté est un mot vide de sens, qu'il n'y a point et qu'il ne peut y avoir d'êtres libres, que nous ne sommes que ce qui convient à l'ordre général, à l'organisation, à l'éducation et à la chaîne des événements.

*(**Correspondance, lettre à Landois,** 29 juin 1756)*

25/11 On est fataliste, et à chaque instant on pense, on parle, on écrit comme si l'on persévérait dans le préjugé de la liberté, préjugé dont on a été bercé, qui a institué la langue vulgaire qu'on a balbutiée et dont on continue à se servir, sans s'apercevoir qu'elle ne convient plus à nos opinions.

*(**Réfutation suivie de l'ouvrage d'Helvétius intitulé: L'Homme,** 1875, in **Œuvres complètes,** Garnier-Frères, II, p. 372)*

ÉPICTÈTE

25/12 Si tu le veux, tu es libre ; si tu le veux, tu ne blâmeras personne, tu ne te plaindras de personne, tout arrivera à la fois selon ta volonté et selon celle de Dieu.

*(**Entretiens,** I, XVII, trad. Souilhé et Jagu, Les Belles Lettres)*

25/13 Diogène dit quelque part: « Le seul moyen d'être libre, c'est d'être disposé à mourir » ; et il écrit au roi de Perse: « Tu ne peux réduire en esclavage la ville d'Athènes, pas plus que les poissons de la mer. — Comment! Ne la prendrais-je pas? — Si tu la prends, les Athéniens feront comme les poissons, ils te quitteront et s'en iront. Et en effet le poisson que tu prends meurt ; et s'ils meurent dès qu'ils sont pris, à quoi peuvent te servir tous tes préparatifs? » Voilà les paroles d'un homme libre qui a examiné la question avec soin et qui a trouvé vraisemblablement la réponse.

*(**Entretiens,** IV, I, trad. E. Bréhier, in **Les Stoïciens,** Pléiade, Gallimard, p. 1042)*

FOURIER

25/14 La liberté est illusoire si elle n'est pas générale : il n'y a qu'oppression là où le libre essor des passions est restreint à l'extrême minorité.

*(**Traité de l'association domestique et agricole,** 1822, Paris-Londres, Bossange, t. I, p. 124)*

GRÉGOIRE XVI

25/15 Pour détruire les États les plus riches, les plus puissants, les plus glorieux, il a suffi de la seule liberté immodérée des opinions, de la licence des discours et de l'amour des nouveautés.

À cela se rapporte la liberté la plus funeste, la liberté exécrable, pour laquelle on n'aura jamais assez d'horreur et que certains osent avec tant de bruit et d'instance demander et étendre partout. Nous voulons dire la liberté de la presse et de l'édition.

*(**Encyclique « Mirari Vos »,** 15 août 1832)*

25/16 De la source putréfiée de l'indifférentisme découle cette maxime absurde et erronée, ou plutôt ce délire : qu'on doit procurer et garantir à chacun *la liberté de conscience.*

*(**Ibid.**)*

HEGEL

25/17 La matière a sa substance en dehors d'elle ; mais l'Esprit est ce qui demeure dans son propre élément et c'est en cela que consiste la liberté, car si je suis dépendant, je me rapporte à autre chose qui n'est pas moi et je ne puis exister sans cette chose extérieure. Je suis libre quand je suis dans mon propre élément.

*(**Cours sur la Philosophie de l'histoire universelle,** 1830,*
*in **La Raison dans l'histoire,** trad. Kostas Papaioannou, Plon et 10/18, p. 76)*

25/18 Le droit, l'ordre éthique, l'État constituent la seule réalité positive et la seule satisfaction de la liberté.

*(**Id.** p. 135)*

HOLBACH

25/19 La liberté est la faculté de faire pour son propre bonheur tout ce qui ne nuit pas au bonheur de ses associés.

*(**Le Système de la nature,** Londres, 1770, I, chap. IX)*

HUME

25/20 On accorde couramment que les fous n'ont pas de liberté. Mais, à en juger par leurs actions, celles-ci ont moins de régularité et de constance que les actions des hommes sensés : par suite elles sont plus éloignées de la nécessité. Notre manière de penser sur ce point est donc absolument incohérente.

*(**Traité de la nature humaine,** 1739, livre II, troisième partie, section I,*
trad. A. Leroy, Aubier-Montaigne, t. II, p. 512)

JAURÈS

25/21 Donner la liberté au monde par la force est une étrange entreprise pleine de chances mauvaises. En la donnant, on la retire.

*(**L'Armée nouvelle,** Société d'études jaurésiennes, chap. 4)*

KANT

25/22 J'entends par liberté, au sens cosmologique, la faculté de commencer de *soi-même* un état dont la causalité n'est pas subordonnée à son tour, suivant la loi de la nature, à une autre cause qui la détermine quant au temps.

*(**Critique de la raison pure,** 1781, I, 2e division, livre II, chap. II, 9e section, III, trad. Trémesaygues-Pacaud, P.U.F., p. 454)*

25/23 La liberté est une simple idée, dont la réalité objective ne peut en aucune façon être mise en évidence d'après les lois de la nature, par suite dans aucune expérience possible, qui en conséquence, par cela même qu'on ne peut jamais mettre sous elle un exemple, selon quelque analogie, ne peut jamais être comprise ni même seulement aperçue.

*(**Fondements de la métaphysique des mœurs,** 1785, trad. Delbos, 3e section, p. 203)*

25/24 Supposons que quelqu'un affirme, en parlant de son penchant au plaisir, qu'il lui est tout à fait impossible d'y résister quand se présente l'objet aimé et l'occasion: si, devant la maison où il rencontre cette occasion, une potence était dressée pour l'y attacher aussitôt qu'il aurait satisfait sa passion, ne triompherait-il pas alors de son penchant? On ne doit pas chercher longtemps ce qu'il répondrait. Mais demandez-lui si, dans le cas où son prince lui ordonnerait, en le menaçant d'une mort immédiate, de porter un faux témoignage contre un honnête homme qu'il voudrait perdre sous un prétexte plausible, il tiendrait comme possible de vaincre son amour pour la vie, si grand qu'il puisse être. Il n'osera peut-être assurer qu'il le ferait ou qu'il ne le ferait pas, mais il accordera sans hésiter que cela lui est possible. Il juge donc qu'il peut faire une chose, parce qu'il a conscience qu'il doit la faire et il reconnaît ainsi en lui la liberté qui, sans la loi morale, lui serait restée inconnue.

*(**Critique de la raison pratique,** 1788, première partie, livre premier, chap. premier, § 6, scholie, trad. Picavet, P.U.F., p. 30)*

25/25 On pourrait définir la liberté pratique, l'indépendance de la volonté à l'égard de toute loi autre que la loi morale.

*(**Id.,** livre premier, **Examen critique de l'analytique**)*

25/26 Il est impossible de comprendre la production d'un être doué de liberté par une opération physique. On ne peut pas même comprendre comment il est possible que *Dieu crée* des êtres libres ; en effet, il semble que toutes leurs actions futures devraient être prédéterminées par ce premier acte et comprises en la chaîne de la nécessité naturelle, et par conséquent elles ne seraient pas libres.

*(**Métaphysique des mœurs,** première partie, **Doctrine du droit,** 1797, trad. Philonenko, J. Vrin éd., p. 159 et note 1)*

25/27 *Liberté* et *loi* (par laquelle la liberté est limitée) sont les deux pivots autour desquels tourne la législation civile. Mais afin que la loi soit efficace, au lieu d'être une simple recommandation, un moyen terme doit s'ajouter, *le pouvoir*, qui, lié aux principes de la liberté, assure le succès à ceux de la loi. On ne peut concevoir que quatre formes de combinaison de ce dernier élément avec les deux premiers :

A. Loi et liberté sans pouvoir (Anarchie).
B. Loi et pouvoir sans liberté (Despotisme).
C. Pouvoir sans liberté ni loi (Barbarie).
D. Pouvoir avec liberté et loi (République).

*(**Anthropologie du point de vue pragmatique,** 1798, 2e éd. 1800, trad. M. Foucault, Vrin p. 168)*

25/28 Le concept de liberté dérive de l'impératif catégorique du devoir.

*(**Opus postumum,** trad. J. Gibelin, Vrin, p. 13)*

25/29 Le concept de liberté se fonde sur un fait : l'impératif catégorique.

*(**Id.,** p. 21)*

LA BRUYÈRE

25/30 La liberté n'est pas oisiveté ; c'est un usage libre du temps, c'est le choix du travail et de l'exercice. Être libre en un mot n'est pas ne rien faire, c'est être seul arbitre de ce qu'on fait ou de ce qu'on ne fait point. Quel bien en ce sens que la liberté !

*(**Des jugements,** § 104, in **Les Caractères,** 1688-1696)*

LACORDAIRE

25/31 La liberté ne s'emprisonne pas, et les fers mêmes qu'on lui forge servent quelquefois à étendre son empire.

*(**Lettres à un jeune homme,** 24 fév. 1858, Poussielgue éd., 1897, p. 377)*

LAGNEAU

25/32 Un esprit, qui prend conscience du désaccord qui existe toujours entre ce qu'il affirme et ce qui est véritablement, ne peut plus se défaire d'une espèce de doute philosophique. Nous sommes libres en tant

que nous conservons toujours une arrière-pensée. Dans tous les cas, la parfaite liberté de l'esprit consiste dans un acte par lequel il comprend l'impossibilité absolue où il est de trouver la certitude dans l'expérience.
*(**Cours sur le jugement,** posth. 1926,* in ***Célèbres leçons et fragments,** P.U.F., p. 215)*

LEIBNIZ

25/33 La liberté consiste dans l'*intelligence*, qui enveloppe une connaissance distincte de l'objet de la délibération ; dans la *spontanéité*, avec laquelle nous nous déterminons ; et dans la *contingence*, c'est-à-dire dans l'exclusion de la nécessité logique ou métaphysique. L'intelligence est comme l'âme de la liberté, et le reste en est comme le corps et la base.
*(**Essais de Théodicée sur la bonté de Dieu, la liberté de l'Homme et l'origine du Mal,** 1710, troisième partie, § 288)*

LÉVI-STRAUSS

25/34 Qu'il n'y ait pas d'opposition entre la contrainte et la liberté, qu'au contraire elles s'épaulent — toute liberté s'exerçant pour tourner ou surmonter une contrainte, et toute contrainte présentant des fissures ou des points de moindre résistance qui sont pour la création des invites — rien ne peut mieux, sans doute, dissiper l'illusion contemporaine que la liberté ne supporte pas d'entraves, et que l'éducation, la vie sociale, l'art requièrent pour s'épanouir un acte de foi dans la toute-puissance de la spontanéité : illusion qui n'est certes pas la cause, mais où l'on peut voir un aspect significatif de la crise que traverse aujourd'hui l'Occident.
*(**Le Regard éloigné,** Plon, 1983, Préface, p. 17)*

LICHTENBERG

25/35 Qu'une hypothèse erronée soit parfois préférable à une hypothèse exacte, la doctrine de la liberté humaine en fournit la preuve.
*(**Aphorismes,** troisième cahier 1775-1779, trad. Marthe Robert, J.-J. Pauvert, p. 105)*

25/36 L'homme cherche la liberté là où elle le rendrait malheureux, c'est-à-dire dans la vie politique, et la rejette là où elle le rend heureux : il s'affuble aveuglément des opinions qu'il prend aux autres.
*(**Id.,** p. 162)*

MICHELET

25/37 La liberté, pour qui connaît les vices obligés de l'esclave, c'est *la vertu possible.*
*(**Le Peuple,** 1846, première partie, chap. I)*

MILL

25/38 La nature humaine n'est pas une machine à construire d'après un modèle et montée pour accomplir exactement la tâche prescrite, mais un arbre, qui exige de croître et de se développer de tous côtés selon la tendance des forces internes qui font de lui un être vivant.

*(**La Liberté** [**On Liberty**], 1859, chap. III,* in ***Essential Works of John Stuart Mill,*** *Bantam Books/New York, 1961, p. 308)*

MONTAIGNE

25/39 La vraie liberté, c'est pouvoir toute chose sur soi.

*(**Essais,** 1580-1595, III, 12)*

MONTESQUIEU

25/40 Dans un État, c'est-à-dire dans une société où il y a des lois, la liberté ne peut consister qu'à pouvoir faire ce que l'on doit vouloir, et à n'être point contraint de faire ce que l'on ne doit pas vouloir.

*(**De l'esprit des lois,** 1748, livre XI, chap. 3)*

25/41 La liberté philosophique consiste dans l'exercice de sa volonté, ou du moins (s'il faut parler dans tous les systèmes), dans l'opinion où l'on est que l'on exerce sa volonté. La liberté politique consiste dans la sûreté, ou du moins dans l'opinion que l'on a de sa sûreté.

*(**Id.,** livre XII, chap. 4)*

25/42 La liberté, ce bien qui fait jouir des autres biens.

*(**Mes pensées,** 1720-1755, VII, 1797,* in ***Œuvres complètes,*** *éd. du Seuil, p. 1035)*

25/43 Un ancien a comparé les lois à ces toiles d'araignée qui, n'ayant que la force d'arrêter les mouches, sont rompues par les oiseaux. Pour moi, je comparerais les bonnes lois à ces grands filets dans lesquels les poissons sont pris, mais se croient libres, et mauvaises à ces filets dans lesquels ils sont si serrés que d'abord ils se sentent pris.

*(**Ibid.**)*

NIETZSCHE

25/44 AU BORD DE LA CASCADE. — En contemplant une chute d'eau, nous croyons voir dans les innombrables ondulations, serpentements, brisements des vagues, liberté de la volonté et caprice ; mais tout est nécessité, chaque mouvement peut se calculer mathématiquement. Il en est de même pour les actions humaines ; on devrait pouvoir calculer d'avance chaque action, si l'on était omniscient, et de même chaque progrès de la connaissance, chaque erreur, chaque méchanceté. L'homme agissant lui-même est, il est vrai, dans l'illusion du libre arbitre ; si à un instant la roue du monde s'arrêtait et qu'il y eût là une intelligence calculatrice omnisciente pour mettre à profit cette pause, elle pourrait continuer à calculer l'avenir de chaque être jusqu'aux temps les plus éloignés et marquer chaque trace où cette roue passera désormais. L'illusion sur soi-même de l'homme agissant, la conviction de son libre arbitre, appartient également à ce mécanisme, qui est objet de calcul.

*(**Humain, trop humain,** 1878, trad. de A.-M. Desrousseaux, Denoël/Gonthier, I, p. 106)*

25/45 Les institutions libérales cessent d'être libérales dès qu'elles sont acquises : ensuite, rien n'est plus systématiquement néfaste à la liberté que les institutions libérales. On ne sait que trop à quoi elles aboutissent : elles minent la volonté de puissance, elles érigent en système moral le nivellement des cimes et des bas-fonds, elles rendent mesquin, lâche et jouisseur — en elles, c'est l'animal grégaire qui triomphe toujours.

*(**Crépuscule des idoles ou Comment philosopher à coups de marteau,** « Götzen-Dämmerung », 1888, traduit de l'allemand par Jean-Claude Hemery, Idées/Gallimard, p. 124)*

PIE IX

25/46 Chaque homme est libre d'embrasser et de professer la religion qu'à la lumière de la raison il aura jugée vraie.

*(**Syllabus renfermant les principales erreurs de notre temps,** 8 déc. 1864, titre III, prop. 15)*

PLATON

25/47 L'excès de liberté ne peut tourner qu'en un excès de servitude, pour un particulier aussi bien que pour un État.

*(**La République,** VIII, 564 a)*

ROUSSEAU

25/48 L'homme est né libre, et partout il est dans les fers. Tel se croit le maître des autres, qui ne laisse pas d'être plus esclave qu'eux.

*(**Du contrat social,** 1762, livre I, chap. I)*

SARTRE

25/49 En fait, nous sommes une liberté qui choisit mais nous ne choisissons pas d'être libres : nous sommes condamnés à la liberté.

*(**L'Être et le Néant,** 1943, quatrième partie, II, Gallimard, p. 565)*

25/50 Il n'y a de liberté qu'en *situation* et il n'y a de situation que par la liberté.

*(**Id.** p. 569)*

25/51 Ce que nous nommons liberté, c'est l'irréductibilité de l'ordre culturel à l'ordre naturel.

*(**Critique de la raison dialectique,** 1960, Gallimard, p. 96)*

SPINOZA

25/52 Cette liberté humaine que tous se vantent de posséder consiste en cela seul que les hommes ont conscience de leurs appétits et ignorent les causes qui les déterminent.

*(**Lettre LVIII,** à Schuller, 1674,* in ***Œuvres IV,** trad. Appuhn, Garnier-Frères)*

25/53 J'appelle libre, quant à moi, une chose qui est et agit par la seule nécessité de sa nature ; contrainte, celle qui est déterminée par une autre à exister et à agir d'une certaine façon déterminée.

*(**Ibid.**)*

25/54 Les hommes se trompent quand ils se croient libres ; cette opinion consiste en cela seul qu'ils sont conscients de leurs actions et ignorants des causes par lesquelles ils sont déterminés.

*(**Éthique,** posth. 1677, trad. Ch. Appuhn, II, prop. XXXV, Scholie)*

25/55 L'homme qui est conduit par la raison est plus libre dans la cité où il vit selon la loi commune, que dans la solitude, où il n'obéit qu'à lui-même.

*(**Id.** IV, prop. LXXIII)*

25/56 La liberté n'exclut pas la nécessité d'agir ; bien au contraire, elle la pose.

*(**Traité politique,** posth. 1677, chap. II, § XI)*

TOCQUEVILLE

25/57 Les petites nations ont été de tout temps le berceau de la liberté politique. Il est arrivé que la plupart d'entre elles ont perdu cette liberté en grandissant : ce qui fait bien voir qu'elle tenait à la petitesse du peuple et non au peuple lui-même.

(***De la démocratie en Amérique,*** *1835-1840, U.G.E., p. 97)*

25/58 En vain chargerez-vous ces mêmes citoyens que vous avez rendus si dépendants du pouvoir central, de choisir de temps à autre les représentants de ce pouvoir ; cet usage si important, mais si court et si rare, de leur libre arbitre, n'empêchera pas qu'ils ne perdent peu à peu la faculté de penser, de sentir et d'agir par eux-mêmes et qu'ils ne tombent ainsi graduellement au-dessous du niveau de l'humanité.

(***Id.,*** *p. 363)*

VALLÈS

25/59 La liberté de parler, d'écrire, de s'assembler, avec ou sans drapeau — propriété légitime de ceux qui ont pleuré et saigné pour en faire cadeau à la Patrie et qui n'ont que cette fortune, les pauvres, est en même temps la garantie de la paix commune et de la sécurité publique.

Dans les pays où les manifestations ont leurs coudées franches, il n'y a que par hasard des journées de tumulte violent et jamais des soirs de tuerie.

(***Le Cri du peuple,*** *11 déc. 1883, art.* ***Niais ou coquins****)*

WEIL (Simone)

25/60 Il est bien injuste de dire par exemple que le fascisme anéantit la pensée libre ; en réalité c'est l'absence de pensée libre qui rend possible d'imposer par la force des doctrines officielles entièrement dépourvues de signification.

(***Oppression et liberté,*** *1934, p. 155)*

ZÉNON DE CITTIUM

25/61 Son esclave volait, il lui donna le fouet. L'autre lui dit : « C'est mon destin qui m'a poussé à voler. » — « Et à être battu aussi », dit Zénon.

(in DIOGÈNE LAËRCE, ***Vie, doctrines et sentences des philosophes illustres,*** *trad. du grec par Robert Genaille, Garnier-Frères, t. II, p. 59)*

LOGIQUE ET MATHÉMATIQUE

ALAIN

26/1 Le vieux Parménide, dès qu'il eut fait un pas dans la logique pure, s'y trouva enfermé, et battit les maigres buissons de l'être et du non-être.

(1er janv. 1931, in ***Propos II,*** *520, Pléiade, Gallimard, p. 845)*

26/2 La plus rigoureuse logique n'est qu'un inventaire des liaisons qui font dépendre une manière de dire d'une autre.

(Les Dieux, *1934, introd.,* in ***Les Arts et les Dieux,*** *Pléiade, Gallimard, p. 1212)*

26/3 Logique : Science qui enseigne à l'esprit ce qu'il se doit à lui-même, quel que soit l'objet qu'il considère. Il se doit de penser universellement, c'est-à-dire par preuves indépendantes de l'expérience.

(Définitions, *posth. 1953, art.* ***logique,*** in ***Les Arts et les Dieux,*** *Pléiade, Gallimard, p. 1068)*

ARNAUD et NICOLE

26/4 La logique est l'art de bien conduire sa raison dans la connaissance des choses, tant pour s'instruire soi-même que pour en instruire les autres.

(La Logique ou l'Art de penser, *1662, p. 1)*

BACHELARD

26/5 C'est par les mathématiques qu'on peut vraiment explorer le réel jusqu'au fond de ses substances et dans toute l'étendue de sa diversité.

(Le Pluralisme cohérent de la chimie moderne, *1932, Vrin, p. 231)*

26/6 L'information mathématique nous donne plus que le réel, elle nous donne le plan du possible, elle déborde l'expérience effective de la cohérence ; elle nous livre le compossible.

*(**L'Expérience de l'espace dans la physique contemporaine,** 1937, P.U.F., p. 97)*

26/7 La pensée logique a tendance à effacer sa propre histoire. Il semble en effet que les difficultés de l'invention n'apparaissent plus dès que l'on peut en faire l'inventaire logique.

*(**L'Activité rationaliste de la physique contemporaine**, P.U.F., 1951, p. 102)*

BERGSON

26/8 Géométrie et logique sont rigoureusement applicables à la matière. Elles sont là chez elles, elles peuvent marcher toutes seules. Mais, en dehors de ce domaine, le raisonnement pur a besoin d'être surveillé par le bon sens, qui est tout autre chose.

*(**L'Évolution créatrice**, 1907, in **Œuvres**, P.U.F., 1970, pp. 631-632)*

26/9 Il est de l'essence du raisonnement de nous enfermer dans le cercle du donné. Mais l'action brise le cercle. Si vous n'aviez jamais vu un homme nager, vous me diriez peut-être que nager est chose impossible, attendu que pour apprendre à nager, il faudrait commencer par se tenir sur l'eau, et par conséquent savoir nager déjà. Le raisonnement me clouera toujours, en effet, à la terre ferme.

*(**Id.,** p. 658)*

CAVAILLÈS

26/10 Les mathématiques constituent un devenir, c'est-à-dire une réalité irréductible à autre chose qu'elle-même.

*(**Bulletin de la Société française de philosophie,** 1946)*

COMTE

26/11 Aujourd'hui, la science mathématique est bien moins importante par les connaissances très réelles et très précieuses néanmoins qui la composent directement, que comme constituant l'instrument le plus puissant que l'esprit humain puisse employer dans la recherche des lois des phénomènes naturels.

*(**Cours de philosophie positive,** 1830-1842, deuxième leçon, XII)*

26/12 C'est par les mathématiques que la philosophie positive a commencé à se former : c'est d'elles que nous vient la *méthode*.

*(**Id.**, troisième leçon)*

DESCARTES

26/13 Ceux qui cherchent le droit chemin de la vérité ne doivent s'occuper d'aucun objet, dont ils ne puissent avoir une certitude égale à celle des démonstrations de l'arithmétique et de la géométrie.

*(**Règles pour la direction de l'esprit,** posth. 1701, règle II)*

GOETHE

26/14 Les mathématiques ne peuvent effacer aucun préjugé.

*(**Pensées,** 1815-1832,* in ***Œuvres,*** *t. I, trad. J. Porchat, Hachette, p. 504)*

HUSSERL

26/15 La mathématique, — l'idée d'infini, de tâches infinies — est comme une tour babylonienne : bien qu'inachevée elle demeure une tâche pleine de sens, ouverte sur l'infini ; cette infinité a pour corrélat l'homme nouveau aux buts infinis.

*(**La Crise de l'humanité européenne et la philosophie,** 1935, trad. P. Ricœur, Aubier-Montaigne, p. 47)*

KANT

26/16 Le critère simplement logique de la vérité, c'est-à-dire l'accord d'une connaissance avec les lois générales et formelles de l'entendement et de la raison est, il est vrai, la *condition sine qua non* et, par suite la condition négative de toute vérité ; mais la logique ne peut pas aller plus loin ; aucune pierre de touche ne lui permet de découvrir l'erreur qui atteint non la forme, mais le contenu.

*(**Critique de la raison pure,** 1781, trad. Tremesaygues et Pacaud, Fonds Alcan, P.U.F., I, deuxième partie,* ***Logique transcendantale,*** *III, p. 95)*

26/17 La Mathématique, depuis les temps les plus reculés où s'étende l'histoire de la raison humaine, est entrée, chez l'admirable peuple grec, dans la voie sûre d'une science. Mais il ne faut pas croire qu'il lui ait été aussi facile qu'à la logique, où la raison n'a affaire qu'à elle-même, de trouver ce chemin royal, ou plutôt de se le tracer à elle-même.

*(**Critique de la raison pure,** 1781, préface de la seconde édition, 1787)*

26/18 La mathématique est une sorte de branche de l'industrie, la philosophie est un produit du génie.

*(**Opus postumum,** trad. J. Gibelin, Vrin, p. 44)*

26/19 Un fossé infranchissable sépare la philosophie de la mathématique, bien que l'une et l'autre partent de principes a *priori*; mais l'une part d'intuitions, l'autre de concepts. Une même raison nous transporte dans des mondes différents : philosopher en mathématique est aussi absurde que vouloir progresser en philosophie grâce aux mathématiques ; car il y a entre ces sciences une différence spécifique.

*(**Id.,** p. 103)*

KIERKEGAARD

26/20 Si Hegel avait publié sa *Logique* sous le titre « la pensée pure » sans nom d'auteur, sans date, sans préface, sans remarques, sans contradiction interne professorale, sans explication gênante de ce qui ne peut s'expliquer que de soi-même, s'il l'avait publiée comme un pendant aux bruits de la nature à Ceylan : les propres mouvements de la pensée pure, cela aurait été grec. Ainsi aurait agi un Grec, si l'idée lui en était venue. L'art consiste en la reduplication du contenu dans la forme, et là-dessus on doit particulièrement s'abstenir de toutes réflexions faites dans une forme inadéquate. Or la *logique*, avec toutes ses remarques, fait une impression aussi drôle que si un homme montrait une lettre du ciel, et laissait lui-même dedans le buvard qui ne décèle que trop clairement que la lettre du ciel a son origine sur la terre.

*(**Post-scriptum,** 1846, deuxième partie, IIe section, chap. III, § 2)*

LEIBNIZ

26/21 Les mathématiques sont comme la logique de la physique.

*(**Lettre à Frédéric Schrader,** 1681)*

26/22 Au demeurant, les règles de la *Logique commune* ne sont pas à mépriser comme critères de la vérité des propositions ; les géomètres en usent, de façon à ne rien admettre pour certain sans la preuve apportée par une minutieuse expérience ou une solide démonstration ; or, est solide la démonstration qui observe la forme prescrite par la logique.

*(**Méditations sur la connaissance, la vérité et les idées,** 1684, in **Œuvres choisies,** par L. Prenant, Garnier, p. 82)*

LICHTENBERG

26/23 Les mathématiques sont une bien belle science. Mais les mathématiciens ne valent souvent pas le diable. Il en va presque pour les mathématiques comme pour la Théologie. De même que les hommes qui s'adonnent à cette dernière, pour peu qu'ils exercent une fonction publique, prétendent avoir un crédit particulier de sainteté et une plus étroite parenté avec Dieu, quoiqu'il y ait parmi eux un grand nombre d'authentiques vauriens, de même les soi-disant mathématiciens exigent bien souvent d'être tenus pour de profonds penseurs, bien que ce soit chez eux qu'on trouve les têtes les plus encombrées de fatras, incapables de faire une besogne quelconque dès qu'elle demande de la réflexion et qu'elle ne peut se réduire immédiatement à cette facile combinaison de signes qui est l'œuvre de la routine, plus que de la pensée.

*(**Aphorismes,** premier cahier, 1764-1771, trad. Marthe Robert, J.-J. Pauvert, p. 59)*

NIETZSCHE

26/24 Les « vérités » se démontrent par leurs effets, non par des preuves logiques, mais par l'épreuve de la force.

*(**Le Livre du philosophe, Études théorétiques,** 1872-1875, trad. A.K. Marietti, Aubier-Flammarion, p. 65)*

26/25 Nous vivons et nous pensons au milieu des seuls effets de l'*illogisme*, dans le non-savoir et le faux savoir.

*(**Id.,** p. 143)*

PASCAL

26/26 Pour vous parler franchement de la géométrie, je la trouve le plus haut exercice de l'esprit ; mais en même temps je la connais pour si inutile, que je fais peu de différence entre un homme qui n'est que géomètre et un habile artisan. Aussi je l'appelle le plus beau métier du monde ; mais enfin ce n'est qu'un métier.

*(**Lettre à Fermat,** 10 août 1660)*

26/27 Ce n'est pas *barbara* et *baralipton* qui forment le raisonnement.
*(**De l'esprit géométrique,** 1658, publié en 1728,* in ***Pensées et opuscules,*** *éd. Brunschvicg, Hachette, p. 195)*

THOM

26/28 La mathématique est du domaine de l'abstraction, elle peut dicter des choses dans le domaine de l'abstrait mais ne doit avoir aucune prétention en elle-même à la réalité.
*(**Entretiens avec « Le Monde », 3, Idées contemporaines,** Éd. La Découverte et journal Le Monde, 1984, p. 77)*

VALÉRY

26/29 La logique ne fait peur qu'aux logiciens.
*(**Tel quel II, Rhumbs,** 1926,* in ***Œuvres,*** *Pléiade, Gallimard, t. II, p. 641)*

WITTGENSTEIN

26/30 Les mathématiques sont une méthode logique.
Les propositions des mathématiques sont des équations, donc des pseudo-propositions.
*(**Tractatus logico-philosophicus,** 1921, prop. 6.2, trad. P. Klossowski, Gallimard, Idées, p. 158)*

26/31 La logique du monde, que les propositions de logique montrent dans les tautologies, les mathématiques la montrent dans les équations.
*(**Id.,** p. 159)*

MÉMOIRE

ALAIN

27/1 On pourrait appeler mémoire diligente cette mémoire qui ne fait qu'éclairer le présent et l'avenir prochain sans développer jamais le passé devant nous ; et l'on pourrait appeler mémoire rêveuse celle qui, au contraire, prend occasion du présent pour remonter en vagabonde le long des années et nous promener dans le royaume des ombres.

*(**Éléments de philosophie,** 1941, Livre I, chap. XIII, Gallimard, p. 64)*

27/2 Autrefois le rite voulait qu'on ne plantât aucune borne sans la présence d'un jeune enfant à qui on appliquait soudain un grand soufflet ; c'était s'assurer d'un bon témoin ; c'était fixer un souvenir.

*(**Préliminaires à la mythologie,** écrits en 1932-1933, publ. 1943 — **La mythologie humaine,** in **Les Arts et les Dieux,** Pléiade, Gallimard, p. 1144)*

AUGUSTIN (saint)

27/3 Nous n'avons pas encore totalement oublié ce que nous nous souvenons d'avoir oublié. Nous ne pourrions pas rechercher un souvenir perdu si l'oubli en était absolu.

*(**Les Confessions,** Livre X, chap. XIX, trad. J. Trabucco, Garnier-Frères, p. 223)*

CHATEAUBRIAND

27/4 Une chose m'humilie : la mémoire est souvent la qualité de la sottise ; elle appartient généralement aux esprits lourds, qu'elle rend plus pensants par le bagage dont elle les surcharge. Et néanmoins, sans la mémoire, que serions-nous ? Nous oublierions nos amitiés, nos amours, nos plaisirs, nos affaires ; le génie ne pourrait rassembler ses idées ; le cœur le plus affectueux perdrait sa tendresse, s'il ne s'en souvenait plus ; notre existence se réduirait aux moments successifs d'un présent qui s'écoule sans cesse ; il n'y aurait plus de passé. Ô misère de nous ! notre vie est si vaine qu'elle n'est qu'un reflet de notre mémoire.

*(**Mémoires d'outre-tombe,** posth. 1850, livre deuxième, ch. I, Pléiade, Gallimard, t. I, p. 49-50)*

DESCARTES

27/5 Pour la mémoire, je crois que celle des choses matérielles dépend des vestiges qui demeurent dans le cerveau, après que quelque image y a été imprimée ; et que celle des choses intellectuelles dépend de quelques autres vestiges, qui demeurent en la pensée même. Mais ceux-ci sont tout d'un autre genre que ceux-là, et je ne les saurais expliquer par aucun exemple tiré des choses corporelles, qui n'en soit fort différent ; au lieu que les vestiges du cerveau le rendent propre à mouvoir l'âme, en la même façon qu'il l'avait mue auparavant, et ainsi à la faire souvenir de quelque chose ; tout de même que les plis qui sont dans un morceau de papier, ou dans un linge, font qu'il est plus propre à être plié derechef, comme il a été auparavant, que s'il n'avait jamais été ainsi plié.

*(**Lettre au P. Mesland,** Leyde, 2 mai 1644, Pléiade, Gallimard, p. 1164)*

HUME

27/6 Le rôle principal de la mémoire est de conserver non pas simplement les idées, mais leur ordre et leur position.

*(**Traité de la nature humaine,** 1739, livre I, part. I, sect. III)*

JAMES (William)

27/7 Se souvenir de tout serait, en bien des circonstances, aussi fâcheux que ne se souvenir de rien ; il faudrait, pour nous rappeler une portion déterminée de notre passé, exactement le temps qu'il fallut pour la vivre, et nous ne viendrions jamais à bout de penser.

*(**Précis de psychologie,** 1892, trad. Baudin et Berthier, Librairie Marcel Rivière et Cie, chap. XVIII)*

JANET

27/8 La mémoire est une réaction sociale dans la condition d'absence.

*(**L'Évolution de la mémoire et de la notion de temps,** 1928, A. Chahine éd., Maloine, p. 220)*

KANT

27/9 La mémoire diffère de l'imagination purement reproductrice en ce qu'elle a le pouvoir de reproduire volontairement la représentation antérieure : l'esprit par conséquent n'est pas un simple jouet.

*(**Anthropologie du point de vue pragmatique,** 1798, 2ᵉ éd. 1800, trad. Michel Foucault, Vrin, p. 58)*

LEIBNIZ

27/10 La mémoire fournit une espèce de *consécution* aux âmes, qui imite la raison, mais qui doit en être distinguée.

*(**La Monadologie,** 1714, éd. Émile Boutroux, Delagrave, § 26)*

MALEBRANCHE

27/11 De même que les branches d'un arbre, qui ont demeuré quelque temps ployées d'une certaine façon, conservant quelque facilité pour être ployées de nouveau de la même manière, ainsi les fibres du cerveau ayant une fois reçu certaines impressions par le cours des esprits animaux et par l'action des objets, gardent assez longtemps quelque facilité pour recevoir ces mêmes dispositions. Or, la mémoire ne consiste que dans cette facilité, puisque l'on pense aux mêmes choses lorsque le cerveau reçoit les mêmes impressions.

*(**De la recherche de la vérité,** 1674, livre II, première partie, chap. V., III)*

NIETZSCHE

27/12 Sans arrêt, une feuille après l'autre se détache du rouleau du temps, tombe, voltige un moment, puis retombe sur les genoux de l'homme. L'homme dit alors : « Je me souviens », et il envie l'animal qui oublie aussitôt et qui voit vraiment mourir l'instant dès qu'il retombe dans la brume et la nuit et s'éteint à jamais.

*(**Considérations inactuelles,** 1873-1876, trad. G. Bianquis, Aubier-Montaigne, II, p. 203)*

27/13 Il est possible de vivre presque sans souvenir et de vivre heureux, comme le démontre l'animal, mais il est impossible de vivre sans oublier.

*(**Id.,** p. 207)*

27/14 Peut-être n'y a-t-il rien de plus terrible et de plus inquiétant dans la préhistoire de l'homme que sa *mnémotechnique.* « On applique une chose avec un fer rouge pour qu'elle reste dans la mémoire : seul ce qui ne cesse de *faire souffrir* reste dans la mémoire » — c'est là un des principaux axiomes de la plus vieille psychologie qu'il y ait eu sur la terre (et malheureusement aussi de la psychologie qui a duré le plus longtemps).

*(**La Généalogie de la morale,** 1887, deuxième dissert., § 3, trad. H. Albert, Mercure de France, p. 92)*

RENARD

27/15 Les eaux vertes de la mémoire, où tout tombe. Et il faut remuer. Des choses remontent à la surface.

*(**Journal,** 10 fév. 1906)*

REUCHLIN

27/16 Certaines recherches ont porté sur les bases biochimiques de la mémoire. L'information mise en mémoire pourrait être « codée » par certaines modifications de structure des molécules des substances chimiques composant les cellules en général et les neurones en particulier. Ces mécanismes biochimiques pourraient expliquer le fonctionnement de la mémoire à long terme.

D'autres recherches s'intéressent surtout au fonctionnement d'un ensemble de cellules nerveuses reliées les unes aux autres mais pouvant être topographiquement dispersées... Toutes ces recherches sont souvent liées aux recherches psychophysiologiques sur l'apprentissage. Elles constituent cependant un domaine propre qui s'est développé de façon importante au cours des dernières années.

*(**Psychologie,** 1977, P.U.F., p. 188)*

ROUSSEAU

27/17 Quoique la mémoire et le raisonnement soient deux facultés essentiellement différentes, cependant l'une ne se développe véritablement qu'avec l'autre.

*(**Émile ou De l'éducation,** 1762, livre second,* in ***Œuvres complètes,** t. 3, éd. du Seuil, p. 74)*

SARTRE

27/18 Toute théorie sur la mémoire implique une présupposition sur l'être du passé.

*(**L'Être et le Néant,** 1943, deuxième partie, chap. II, I, Gallimard, p. 150)*

SCHOPENHAUER

27/19 La mémoire agit à la manière de la lentille convergente dans la chambre obscure : elle réduit toutes les dimensions et produit de la sorte une image bien plus belle que l'original.

*(**Aphorismes sur la sagesse dans la vie,** posth. 1880, trad. de J.-A. Cantacuzène, revue et corrigée par R. Roos, P.U.F., p. 127)*

SPINOZA

27/20 La *Mémoire* n'est rien d'autre qu'un certain enchaînement d'idées qui enveloppe la nature de choses extérieures au corps humain, et qui se fait suivant l'ordre et l'enchaînement des affections de ce corps.

*(**Éthique,** posth. 1677, deuxième partie, prop. XVIII, scholie)*

27/21 L'âme ne peut rien imaginer, ni se souvenir de choses passées, que pendant la durée du corps.

*(**Id.,** cinquième partie, prop. XXI)*

VALÉRY

27/22 S'il n'y avait au monde que cinq ou six personnes qui eussent le don du souvenir, comme il en est qui ont des visions surnaturelles et des perceptions extraordinaires, on dirait d'elles : Voici les êtres admirables en qui réside ce qui fut...

Ces voyants seraient mis au-dessus des prophètes, et la pure mémoire au-dessus du plus grand génie. Une amnésie générale changerait les valeurs du monde intellectuel.

*(**Tel quel I, Choses tues,** 1930,* in ***Œuvres,*** *t. II,* ***La Mémoire glorifiée,*** *Pléiade, Gallimard, p. 501)*

MÉTAPHYSIQUE

ADORNO

28/1 Réclamer de la philosophie qu'elle aborde la question de l'être ou d'autres thèmes principaux de la métaphysique occidentale, c'est nourrir une croyance primitive en la vertu du sujet traité.

*(**Dialectique négative,** 1959-1966, trad. de l'allemand par le groupe de traduction du Collège de philosophie: Gérard Coffin, Joëlle Masson, Olivier Masson, Alain Renaut et Dagmar Trousson, éd. Payot, 1978, p. 21)*

BERGSON

28/2 La métaphysique n'a rien de commun avec une généralisation de l'expérience, et néanmoins elle pourrait se définir l'*expérience intégrale.*

*(**La Pensée et le Mouvant,** 1934, chap. IV: **Introd. à la métaphysique,** P.U.F., p. 227)*

COMTE

28/3 La métaphysique dérive, aussi bien dogmatiquement qu'historiquement, de la théologie elle-même, dont elle ne pouvait jamais constituer qu'une modification dissolvante.

*(**Discours sur l'esprit positif,** 1844, Lib. Schleicher, p. 86)*

DESCARTES

28/4 Toute la philosophie est comme un arbre, dont les racines sont la métaphysique, le tronc est la physique, et les branches qui sortent de ce tronc sont toutes les autres sciences, qui se réduisent à trois principales, à savoir la médecine, la mécanique et la morale.

*(**Les Principes de la philosophie,** 1644, Lettre-Préface, Pléiade, Gallimard, p. 566)*

HEIDEGGER

28/5 La métaphysique est de fond en comble platonique.

(***La fin de la philosophie et la tâche de la pensée,*** *trad. par J. Beaufret et F. Fédier,* in ***Kierkegaard vivant,*** *Gallimard, Idées, 1966, p. 168)*

28/6 Aucune anthropologie, si elle est consciente des questions qui lui sont propres et des présuppositions qu'elles impliquent, ne saurait avoir *même* la prétention de développer le *problème* du fondement sur lequel doit reposer la métaphysique ; à plus forte raison, tout espoir de mener ce problème à bonne fin lui est-il interdit. La question inévitable, dès qu'il s'agit de poser le fondement de la métaphysique — à savoir : qu'est-ce que l'homme ? — c'est la métaphysique de la réalité humaine qui l'assume.

(***Kant et le problème de la métaphysique,*** in ***Qu'est-ce que la métaphysique ?,*** *1937, trad. H. Corbin, Gallimard, p. 211)*

KANT

28/7 *La philosophie première,* contenant *les principes* de l'usage de *l'entendement pur* est la MÉTAPHYSIQUE.

(***Dissertation de 1770,*** *section II, § 8, trad. Mouy, J. Vrin éd., p. 43)*

28/8 Un système *a priori* de la connaissance par simples concepts s'appelle *métaphysique.*

(***Métaphysique des mœurs,*** *première partie,* ***Doctrine du droit,*** *1797, trad. Philonenko, J. Vrin éd., p. 91)*

LAGNEAU

28/9 La psychologie dans sa source et son fond est la métaphysique même.

(***Fragment 10,*** *1898,* in ***Célèbres leçons et fragments,*** *P.U.F., p. 54)*

LEIBNIZ

28/10 Pour ma part, j'accorde certes entièrement que tous les phénomènes particuliers de la nature pourraient être expliqués par la mécanique, si nous en avions une connaissance suffisante, et qu'il n'y a pas d'autre moyen de rendre raison des causes des choses matérielles ;

mais je pense qu'il ne faut jamais cesser de considérer que ces Principes Mécaniques mêmes, c'est-à-dire les Lois générales de la nature, naissent de principes plus élevés et ne peuvent être expliqués par la seule considération de la quantité et des relations géométriques ; que, bien plutôt, il y a en eux quelque chose de Métaphysique, indépendant des notions que nous fournit l'imagination, et qu'il faut rapporter à une substance sans étendue.

*(**Animadversiones in parten generalem Principiorum Cartesianorum,** 1692, **Ad partem secundam,** Ad artic. (64),* in ***Opuscula philosophica selecta,*** *Boivin et Cie éd., p. 69)*

28/11 Il me semble que la métaphysique a encore plus besoin de lumière et de certitude que les mathématiques mêmes, parce que les vérités mathématiques portent avec elles leurs contrôles et leurs confirmations, ce qui est la principale cause de leur succès, tandis qu'en métaphysique nous sommes privés de cet avantage.

*(**De la réforme de la philosophie première et de la notion de substance,** 1694, trad. P. Schrecker)*

NIETZSCHE

28/12 Monde métaphysique — L'existence d'un pareil monde fût-elle des mieux prouvées, il serait encore établi que sa connaissance est de toutes les connaissances la plus indifférente : plus indifférente encore que ne doit l'être au navigateur dans la tempête la connaissance de l'analyse chimique de l'eau.

*(**Humain, trop humain,** 1878, trad. de A.-M. Desrousseaux, Denoël/Gonthier, t. I, § 9, p. 24)*

SCHOPENHAUER

28/13 Les temples et les églises, les pagodes et les mosquées, dans tous les pays, à toutes les époques, dans leur magnificence et leur grandeur, témoignent de ce besoin métaphysique de l'homme qui, tout-puissant et indélébile, vient aussitôt après le besoin physique.

*(**Le monde comme volonté et comme représentation,** 1819, trad. A. Burdeau, revue et corrigée par R. Roos, P.U.F., p. 853)*

VALÉRY

28/14 La métaphysique consiste à faire semblant de penser A tandis que l'on pense B, et que l'on opère sur B.

*(**Tel que II, Analecta,** LXXXIII, 1926,* in ***Œuvres,** t. II, Pléiade, Gallimard, p. 736)*

28/15 L'oiseau Métaphysique chassé de poste en poste, harcelé sur la tour, fuyant la nature, inquiété dans son aire, guetté dans le langage, allant se nicher dans la mort, dans les tables, dans la musique...

*(**Mauvaises pensées et autres,** 1941,* in ***Œuvres,** t. II, Pléiade, Gallimard, p. 799)*

VATTIMO

28/16 Lorsque Emmanuel Lévinas oppose au fondement métaphysique le dieu autoritaire, il sort de la métaphysique, mais par la porte de derrière, par un recours à quelque chose qui n'a même pas subi la première sécularisation, la transformation du dieu autoritaire en un fondement métaphysique, logique, argumentable.

*(**Éloge de la pensée faible,** propos recueillis* in ***Magazine littéraire** Nº 279, juillet-août 1990, p. 22)*

WITTGENSTEIN

28/17 Les problèmes les plus profonds ne sont *nullement* des problèmes.

*(**Tractatus logico-philosophicus,** 1921, prop. 4.003, trad. P. Klossowski, Gallimard, Idées, p. 72)*

MONDE
(L'homme et le monde)

BACHELARD

29/1 Dans la bataille de l'homme et du monde, ce n'est pas le monde qui commence.

(***L'Eau et les Rêves : essai sur l'imagination de la matière,*** *José Corti, 1942, p. 214)*

COMTE

29/2 L'homme dépend du monde, mais il n'en résulte pas.

(***Catéchisme positiviste,*** *1852, première partie, deuxième entretien, Garnier-Frères, p. 82)*

29/3 Chacun de nous, sans doute, subit directement toutes les fatalités extérieures, qui ne peuvent atteindre l'espèce qu'en affectant les individus. Néanmoins, leur principale pression ne s'applique personnellement que d'une manière indirecte, par l'entremise de l'humanité. C'est surtout à travers l'ordre social que chaque homme supporte le joug de l'ordre matériel et de l'ordre vital, dont le poids individuel s'accroît ainsi de toute l'influence exercée sur l'ensemble des contemporains et même des prédécesseurs.

(***Système de politique positive ou Traité de sociologie instituant la religion de l'humanité,*** *1852, chap. premier, p. 55)*

29 /4 Toute disposition habituelle à trop compliquer les explications constitue réellement une tendance vers la folie, en introduisant un excès de subjectivité. Un esprit actif ne trouve dès lors aucune limite à l'extravagance de ses créations arbitraires. Chaque démenti qu'il reçoit du monde extérieur peut toujours être éludé en compliquant davantage ses constructions intérieures.

(***Id.,*** *t. II, 1852, p. 457)*

DESCARTES

29/5 Ma troisième maxime était de tâcher toujours plutôt à me vaincre que la fortune, et à changer mes désirs que l'ordre du monde.

*(**Discours de la méthode** 1637, troisième partie)*

29/6 Ma pensée n'impose aucune nécessité aux choses.

*(**Méditations métaphysiques,** 1641, méditation cinquième)*

ÉPICTÈTE

29/7 On ne pose pas un but pour le manquer. Pas davantage le mal n'est une réalité dans le monde.

*(**Manuel,** trad. A. Jagu, « Les Belles Lettres », Paris 1950, XXVII, p. 421)*

GOETHE

29/8 L'homme est, comme être réel, placé au milieu d'un monde réel, et doué d'organes tels qu'il peut reconnaître et produire le réel, et, en outre, le possible. Tous les hommes en santé ont le sentiment de leur existence et d'un monde extérieur qui les environne. Cependant il se trouve aussi dans le cerveau une place vide, c'est-à-dire une place où nul objet ne se réfléchit, tout comme dans l'œil même il se trouve une petite place qui ne voit pas : si l'homme porte son attention particulièrement sur cette place, et qu'il s'y enfonce, il tombe dans une maladie mentale ; il y devine « des choses d'un autre monde », lesquelles sont proprement des chimères sans forme, sans limites, mais qui angoissent, comme un espace ténébreux et vide, et qui poursuivent, avec plus d'acharnement que des spectres, l'homme qui ne sait pas s'en délivrer.

*(**Pensées,** 1815-1832,* in ***Œuvres,** t. I, trad. J. Porchat, Hachette, p. 438)*

LAGNEAU

29/9 Avant l'homme, l'esprit dormait pour ainsi dire dans la nature. Il dormait et le monde était son rêve : rêve obscur et gigantesque, admirable dans ce qu'il va devenir, mais qui s'impose au dormeur, comme fait tout rêve, et, bien qu'une raison le conduise, ne lui montre point cette raison, par suite ne se détache point de lui et ne le révèle pas à lui-même. Mais l'homme paraît, et voilà que tout change. Avec lui, en lui, l'esprit s'éveille, le rêve prend corps et devient chose, et l'esprit qui regarde cette chose, se sépare d'elle. C'est que la mystérieuse Raison qui le menait s'est faite lumière pour l'éclairer à ses propres yeux.

*(**Discours de Vanves,** 1886,* in ***Célèbres leçons et fragments,** P.U.F., 1950, p. 21)*

LEIBNIZ

29/10 Entre une infinité de mondes possibles, il y a le meilleur de tous, autrement Dieu ne se serait point déterminé à en créer aucun.

*(**Essais de Théodicée sur la bonté de Dieu, la liberté de l'Homme et l'origine du Mal,** 1710, troisième partie, § 416)*

MONTAIGNE

29/11 Le monde n'est qu'une branloire perenne.

*(**Essais,** 1580-1595, livre III, chap. II, Pléiade, Gallimard, p. 899)*

NIETZSCHE

29/12 Le caractère de l'ensemble du monde est de toute éternité celui du chaos, en raison non pas de l'absence de nécessité, mais de l'absence d'ordre, d'articulation, de forme, de beauté, de sagesse et quelles que soient nos humaines catégories esthétiques.

*(**Le Gai Savoir,** 1882, § 109, trad. Klossowski, Club français du livre, 10/18, p. 192)*

29/13 Nous éclatons de rire rien qu'à voir « l'homme et le monde » placés l'un à côté de l'autre, et séparés par la sublime prétention du petit mot « et »!

*(**Id.,** § 346, p. 342)*

PASCAL

29/14 Qu'est-ce que l'homme dans la nature? Un néant à l'égard de l'infini, un tout à l'égard du néant, un milieu entre rien et tout. Infiniment éloigné de comprendre les extrêmes, la fin des choses et leur principe sont pour lui invinciblement cachés dans un secret impénétrable, également incapable de voir le néant d'où il est tiré, et l'infini où il est englouti.

(***Pensées,*** *posth. 1669, section II, 72,* ***Disproportion de l'homme,*** *éd. Brunschvicg, Hachette)*

SCHOPENHAUER

29/15 Aux sophismes palpables employés par Leibniz pour démontrer que ce monde est le meilleur des mondes possibles, on peut opposer la preuve sérieuse et loyalement établie qu'il en est le plus mauvais. Possible, en effet, signifie non pas ce qui peut se présenter à l'imagination rêveuse de chacun, mais ce qui peut exister et subsister d'une vie réelle. Or, ce monde a été disposé tel qu'il devait être pour pouvoir tout juste exister : serait-il un peu plus mauvais, qu'il ne pourrait déjà plus subsister. Par conséquent, un monde pire, étant incapable de subsister, est absolument impossible, et des mondes possibles notre monde est ainsi le plus mauvais.

(***Le monde comme volonté et comme représentation,*** *1819, trad. A. Burdeau revue et corrigée par R. Roos, P.U.F., p. 1347)*

SPENGLER

29/16 Les « hommes-en-tant-que-tels », dont s'entretiennent les philosophes, n'existent pas. Il y a seulement les hommes d'une époque, d'une localité, d'une race, coulés dans un moule congénital personnel, individus qui affrontent au combat un monde DONNÉ, et triomphent ou succombent, pendant que l'univers ambiant continue à tourner posément avec une divine indifférence.

(***L'Homme et la Technique,*** *1931, trad. Pétrowsky, Gallimard, p. 48)*

SPINOZA

29/17 Il est impossible que l'homme ne soit pas une partie de la Nature et ne puisse éprouver d'autres changements que ceux qui se peuvent connaître par sa seule nature et dont il est cause adéquate.

(***Éthique,*** *posth. 1677, trad. Appuhn, quatrième partie, prop. IV)*

29/18 Les hommes, comme les autres êtres, ne sont qu'une partie de la nature, et j'ignore comment chacune de ces parties s'accorde avec le tout, comment elle se rattache aux autres.

*(**Lettre XXX,** à Oldenburg, 1665, trad. Ch. Appuhn,* in ***Œuvres,*** *t. 4, Garnier-Frères, p. 232)*

WITTGENSTEIN

29/19 Le monde est tout ce qui arrive.
Le monde est l'ensemble des faits, non pas des choses.

*(**Tractatus logico-philosophicus,** 1921, 1-1 1, trad. P. Klossowski, Gallimard, Idées, p. 43)*

29/20 Le monde est indépendant de ma volonté.

*(**Id.,** prop. 6.373, Gallimard, p. 168)*

MORALE

ARISTOTE

30/1 Il ne faut pas écouter les gens qui nous conseillent, sous prétexte que nous sommes des hommes, de ne songer qu'aux choses humaines et, sous prétexte que nous sommes mortels, de renoncer aux choses immortelles. Mais, dans la mesure du possible, nous devons nous rendre immortels et tout faire pour vivre conformément à la partie la plus excellente de nous-mêmes, car le principe divin, si faible qu'il soit par ses dimensions, l'emporte, et de beaucoup, sur toute autre chose par sa puissance et par sa valeur.

*(**Éthique à Nicomaque,** livre dixième, chap. VII, 8, trad. Voilquin)*

CHAMFORT

30/2 Le principe de toute société est de se rendre justice à soi-même et aux autres. Si l'on doit aimer son prochain comme soi-même, il est au moins aussi juste de s'aimer comme son prochain.

*(**Maximes et pensées, caractères et anecdotes,** 1795, chap. V, § 321)*

CHESTERTON

30/3 L'homme le plus important de ce bas monde, c'est l'homme parfait qui n'y est pas.

*(**Ce qui cloche dans le monde** [**What is wrong with the world**], 1910, trad. J.-C. Laurens, Gallimard, p. 25)*

CICÉRON

30/4 Quand on est en désaccord sur le souverain bien, c'est sur toute la philosophie qu'on est en désaccord.

*(**De finibus,** V, v)*

COMTE

30/5 Les principales difficultés sociales ne sont pas aujourd'hui essentiellement politiques, mais surtout morales, en sorte que leur solution possible dépend réellement des opinions et des mœurs beaucoup plus que des institutions ; ce qui tend à éteindre une activité perturbatrice, en transformant l'agitation politique en mouvement philosophique.

*(**Discours sur l'esprit positif,** 1844, lib. Schleicher, p. 68)*

DESCARTES

30/6 Il est vrai que j'ai coutume de refuser d'écrire mes pensées touchant la morale, et cela pour deux raisons : l'une, qu'il n'y a point de matière d'où les malins puissent plus aisément tirer des prétextes pour calomnier ; l'autre, que je crois qu'il n'appartient qu'aux souverains, ou à ceux qui sont autorisés par eux, de se mêler de régler les mœurs des autres.

*(**Lettre à Chanut,** 20 nov. 1647)*

DIDEROT

30/7 Il n'y a qu'une seule vertu, la justice ; un seul devoir, de se rendre heureux ; un seul corollaire, mépriser quelquefois la vie.

*(**Entretiens avec Catherine II,** chap. 7, **De la morale des rois**)*

ÉPICTÈTE

30/8 Toute chose a deux anses, l'une qui permet de la porter, l'autre qui ne le permet pas.

*(**Manuel,** trad. A. Jagu, « Les Belles Lettres », Paris, 1950, XLIII, p. 429)*

KANT

30/9 Occupons-nous maintenant de déblayer et d'affermir, pour y élever le majestueux édifice de la morale, le sol où courent toute espèce de trous de taupe que la raison en quête de trésors, y a creusés sans profit, malgré ses bonnes intentions, et qui menacent la solidité de cet édifice à construire.

*(**Critique de la raison pure,** 1781, I, 2e division, livre I, première section)*

30/10 Deux choses remplissent le cœur d'une admiration et d'une vénération toujours nouvelles et toujours croissantes, à mesure que la réflexion s'y attache et s'y applique : *Le ciel étoilé au-dessus de moi et la loi morale en moi.*

(***Critique de la raison pratique,*** *1788, conclusion, trad. Picavet, P.U.F., p. 173)*

MARC-AURÈLE

30/11 Ressembler au promontoire, sur lequel sans cesse se brisent les vagues.

(***Pensées,*** *trad. de A.-I. Trannoy, Belles Lettres, Paris, 1947, IV, 49)*

30/12 Ni tragédien, ni courtisane !

(***Id.,*** *V, 28)*

NIETZSCHE

30/13 Nous, les immoralistes, *nuisons-nous* vraiment à la vertu ? Aussi peu que les anarchistes aux princes. Ce n'est que depuis qu'on leur tire dessus que ceux-ci sont raffermis sur leurs trônes. Moralité : *il faut tirer sur la morale.*

(***Crépuscule des idoles ou Comment philosopher à coups de marteau,*** *« Götzen-Dämmerung », 1888, traduit de l'allemand par Jean-Claude Hemery, Idées/Gallimard, p. 22)*

30/14 La morale n'est qu'une interprétation — ou plus exactement une *fausse* interprétation — de certains phénomènes.

(***Id.,*** *p. 67)*

ROSTAND (Jean)

30/15 La morale, c'est ce qui reste de la peur quand on l'a oubliée.

(***Pensées d'un biologiste,*** *1939, chap. X, p. 200)*

SARTRE

30/16 Il n'est pas un de nos actes qui, en créant l'homme que nous voulons être, ne crée en même temps une image de l'homme tel que nous estimons qu'il doit être.

(***L'existentialisme est un humanisme,*** *Nagel, 1946, p. 24)*

SPINOZA

30/17 Je laisse chacun vivre selon sa complexion, et je consens que ceux qui le veulent, meurent pour ce qu'ils croient être leur bien, pourvu qu'il me soit permis à moi de vivre pour la vérité.
*(**Lettre XXX à Oldenburg,** 1665,* in ***Œuvres IV,*** *trad. Appuhn, Garnier-Frères)*

WEBER

30/18 On peut se demander s'il existe au monde une éthique capable d'imposer des obligations identiques, quant à son contenu, à la fois aux relations sexuelles, commerciales, privées et publiques, aux relations d'un homme avec son épouse, sa marchande de légumes, son fils, son concurrent, son ami et son ennemi.
*(**Politik als Beruf,** 1919,* in ***Le Savant et le Politique,*** *Plon et 10/18, p.169)*

MORT

ALAIN

31/1 La mort ne s'imagine point. On peut seulement dans l'inaction, dans la fatigue, dans la tristesse, attendre quelque chose d'inconnu, d'inusité, d'unique, contre quoi on ne trouve point d'arme ni de parade.
(1924, in ***Propos II,*** *Pléiade, Gallimard, p. 639)*

31/2 La mort est une maladie de l'imagination.
(15 juil. 1930, in ***Propos I,*** *Pléiade, Gallimard, p. 949)*

BACHELARD

31/3 La *mort* est d'abord une image, elle reste une image. Elle ne peut être consciente en nous que si elle s'exprime, et elle ne peut s'exprimer que par des métaphores.
(La Terre et les rêveries de la volonté, *1948, 3e partie, chap. IX, José Corti, p. 290)*

BAUDELAIRE

31/4 La Mort, que nous ne consultons pas sur nos projets et à qui nous ne pouvons pas demander son acquiescement, la Mort, qui nous laisse rêver de bonheur et de renommée et qui ne dit ni oui ni non, sort brusquement de son embuscade, et balaye d'un coup d'aile nos plans, nos rêves et les architectures idéales où nous abritions en pensée la gloire de nos derniers jours !
(Les Paradis artificiels, *1860, conclusion, 10/18, p. 186)*

BECCARIA

31/5 Le spectacle affreux mais momentané de la mort d'un scélérat est pour le crime un frein moins puissant que le long et continuel exemple d'un homme privé de sa liberté, devenu en quelque sorte une bête de somme ; et réparant par des travaux pénibles le dommage qu'il a fait à la société. Ce retour fréquent du spectateur sur lui-même : « *Si je commettais un crime, je serais réduit toute ma vie à cette misérable condition* », cette idée terrible épouvanterait plus fortement les esprits que la crainte de la mort, qu'on ne voit qu'un instant dans un obscur lointain qui en affaiblit l'horreur.

*(**Des Délits et des Peines,** 1764, trad. de l'italien par A. Morellet, § XVI, **De la peine de mort**)*

BOSSUET

31/6 On ne m'a envoyé que pour faire nombre ; encore n'avait-on que faire de moi, et la pièce n'en aurait pas moins été jouée, quand je serais demeuré derrière le théâtre.

*(**Sermon sur la mort,** du mercredi 22 mars 1662, Garnier-Frères, p. 137)*

BUFFON

31/7 Si l'on fait réflexion que l'Européen, le Nègre, le Chinois, l'Américain, l'homme policé, l'homme sauvage, le riche, le pauvre, l'habitant de la ville, celui de la campagne, si différents entre eux par tout le reste, se ressemblent à cet égard et n'ont chacun que la même mesure, le même intervalle de temps à parcourir depuis la naissance à la mort ; que la différence des races, des climats, des nourritures, des commodités, n'en fait aucune à la durée de la vie ; que les hommes qui se nourrissent de chair crue ou de poisson sec, de sagou ou de riz, de cassave ou de racines, vivent aussi longtemps que ceux qui se nourrissent de pain ou de mets préparés, on reconnaîtra encore plus clairement que la durée de la vie ne dépend ni des mœurs, ni de la qualité des aliments ; que rien ne peut changer les lois de la mécanique, qui règlent le nombre de nos années, et qu'on ne peut guère les altérer que par des excès de nourriture ou par de trop grandes diètes.

*(**De l'homme,** 1749, chap. 5, **De la vieillesse et de la mort,** François Maspero, Biblioth. d'Anthropologie, p. 150)*

CANGUILHEM

31/8 La vie cherche à gagner sur la mort, à tous les sens du mot gagner et d'abord au sens où le gain est ce qui est acquis par jeu.

*(**Le Normal et le Pathologique,** 1966, P.U.F., p. 173)*

CHAMFORT

31/9 Une femme âgée de 90 ans disait à M. de Fontenelle, âgé de 95: « La mort nous a oubliés. — Chut! » lui répondit M. de Fontenelle, en mettant le doigt sur sa bouche.

*(**Maximes et pensées, caractères et anecdotes,** 1795, deuxième partie, § 925)*

31/10 On demandait à M. de Fontenelle mourant: « Comment cela va-t-il? — Cela ne va pas, dit-il; cela s'en va. »

*(**Id.,** § 937)*

CHATEAUBRIAND

31/11 Le premier mort que j'aie vu, était un chanoine de Saint-Malo; il gisait expiré sur son lit, le visage distors par les dernières convulsions. La mort est belle, elle est notre amie: néanmoins, nous ne la reconnaissons pas, parce qu'elle se présente à nous masquée et que son masque nous épouvante.

*(**Mémoires d'outre-tombe,** 1850, livre deuxième, chap. 4)*

COMTE

31/12 En approfondissant la notion de *mort*, on reconnaît qu'elle ne concerne directement que l'existence corporelle, ou même seulement la vie végétative. Elle ne s'étend aux frontières cérébrales que d'après leur fatale dépendance envers l'économie nutritive. Aussi ces éminents attributs se perpétuent-ils par l'existence subjective, quand leur organe personnel obtient une succession objective qui, se multipliant de plus en plus, l'incorpore définitivement à l'Humanité.

*(**Système de politique positive ou Traité de sociologie instituant la religion de l'humanité,** tome troisième, 1853, chap. premier, p. 73)*

31/13 Dès qu'on croira que j'ai cessé de vivre on devra me laisser au lit comme un simple malade, jusqu'à ce que mon corps soit dans un état prononcé de putréfaction, seul signe de mort vraiment certain, faute duquel ont souvent lieu des inhumations déplorables. Nul ne devant être soumis à l'exploration anatomique sans sa propre autorisation, j'interdis envers moi cette vaine curiosité, que j'ai toujours jugée aussi stérile pour l'intelligence que funeste au sentiment. Ce respect doit être poussé jusqu'à me préserver de toute opération d'embaumement.

*(**Testament,** septembre 1884, Paris, 10 rue Monsieur-le-Prince)*

DESCARTES

31/14 Si et comment l'homme fut immortel avant la chute, ce n'est pas une question pour le philosophe ; il faut la laisser aux théologiens... Maintenant, que la vie humaine pût être prolongée si nous connaissions l'art de la médecine, il n'en faut pas douter ; car puisque nous pouvons développer et prolonger la vie des plantes, etc., connaissant l'art de la culture, pourquoi donc n'en serait-il pas de même pour l'homme ? Mais la meilleure manière de prolonger la vie et la méthode à suivre pour garder un bon régime c'est de vivre comme les bêtes et entre autres, de manger ce qui nous plaît, flatte notre goût, et seulement tant que cela nous plaît.

*(**Entretien avec Burman,** 16 avril 1648,* in ***Œuvres,*** *La Pléiade, pp. 1401-1402)*

DIDEROT

31/15 Naître, vivre et passer, c'est changer de formes.

*(**Le Rêve de d'Alembert,** 1769,* in ***Œuvres,*** *Pléiade, p. 900)*

31/16 Et qu'importe quel nom on imprimera à la tête de ton livre ou l'on gravera sur ta tombe ? Est-ce que tu liras ton épitaphe ?

*(**Réfutation suivie de l'ouvrage d'Helvétius intitulé : L'homme,** posth. 1875,*
in ***Œuvres Complètes,*** *Garnier-Frères, II, p. 387)*

ÉPICTÈTE

31/17 Aie chaque jour devant les yeux la mort, l'exil et tout ce qui paraît effrayant, la mort surtout : tu n'auras alors jamais aucune pensée basse ni aucun désir excessif.

*(**Manuel,** trad. A. Jagu, Les Belles Lettres, chap. XXI)*

31/18 La mort, qu'est-elle ? Un épouvantail. Retourne-le et tu verras ; regarde, il ne mord pas. Ton misérable corps doit être séparé, ou maintenant ou plus tard, de ton pauvre souffle vital, comme il en était séparé jadis. Pourquoi donc t'irriter si c'est maintenant ? Car si ce n'est pas maintenant, ce sera plus tard.

*(**Id.,** Livre II, chap. premier)*

31/19 Ne te rends-tu donc pas compte que ce qui, pour l'homme, est le principe de tous les maux et de sa bassesse d'âme et de sa lâcheté, ce n'est pas la mort, mais bien plutôt la crainte de la mort ?

*(**Id.,** Livre III, chap. XXVI)*

FREUD

31/20 La croyance à la nécessité interne de la mort n'est peut-être qu'une de ces nombreuses illusions que nous nous sommes créées pour nous rendre « supportable le fardeau de l'existence ».

*(**Essais de psychanalyse,** articles 1909-1915, trad. Dr S. Jankélévitch, Payot, I, 6)*

31/21 Le fait est qu'il nous est absolument impossible de nous représenter notre propre mort, et toutes les fois que nous l'essayons, nous nous apercevons que nous y assistons en spectateurs. C'est pourquoi l'école psychanalytique a pu déclarer qu'au fond personne ne croit à sa propre mort ou, ce qui revient au même, dans son inconscient chacun est persuadé de sa propre immortalité.

*(**Id.,** IV, 2)*

GOETHE

31/22 Si l'on pouvait abolir la mort, nous y donnerions volontiers les mains ; mais abolir la peine de mort sera difficile : si nous prenons ce parti, nous la rétablirons à la première occasion.

*(**Pensée,** 1815-1832,* in ***Œuvres,** t. I, trad. J. Porchat, Hachette, p. 450)*

HEGEL

31/23 La mort — le maître absolu.

*(**La Phénoménologie de l'esprit,** 1807, trad. J. Hyppolite, Aubier-Montaigne, t. I, p. 164)*

HEIDEGGER

31/24 La Mort, en tant que fin de la réalité-humaine, en est la possibilité absolument propre, inconditionnelle, certaine et, comme indéterminée, indépassable.

*(**L'Être et le Temps,** 1927, 2e section, chap. premier, § 52, trad. H. Corbin, Gallimard, Les Essais)*

HÉRACLITE

31/25 Ce qui attend les hommes après la mort, ce n'est ni ce qu'ils espèrent, ni ce qu'ils croient.

*(**Les Penseurs grecs avant Socrate,** trad. J. Voilquin, Garnier-Frères, p. 75)*

HUME

31/26 Quand je serai mort, les principes dont je suis composé joueront encore leur rôle dans l'univers et seront tout aussi utiles dans le grand édifice que dans cette créature individuelle qu'ils constituent. La différence pour le tout ne sera pas plus grande que si je suis dans une chambre au lieu d'être en plein air. L'un de ses changements a pour moi plus d'importance que l'autre, mais il n'en a pas autant pour l'univers.

*(**Du suicide,** in **L'Histoire naturelle de la religion,** 1757, trad. Michel Malherbe, Vrin, p. 122)*

JACOB

31/27 Le programme génétique prescrit la mort de l'individu, dès la fécondation de l'ovule.

*(**La Logique du vivant,** 1970, Gallimard, collection Tel, p. 331)*

JANKÉLÉVITCH

31/28 Quand on pense à quel point la mort est familière, et combien totale est notre ignorance, et qu'il n'y a jamais eu aucune fuite, on doit avouer que le secret est bien gardé!

*(**La Mort,** Flammarion, 1966, deuxième partie, chap. IV, 2)*

31/29 Le mourant est dans la situation d'un homme qui sort de chez soi sans la clef et ne peut plus rentrer parce que la porte fermée ne s'ouvre que du dedans.

*(**Ibid.**)*

31/30 La lumière est réfléchie sur l'en-deçà par le dernier instant ; ce dernier instant n'est donc pas la vitre transparente à travers laquelle nous verrions les paysages d'outre-monde et la face cachée de notre destin, mais plutôt le miroir qui renvoie à notre ici-bas sa propre image.

*(**Id.,** deuxième partie, chap. IV, 6)*

KANT

31/31 La mort, nul n'en peut faire l'expérience en elle-même (car faire une expérience relève de la vie), mais on ne peut que la percevoir chez les autres.

*(**Anthropologie du point de vue pragmatique,** 1798, trad. M. Foucault, Vrin, p. 45)*

LA BRUYÈRE

31/32 La mort n'arrive qu'une fois, et se fait sentir à tous les moments de la vie : il est plus dur de l'appréhender que de la souffrir.

*(**De l'homme,** § 36, in **Les Caractères,** 1688-1696)*

31/33 Si de tous les hommes les uns mouraient, les autres non, ce serait une désolante affliction que de mourir.

*(**De l'homme,** § 43, in **Les Caractères,** 1688-1696)*

LANDSBERG

31/34 De nombreux observateurs ont remarqué que l'expérience de la mort n'a eu qu'un effet infime sur les soldats de la guerre mondiale, c'est-à-dire pendant la durée même du combat. Un médecin militaire a dit dans ce sens que la mort est une idée de civil.

*(**Essai sur l'expérience de la mort,** 1936, chap. IV, 2e éd., éd. du Seuil 1951, p. 39)*

LA ROCHEFOUCAULD

31/35 Le soleil ni la mort ne se peuvent regarder fixement.

*(**Maximes, Réflexions morales,** 1664, XXVI)*

LEIBNIZ

31/36 La nature nous a montré dans le sommeil et dans les évanouissements, un échantillon qui nous doit faire juger que la mort n'est pas une cessation de toutes les fonctions, mais seulement une suspension de certaines fonctions plus remarquables.

*(**Considérations sur la doctrine d'un esprit universel,** 1702, pub. posth., par Erdmann, Berlin 1840, § 14)*

31/37 Comme les animaux généralement ne naissent point entièrement dans la conception ou génération, ils ne périssent pas entièrement non plus dans ce que nous appelons la mort ; car il est raisonnable que ce qui ne commence pas naturellement ne finisse pas non plus dans l'ordre de la nature. Ainsi, quittant leur masque ou leur guenille, ils retournent seulement à un théâtre plus subtil, où ils peuvent pourtant être aussi sensibles et aussi bien réglés que dans le plus grand.

(***Principes de la nature et de la grâce fondés en raison,*** *1714, § 6)*

31/38 Il n'y a jamais ni génération entière, ni mort parfaite prise à la rigueur, consistant dans la séparation de l'âme. Et ce que nous appelons *générations* sont des développements et des accroissements ; comme ce que nous appelons *morts*, sont des enveloppements et des diminutions.

(***La Monadologie,*** *1714, éd. Émile Boutroux, Delagrave, § 73)*

LÉVINAS

31/39 La mort chez Heidegger n'est pas, comme le dit M. Wahl, « l'impossibilité de la possibilité », mais « la possibilité de l'impossibilité ». Cette distinction, d'apparence byzantine, a une importance fondamentale.

(***Le Temps et l'Autre,*** in ***Le choix, le monde, l'existence,*** *Cahiers du Collège Philosophique, 1947, B. Arthaud, p. 165, nº 1)*

LICHTENBERG

31/40 Il est certes effroyable de vivre quand on ne veut pas, mais il serait bien plus épouvantable encore d'être immortel quand on veut mourir.

(***Aphorismes,*** *troisième cahier 1775-1779, trad. Marthe Robert, J.-J. Pauvert éd., p. 187)*

LUCRÈCE

31/41 Aucun malheur ne peut atteindre celui qui n'est plus ; il ne diffère en rien de ce qu'il serait s'il n'était jamais né, puisque sa vie mortelle lui a été ravie par une mort immortelle.

(***De la Nature,*** *trad. Clouard, L. III, 879-882)*

MALLARMÉ

31/42 Un peu profond ruisseau calomnié la mort.

(***Poésies,*** *Tombeau — Anniversaire, janvier 1897)*

MARC-AURÈLE

31/43 Dusses-tu vivre trois fois mille ans, et même autant de fois dix mille, souviens-toi toujours que personne ne perd d'autre existence que celle qu'il vit et qu'on ne vit que celle qu'on perd.

(***Pensées,*** *trad. de A.-L. Trannoy, Belles Lettres, Paris, 1947, II, 14)*

31/44 La mort n'est que la dissolution des éléments dont est formé chaque être vivant.

*(**Id.**, II, 17)*

31/45 Un secours vulgaire, mais tout de même efficace, pour atteindre au mépris de la mort, c'est de passer en revue ceux qui se sont attardés à vivre sans vouloir lâcher prise.

*(**Id.**, IV, 50)*

MONTAIGNE

31/46 Nous ne devenons pas autres pour mourir. J'interprète toujours la mort par la vie.

*(**Essais,** 1580-1595, I, XI)*

31/47 En tout le reste il peut y avoir du masque... Mais à ce dernier rôle de la mort et de nous, il n'y a plus que feindre, il faut parler français, il faut montrer ce qu'il y a de bon et de net dans le fond du pot.

*(**Id.**, I, XIX)*

31/48 La préméditation de la mort est préméditation de la liberté. Qui a appris à mourir, il a désappris à servir.

*(**Id.**, I, XX)*

31/49 C'est la condition de votre création, c'est une partie de vous que la mort : vous vous fuyez vous-mêmes. Cet être qui est le vôtre, que vous jouissez, a également part à la mort et à la vie. Le premier jour de votre naissance vous achemine à mourir comme à vivre.

*(**Ibid.**)*

31/50 Il n'y a rien, selon moy, plus illustre en la vie de Socrates que d'avoir eu trente jours entiers à ruminer le decret de sa mort ; de l'avoir digerée tout ce temps là d'une tres certaine esperance, sans esmoy, sans alteration, et d'un train d'actions et de parolles ravallé plustost et anonchali que tendu et relevé par le poids d'une telle cogitation.

*(**Id.**, II, XIII)*

31/51 Nous troublons la vie par le soing de la mort, et la mort par le soing de la vie. L'une nous ennuye, l'autre nous effraye. Ce n'est pas contre la mort que nous nous préparons ; c'est chose trop momentanée. Un quart d'heure de passion sans conséquence, sans nuisance, ne mérite pas des préceptes particuliers. À dire vray, nous nous préparons contre les préparations de la mort.

*(**Id.**, III, XII)*

31/52 Tu ne meurs pas de ce que tu es malade ; tu meurs de ce que tu es vivant.

*(**Ibid.**)*

MONTHERLANT

31/53 *Memento quia pulvis es.* C'est tout juste le contraire. Une fois arrêtée notre attitude devant la mort, la seule conduite raisonnable est celle de n'y songer jamais. Ce sont les hommes qui ne sont pas capables de réfléchir sur la vie, qui réfléchissent sur la mort. Comme il n'y a pas en elle matière à réflexion, ils sont là à leur aise. Ce qui caractérise toutes les « pensées sur la mort », c'est qu'il n'y a jamais, dedans, de pensée.

*(**Mors et Vita,** 1929,* in ***La Vie en forme de proue,*** *Grasset, p. 132)*

31/54 « Préparation à la mort ». Il n'y a qu'une préparation à la mort : elle est d'être rassasié. D'âme. De cœur. D'esprit. De chair. À ras bords.

Et il n'y a qu'une immortalité qui vaudrait d'être souhaitée : c'est celle de la vie.

*(**Ibid.**)*

NIETZSCHE

31/55 Le christianisme a fait de l'immense désir de suicide qui régnait au temps de sa naissance le levier même de sa puissance : tandis qu'il interdisait de façon terrible toutes autres formes de suicide, il n'en laissa subsister que deux qu'il revêtit de la suprême dignité et qu'il enveloppa de suprêmes espoirs : le martyre et la lente mise à mort par soi-même de l'ascète.

*(**Le Gai Savoir,** 1882, § 131, trad. Klossowski, Club français du livre et 10/18, p. 214)*

31/56 Combien étrange que l'unique certitude, l'unique sort commun n'ait eu à peu près aucun empire sur les hommes et que ce dont ils sont le plus éloignés, c'est de se sentir comme une confrérie de la mort ! Ce qui me rend heureux, c'est de voir que les hommes refusent absolument de penser la pensée de la mort ! Et je contribuerais volontiers à leur rendre la pensée de la vie *cent fois plus valable encore !*

*(**Id.**, § 278, p. 269)*

PASCAL

31/57 La mort est plus aisée à supporter sans y penser, que la pensée de la mort sans péril.

*(**Pensées,** posth. 1669, section II, 166, éd. Brunschvicg, Hachette)*

31/58 Qu'on s'imagine un nombre d'hommes dans les chaînes, et tous condamnés à la mort, dont les uns étant chaque jour égorgés à la vue des autres, ceux qui restent voient leur propre condition dans celle de leurs semblables, et, se regardant les uns les autres avec douleur et sans espérance, attendent à leur tour. C'est l'image de la condition des hommes.

*(**Id.,** section III, 199)*

31/59 Le dernier acte est sanglant, quelque belle que soit la comédie en tout le reste : on jette enfin de la terre sur la tête, et en voilà pour jamais !

*(**Id.,** III, 210)*

PLATON

31/60 Craindre la mort, Athéniens, ce n'est pas autre chose que de se croire sage, alors qu'on ne l'est pas, puisque c'est croire qu'on sait ce qu'on ne sait pas. Personne, en effet, ne sait ce qu'est la mort et si elle n'est pas justement pour l'homme le plus grand des biens, et on la craint comme si l'on était sûr que c'est le plus grand des maux. Et comment ne serait-ce pas là cette ignorance répréhensible qui consiste à croire qu'on sait ce qu'on ne sait pas?

*(**Apologie de Socrate,** trad. Chambry, Garnier-Frères, 29 a)*

RENAN

31/61 Je serais désolé de traverser une de ces périodes d'affaiblissement où l'homme qui a eu de la force et de la vertu n'est plus que l'ombre et la ruine de lui-même, et souvent, à la grande joie des sots, s'occupe à détruire la vie qu'il avait laborieusement édifiée. Une telle vieillesse est le pire don que les dieux puissent faire à l'homme. Si un tel sort m'était réservé, je proteste d'avance contre les faiblesses qu'un cerveau ramolli pourrait me faire dire ou signer. C'est Renan sain d'esprit et de cœur, comme je le suis aujourd'hui, ce n'est pas Renan à moitié détruit par la mort et n'étant plus lui-même, comme je le serai si je me décompose lentement, que je veux qu'on croie et qu'on écoute.

*(**Souvenirs d'enfance et de jeunesse,** 1883, p. 232)*

RENARD

31/62 La mort des autres nous aide à vivre.

*(**Journal** 1887-1910, 5 octobre 1892)*

31/63 Quand on lit le récit d'une vie « exemplaire » comme celle de Balzac, on arrive toujours au récit de la mort. Ainsi, à quoi bon?

*(**Id.,** 27 août 1895)*

31/64 La mort est douce: elle nous délivre de la pensée de la mort.

*(**Id.,** 23 juillet 1898)*

31/65 À la mort d'un ancien, on est comme sur une écluse: on change de niveau vers la mort.

*(**Id.,** 16 mai 1899)*

31/66 Ce serait impressionnant, ce corps dans cette boîte, sous ces voûtes immenses et sonores, si les prêtres ridicules n'enlevaient tout sérieux.

*(**Id.,** 30 décembre 1899)*

31/67 Ceux qui ont le mieux parlé de la mort sont morts.

*(**Id.,** 9 août 1900)*

31/68 La mort m'apparaît comme un grand lac dont j'approche, et dont les contours se dessinent.

*(**Id.,** 22 février 1906)*

ROSTAND (Jean)

31/69 Je ne puis arriver à croire que, mort, on soit moins mort qu'on ne l'est endormi.

*(**Pensées d'un biologiste,** 1939, chap. V, Club français du livre, p. 106)*

31/70 Que le dernier acte soit « toujours sanglant », passe encore. Mais qu'il ait fallu, pendant toute la comédie, recevoir le sang des autres victimes...

*(**Id.,** chap. IX, p. 194)*

ROUSSEAU

31/71 Est-il une fin plus triste que celle d'un mourant qu'on accable de soins inutiles, qu'un notaire et des héritiers ne laissent pas respirer, que les médecins assassinent dans son lit à leur aise, et à qui des prêtres barbares font avec art savourer la mort? Pour moi, je vois partout que les maux auxquels nous assujettit la nature sont beaucoup moins cruels que ceux que nous y ajoutons.

*(**Lettre à M. de Voltaire,** 18 août 1756,* in ***Œuvres complètes,** t. 2, éd. du Seuil, p. 317)*

SARTRE

31/72 Être mort, c'est être en proie aux vivants.

*(**L'Être et le Néant,** 1943, Gallimard, Quatrième partie, chap. 1er, II, p. 628)*

SÉVIGNÉ (MME DE)

31/73 Je trouve la mort si terrible que je hais plus la vie parce qu'elle m'y mène, que par les épines dont elle est semée.

*(**Lettres,** à Mme de Grignan, 16 mars 1672)*

SPINOZA

31/74 Un homme libre ne pense à aucune chose moins qu'à la mort ; et sa sagesse est une méditation non de la mort, mais de la vie.

*(**Éthique,** posth. 1677, IV, prop. LXVII)*

31/75 Sentimus experimurque nos aeternos esse. (Nous sentons et nous savons par expérience que nous sommes éternels.)

*(**Id.,** cinquième partie, scholie de la proposition 23)*

VALÉRY

31/76 La mort est une surprise que fait l'inconcevable au concevable.

*(**Tel quel II, Rhumbs, Moralités,** 1926,* in ***Œuvres,** t. II, Pléiade, Gallimard, p. 611)*

31/77 La mort est l'union de l'âme et du corps dont la conscience, l'éveil et la souffrance sont désunion.

*(**Id., Analecta** XL, 1926,* in ***Œuvres,** t. II, Pléiade, Gallimard, p. 719)*

31/78 La mort enlève tout sérieux à la vie.

*(**Id.**, **Analecta** CVI, 1926,* in ***Œuvres,*** *t. II, Pléiade, Gallimard, p. 745)*

31/79 Les méditations sur la mort (genre Pascal) sont le fait d'hommes qui n'ont pas à lutter pour leur vie, à gagner leur pain, à soutenir des enfants.

L'éternité occupe ceux qui ont du temps à perdre. Elle est une forme du loisir.

*(**Mauvaises pensées et autres,** 1941,* in ***Œuvres,*** *t. II, Pléiade, Gallimard, p. 841)*

31/80 La mort peut donner deux sentiments opposés : ou faire songer que mourir, c'est devenir le plus vulnérable des êtres, sans défense contre inconnu ; ou bien que c'est devenir invulnérable, soustrait à tous les maux possibles. Presque chez tous, ces deux sentiments existent et alternent. La vie se passe à craindre ou à désirer la mort.

*(**Id.**, p. 890)*

VAUVENARGUES

31/81 On ne peut juger de la vie par une plus fausse règle que la mort.

*(**Réflexions et maximes,** 1746, CXL)*

31/82 Pour exécuter de grandes choses, il faut vivre comme si on ne devait jamais mourir.

*(**Réflexions et maximes,** 1746, CXLII)*

VOLTAIRE

31/83 Nous respectons plus les morts que les vivants. Il aurait fallu respecter les uns et les autres.

*(**Dictionnaire philosophique,** 1764, art.* ***Anthropophages,*** *sect. 1)*

WITTGENSTEIN

31/84 La mort n'est pas un événement de la vie. La mort ne peut être vécue.

Si l'on entend par éternité, non pas une durée temporelle infinie, mais l'intemporalité, alors celui-là vit éternellement qui vit dans le présent.

Notre vie est tout autant sans fin que notre champ de vision est sans limites.

*(**Tractatus logico-philosophicus,** 1921, prop. 6.4211, trad. P. Klossowski, Gallimard, Idées, p. 172)*

NATURE ET CULTURE

ALAIN

32/1 Un homme cultivé ressemble à une boîte à musique. Il a deux ou trois petites chansons dans le ventre.

(13 déc. 1908. in ***Propos II,*** *Pléiade, Gallimard, p. 110)*

32/2 Parmi les problèmes humains il n'en est pas de plus urgent que de comprendre ce que pense l'adversaire, et pourquoi il le pense. Par exemple, chez nous, devant nous, quand un homme va à la messe et à la communion, je veux savoir ce qu'il croit. Et dans beaucoup de cas j'ai deviné que ces actes de culte étaient fort parents de ce qu'on nomme la culture.

*(**Préliminaires à la mythologie,** écrits en 1932-1933, publ. 1943,* in ***Les Arts et les Dieux,*** *Pléiade, Gallimard, p. 1199)*

32/3 Il semble tout simple que l'on brise la résistance d'un pays par les bombardements d'avions sur les villes, ou que l'on assomme des adversaires politiques ; et qu'en même temps les formes anciennes de la torture soient abolies par le changement des mœurs. Cela vient de ce que la civilisation se fixe comme un usage aveugle qui dispense de juger. Cela n'est pas sans avantages, ni non plus sans graves inconvénients.

*(**Définitions,** posth, 1953, art.* ***Civilisation,*** in ***Les Arts et les Dieux,*** *Pléiade, Gallimard, p. 1042)*

BACON

32/4 On ne commande à la nature qu'en lui obéissant.

*(**Novum Organum,** 1620, introd.)*

BUFFON

32/5 L'âge de la puberté est le printemps de la nature, la saison des plaisirs. Pourrons-nous écrire l'histoire de cet âge avec assez de circonspection pour ne réveiller dans l'imagination que des idées philosophiques? La puberté, les circonstances qui l'accompagnent, la circoncision, la castration, la virginité, l'impuissance, sont cependant trop essentielles à l'histoire de l'homme pour que nous puissions supprimer les faits qui y ont rapport; nous tâcherons seulement d'entrer dans ces détails avec cette sage retenue qui fait la décence du style, et de les présenter comme nous les avons vus nous-mêmes, avec cette indifférence philosophique qui détruit tout sentiment dans l'expression, et ne laisse aux mots que leur simple signification.

*(**De l'homme,** 1749, chap. 3,* ***De la puberté,*** *François Maspero, Biblioth. d'Anthropologie, p. 76)*

CHAMFORT

32/6 Telle est la misérable condition des hommes, qu'il leur faut chercher, dans la société, des consolations aux maux de la nature, et, dans la nature, des consolations aux maux de la société. Combien d'hommes n'ont trouvé, ni dans l'une ni dans l'autre, des distractions à leurs peines!

*(**Maximes et pensées, caractères et anecdotes,** 1795, chap. II, § 98)*

COMTE

32/7 L'égoïsme fondamental se divise d'abord en instinct de la conservation et instinct du perfectionnement... Mon tableau final qualifie le premier de *nutritif*, d'après sa principale attribution: mais on ne doit jamais oublier qu'il en a d'autres, devant comprendre, en général, tout ce qui intéresse immédiatement la conservation matérielle de l'individu. C'est le seul instinct qui soit pleinement universel, aucun animal ne pouvant subsister sans lui. Il demeure partout le plus fondamental, même chez notre espèce. L'incomparable Dante caractérise profondément sa prépondérance nécessaire dans le vers si philosophique qui termine l'admirable récit d'Ugolin, en opposant les besoins nutritifs aux angoisses paternelles: « Poscia, piu che'l dolor potè'l digiuno. »

*(**Système de politique positive ou Traité de sociologie instituant la religion de l'humanité,** tome premier, 1851, Introd. fondamentale, chap. troisième, p. 695)*

COURNOT

32/8 L'idée de la Nature, c'est l'idée d'une puissance et d'un art divins, inexprimables, sans comparaison ni mesure avec la puissance et l'industrie de l'homme, imprimant à leurs œuvres un caractère propre de majesté et de grâce, opérant toutefois sous l'empire de conditions nécessaires, tendant fatalement et inexorablement vers une fin qui nous surpasse, de manière pourtant que cette chaîne de finalité mystérieuse, dont nous ne pouvons démontrer scientifiquement ni l'origine, ni le terme, nous apparaisse comme un fil conducteur, à l'aide duquel l'ordre s'introduit dans les faits observés, et qui nous met sur la trace des faits à rechercher. L'idée de la Nature, ainsi éclaircie autant qu'elle peut l'être, n'est que la concentration de toutes les lueurs que l'observation et la raison nous donnent sur l'ensemble des phénomènes de la vie, sur le système des êtres vivants.

(***Traité de l'enchaînement des idées fondamentales dans les sciences et dans l'histoire,*** *1861, livre III, chap. X, § 319, Hachette, p. 361)*

32/9 L'idée de Dieu, c'est l'idée de la Nature personnalisée et moralisée, non pas à l'instar de l'homme, mais par une induction motivée sur la conscience de la personnalité et de la moralité humaine ; l'idée de la Nature, c'est l'idée de Dieu, mutilée par la suppression de la personnalité, de la liberté et de la moralité : d'où cette profonde contradiction, qu'il y a dans l'idée de la Nature à la fois beaucoup plus et beaucoup moins que dans l'idée que l'homme se fait de ses propres facultés.

(***Ibid.***)

DIDEROT

32/10 À quoi que ce soit que l'homme s'applique, la Nature l'y destinait.

(***Le Neveu de Rameau,*** *1762,* in ***Œuvres,*** *La Pléiade, Gallimard, p. 469)*

32/11 Voulez-vous savoir l'histoire abrégée de presque toute notre misère ? La voici. Il existait un homme naturel : on a introduit au-dedans de cet homme un homme artificiel ; et il s'est élevé dans la caverne une guerre continuelle qui dure toute la vie.

(***Supplément au voyage de Bougainville,*** *1773,* in ***Œuvres philosophiques,*** *éd. Garnier, p. 510)*

32/12 Vous préférez donc l'état sauvage à l'état policé ? Non. La population de l'espèce va toujours en croissant chez les peuples policés, et en diminuant chez les nations sauvages. La durée moyenne de la vie de l'homme policé excède la durée moyenne de la vie de l'homme sauvage. Tout est dit.

(***Réfutation suivie de l'ouvrage d'Helvétius intitulé : L'Homme,*** *1875, A.T. II, p. 411)*

FEUERBACH

32/13 La religion repose sur cette *différence essentielle* qui distingue l'homme de l'animal : les animaux *n'ont pas* de religion. Il est vrai que les anciens zoologistes, dénués de sens critique, reconnaissaient à l'éléphant, entre autres mérites, la vertu de la religiosité : mais la religion des éléphants relève du domaine des fables.

*(**L'Essence du christianisme,** 1841, introd.,* in ***Manifestes philosophiques,*** *trad. L. Althusser, 10/18, p. 79)*

FINKIELKRAUT

32/14 Nous vivons à l'heure des *feelings* : il n'y a plus ni vérité ni mensonge, ni stéréotype ni invention, ni beauté ni laideur, mais une palette infinie de plaisirs, différents et égaux. La démocratie qui impliquait l'accès de tous à la culture se définit désormais par le droit de chacun à la culture de son choix (ou à nommer culture sa pulsion du moment).

*(**La Défaite de la pensée,** Gallimard, 1987, p. 157)*

FREUD

32/15 Un anthropologiste est-il à même de donner l'indice céphalique d'un peuple chez lequel règnerait la coutume de déformer par des bandages la tête des enfants dès leurs premières années ? Pensez au contraste attristant qui existe entre l'intelligence rayonnante d'un enfant bien portant et la faiblesse mentale d'un adulte moyen. Est-il tout à fait impossible que ce soit justement l'éducation religieuse qui soit en grande partie cause de cette sorte d'étiolement ?

*(**L'Avenir d'une illusion,** 1927, trad. Marie Bonaparte, P.U.F., p. 67)*

32/16 Le retrait à l'arrière-plan du pouvoir excitant de l'odeur semble être lui-même consécutif au fait que l'homme s'est relevé du sol, s'est résolu à marcher debout, station qui, en rendant visibles les organes génitaux jusqu'ici masqués, faisait qu'ils demandaient à être protégés, et engendrait ainsi la pudeur. Par conséquent le redressement ou la « verticalisation » de l'homme serait le commencement du processus inéluctable de la civilisation.

*(**Malaise dans la civilisation,** 1929, trad. Ch. et J. Odier, P.U.F., p. 50)*

HEGEL

32/17 L'état de nature est plutôt l'état de l'injustice, de la violence, de l'instinct naturel déchaîné, des actions et des sentiments inhumains.

*(**Cours sur l'histoire philosophique,** 1830, in **La Raison dans l'histoire,** p. 142)*

32/18 Un peuple qui tient la nature pour son dieu ne peut pas être un peuple libre.

*(**Id.,** p. 151)*

HOLBACH

32/19 La Vie Sauvage ou l'*État de Nature*, auquel des spéculateurs chagrins ont voulu ramener les hommes, *l'âge d'or* si vanté par les poètes, ne sont dans le vrai que des états de misère, d'imbécillité, de déraison.

*(**Le Système social,** Londres, 1773, I, chap. XVI)*

HUME

32/20 Il y a un cours général de la nature dans les actions humaines, aussi bien que dans les opérations du soleil et du climat.

*(**Traité de la nature humaine,** 1739, livre II, troisième partie, sect. I)*

HUSSERL

32/21 Il est absurde de considérer la nature comme étrangère en elle-même à l'esprit, et ensuite d'édifier les sciences de l'esprit sur le fondement des sciences de la nature, avec la prétention d'en faire des sciences exactes.

*(**La Crise de l'humanité européenne et la philosophie,** 1935, trad. P. Ricœur, Aubier-Montaigne, p. 25)*

32/22 La nature vraie, au sens des sciences de la nature, est l'œuvre de l'esprit qui l'explore et présuppose par conséquent la science de l'esprit.

*(**Id.,** p. 93)*

KANT

32/23 Par nature (au sens empirique), nous entendons l'enchaînement des phénomènes, quant à leur existence, suivant des règles nécessaires, c'est-à-dire suivant des lois. Il y a donc certaines lois et, par suite, des lois *a priori*, qui rendent tout d'abord possible une nature.

*(**Critique de la raison pure,** 1781, **Analytique des principes,** chap. II, 3e section, § 3)*

32/24 La nature a voulu que l'homme tire entièrement de lui-même tout ce qui dépasse l'agencement mécanique de son existence animale, et qu'il ne participe à aucune autre félicité ou perfection que celle qu'il s'est créée lui-même, indépendamment de l'instinct, par sa propre raison.

*(**Idée d'une histoire universelle au point de vue cosmopolitique,** 1781,* in ***La Philosophie de l'histoire** [**Opuscules**], trad. S. Piobetta, Aubier, éd. Montaigne, p. 62)*

32/25 Dans une forêt, les arbres, du fait même que chacun essaie de ravir à l'autre l'air et le soleil, s'efforcent à l'envi de se dépasser les uns les autres, et par suite, ils poussent beaux et droits. Mais au contraire, ceux qui lancent en liberté leurs branches à leur gré, à l'écart d'autres arbres, poussent rabougris, tordus et courbés. Toute culture, tout art formant une parure à l'humanité, ainsi que l'ordre social le plus beau, sont les fruits de l'insociabilité, qui est forcée par elle-même de se discipliner, et d'épanouir de ce fait complètement, en s'imposant un tel artifice, les germes de la nature.

*(**Id.,** p. 67)*

32/26 La nature, dans le sens le plus général, est l'existence des choses sous des lois.

*(**Critique de la raison pratique,** 1788, trad. Picavet, livre I, chap. I, I, p. 72)*

LEIBNIZ

32/27 Il me paraît que les peuples qui ont cultivé leur esprit ont quelque sujet de s'attribuer l'usage du bon sens préférablement aux barbares, puisqu'en les domptant si aisément presque comme des bêtes, ils montrent assez leur supériorité. Si on n'en peut pas toujours venir à bout, c'est qu'encore, comme les bêtes, ils se sauvent dans les épaisses forêts, où il est difficile de les forcer, et le jeu n'en vaut pas la chandelle...

Cependant, il faut avouer qu'il y a des points importants où les barbares nous passent, surtout pour la vigueur du corps, et pour l'âme même on peut dire qu'à certains égards leur morale pratique est meilleure que la nôtre, parce qu'ils n'ont point l'avarice d'amasser ni l'ambition de dominer.

*(**Nouveaux Essais sur l'entendement humain,** posth. 1765, l. I, chap. II, § 20)*

LÉVI-STRAUSS

32/28 Tout mariage est une rencontre dramatique entre la nature et la culture, entre l'alliance et la parenté.

*(**Les Structures élémentaires de la parenté,** 1949, Plon éd.)*

LICHTENBERG

32/29 Nous sommes si niais que nous insistons toujours sur le naturel. D'autres sont plus avisés : à Londres, *he is a natural* ne signifie rien de moins que c'est un *imbécile.*

*(**Aphorismes,** troisième cahier 1775-1779, trad. Marthe Robert, J.-J. Pauvert, p. 102)*

MERLEAU-PONTY

32/30 Le progrès n'est pas nécessaire d'une nécessité métaphysique : on peut seulement dire que très probablement l'expérience finira par éliminer les fausses solutions et par se dégager des impasses. Mais à quel prix, par combien de détours ? Il n'est même pas exclu en principe que l'humanité, comme une phrase qui n'arrive pas à s'achever, échoue en cours de route.

Certes, l'ensemble des êtres connus sous le nom d'hommes et définis par les caractères physiques que l'on sait ont aussi en commun une lumière naturelle, une ouverture à l'être qui rend les acquisitions de la culture communicables à tous et à eux seuls. Mais cet éclair que nous retrouvons en tout regard dit humain, il se voit aussi bien dans les formes les plus cruelles du sadisme que dans la peinture italienne. C'est lui justement qui fait que tout est possible de la part de l'homme, et jusqu'à la fin.

*(**Signes,** 1960, Gallimard, XI, **L'Homme et l'Adversité,** p. 304)*

MILL

32/31 Les Anglais sont plus loin de l'état de nature que tous les autres peuples modernes, dans un bon comme dans un mauvais sens. Ils sont plus que tout autre peuple, le produit de la civilisation et de la discipline.

*(**L'Asservissement des femmes,** 1869, trad. Marie-Françoise Cachin, Payot, p. 145)*

MONTAIGNE

32/32 Chacun appelle barbarie ce qui n'est pas de son usage.

*(**Essais** 1580-1595, livre I, chap. XXXI, Pléiade, Gallimard, p. 243)*

32/33 C'est une mesme nature qui roule son cours. Qui en auroit suffisamment jugé le present estat, en pourroit seurement conclurre et tout l'advenir et tout le passé.

*(**Id.,** livre II, chap. XII, p. 515)*

NIETZSCHE

32/34 La concentration de la culture sur un petit nombre est une loi nécessaire de la nature.

*(**Sur l'avenir de nos établissements d'enseignement,** 1872, trad. J.-L. Backès, Gallimard, Idées, p. 20)*

32/35 Contre les calomniateurs de la Nature: Ceux-là sont pour moi des hommes désagréables, chez qui toute propension naturelle devient aussitôt morbide, agissant de façon déformante, voire honteuse — ce sont eux qui nous ont insinué la pensée que les tendances et les impulsions humaines étaient perverses: ce sont eux les responsables de notre grande injustice à l'égard de notre nature, à l'égard de toute nature!

*(**Le Gai Savoir,** 1882, § 294, trad. Klossowski, Club français du livre et 10/18, p. 284)*

PASCAL

32/36 Les pères craignent que l'amour naturel des enfants ne s'efface. Quelle est donc cette nature, sujette à être effacée? La coutume est une seconde nature, qui détruit la première. Mais qu'est-ce que nature?

Pourquoi la coutume n'est-elle pas naturelle? J'ai grand peur que cette nature ne soit elle-même qu'une première coutume, comme la coutume est une seconde nature.

*(**Pensées,** posth. 1669, section II, 93, éd. Brunschvicg, Hachette, p. 372)*

RENAN

32/37 Avant la culture française, la culture allemande, la culture italienne, il y a la culture humaine.

*(**Qu'est-ce qu'une nation?** in **Œuvres complètes,** t. I, Calmann-Lévy, 1947, p. 901)*

ROHEIM

32/38 La civilisation a son origine dans l'enfance retardée et sa fonction est de sécurité. C'est un gigantesque système d'essais plus ou moins heureux pour protéger l'humanité contre le danger de la perte de l'objet — efforts formidables faits par un bébé qui a peur de rester seul dans le noir.

*(**Origine et fonction de la culture,** 1943, trad. de l'anglais par R. Dadoun, Gallimard, p. 152)*

ROUSSEAU

32/39 Tandis que le gouvernement et les lois pourvoient à la sûreté et au bien-être des hommes assemblés, les sciences, les lettres et les arts, moins despotiques et plus puissants peut-être, étendent des guirlandes de fleurs sur les chaînes de fer dont ils sont chargés, étouffent en eux le sentiment de cette liberté originelle pour laquelle ils semblaient être nés, leur font aimer leur esclavage, et en forment ce qu'on appelle des peuples policés. Le besoin éleva les trônes ; les sciences et les arts les ont affermis. Puissances de la terre, aimez les talents, et protégez ceux qui les cultivent. Peuples policés, cultivez-les : heureux esclaves, vous leur devez ce goût délicat et fin dont vous vous piquez, cette douceur de caractère et cette urbanité de mœurs qui rendent parmi vous le commerce si liant et si facile ; en un mot, les apparences de toutes les vertus sans en avoir aucune.

*(**Discours sur les sciences et les arts,** 1750, 1re partie, in **Œuvres complètes,** t. 2, éd. du Seuil, pp. 53-54)*

32/40 Quelque utile que puisse être parmi nous la médecine bien administrée, il est toujours certain que si le sauvage malade, abandonné à lui-même, n'a rien à espérer que de la nature, en revanche il n'a rien à craindre que de son mal ; ce qui rend souvent sa situation préférable à la nôtre.

*(**Discours sur l'origine et les fondements de l'inégalité parmi les hommes,** 1755, première partie, note [i])*

32/41 Entre les conditions sauvage et domestique, la différence d'homme à homme doit être plus grande encore que celle de bête à bête : car, l'animal et l'homme ayant été traités également par la nature, toutes les commodités que l'homme se donne de plus qu'aux animaux qu'il apprivoise sont autant de causes particulières qui le font dégénérer plus sensiblement.

*(**Ibid.**)*

32/42 Les hommes sont méchants, une triste et continuelle expérience dispense de la preuve ; cependant l'homme est naturellement bon, je crois l'avoir démontré : qu'est-ce donc qui peut l'avoir dépravé à ce point, sinon les changements survenus dans sa constitution, les progrès qu'il a faits et les connaissances qu'il a acquises?

*(**Ibid.**)*

32/43 Comparez sans préjugés l'état de l'homme civil avec celui de l'homme sauvage, et recherchez, si vous le pouvez, combien, outre sa méchanceté, ses besoins et ses misères, le premier a ouvert de nouvelles portes à la douleur et à la mort. Si vous considérez les peines d'esprit qui nous consument, les passions violentes qui nous épuisent et nous désolent, les travaux excessifs dont les pauvres sont surchargés, la mollesse encore plus dangereuse à laquelle les riches s'abandonnent, et qui font mourir les uns de leurs besoins, et les autres de leurs excès ; si vous songez aux monstrueux mélanges des aliments, à leurs pernicieux assaisonnements, aux denrées corrompues, aux drogues falsifiées, aux friponneries de ceux qui les vendent, aux erreurs de ceux qui les administrent, au poison des vaisseaux dans lesquels on les prépare ; si vous faites attention aux maladies épidémiques engendrées par le mauvais air parmi des multitudes d'hommes rassemblés, à celles qu'occasionnent la délicatesse de notre manière de vivre [...] ; en un mot, si vous réunissez les dangers que toutes ces causes assemblent continuellement sur nos têtes, vous sentirez combien la nature nous fait payer cher le mépris que nous avons fait de ses leçons.

*(**Ibid.**)*

32/44 Quoi donc! faut-il détruire les sociétés, anéantir le tien et le mien, et retourner vivre dans les forêts avec les ours? Conséquence à la manière de mes adversaires, que j'aime autant prévenir que de leur laisser la honte de la tirer.

*(**Ibid.**)*

32/45 Est-il une fin plus triste que celle d'un mourant qu'on accable de soins inutiles, qu'un notaire et des héritiers ne laissent pas respirer, que les médecins assassinent dans son lit à leur aise, et à qui des prêtres barbares font avec art savourer la mort? Pour moi, je vois partout que les maux auxquels nous assujettit la nature sont beaucoup moins cruels que ceux que nous y ajoutons.

*(**Lettre à M. de Voltaire,** 18 août 1756,* in ***Œuvres complètes,*** *t. 2, éd. du Seuil, p. 317)*

SAPIR

32/46 La promiscuité sexuelle dont les anthropologues d'autrefois avaient fait le sujet favori de leurs spéculations, n'existe sans doute que dans leurs livres. Chez aucun des peuples primitifs qui ont été l'objet d'études sérieuses et dont les comportements se conforment aux modèles de leurs traditions, il n'apparaît que les relations sexuelles échappent à toute réglementation.

*(**Anthropologie et sociologie** 1297,* in ***Anthropologie,*** *trad. Baudelot et Clinquart, éd. de Minuit, p. 141)*

SARTRE

32/47 Ce que nous nommons liberté, c'est l'irréductibilité de l'ordre culturel à l'ordre naturel.

*(**Critique de la raison dialectique,** 1960, Gallimard, p. 96)*

SCHELER

32/48 Loin que la pudeur soit née seulement du vêtement, qui à son tour s'expliquerait par des besoins de protection — mais en ce cas comment concevoir que chez beaucoup de peuples primitifs soit seul recouvert ce qu'on appelle les parties honteuses? —, l'habillement a au contraire dans la pudeur son origine première, et le besoin de vêtir le reste du corps est issu d'une adaptation secondaire de l'organisme aux effets amollissants produits par la dissimulation des parties honteuses.

*(**La Pudeur,** 1913, trad. M. Dupuy, Aubier-Montaigne, p. 23)*

32/49 L'idée que l'instinct de nutrition serait plus urgent que les instincts génitaux est fausse, appliquée à l'homme, pour cette simple raison qu'un instinct spécial de nutrition ne pourrait pas se constituer sans qu'interviennent les instincts parentaux, maternels tout particulièrement, de l'entretien des petits, et sans l'alimentation première qui est avant tout leur office.

*(**Id.,** p. 136)*

SPINOZA

32/50 La Nature, bien qu'ayant divers attributs, n'est pourtant qu'un seul être duquel tous ces attributs sont affirmés.

*(**Court-traité,** 1660, livre II, ch. XX)*

32/51 Comme la Nature entière est une seule substance dont l'essence est infinie, toutes choses sont, par la Nature, unies en une seule, qui est Dieu.

*(**Id.,** livre II, ch. XXII)*

TOCQUEVILLE

32/52 La variété disparaît du sein de l'espèce humaine ; les mêmes manières d'agir, de penser et de sentir se retrouvent dans tous les coins du monde.

*(**De la démocratie en Amérique,** 1835-1840, Union générale d'Éditions, 10/18, p. 331)*

PASSIONS

ALAIN

33/1 Les passions sont comme la peste et le typhus. Cessez de les combattre, elles reviennent.

(21 juin 1930, in ***Propos II,*** *n° 510, Pléiade, Gallimard, p. 826)*

33/2 Il y a du supplice dans la passion, et le mot l'indique.

*(**Définitions,** posth. 1953,* in ***Les Arts et les Dieux,*** *Pléiade, Gallimard, p. 1077)*

BACHELARD

33/3 Les grandes passions se préparent en de grandes rêveries.

*(**La Poétique de la rêverie,** 1961, P.U.F., p. 7)*

BALZAC

33/4 La passion est toute l'humanité.

*(**La Comédie humaine,** 1830-1848, avant-propos)*

CHAMFORT

33/5 Notre raison nous rend quelquefois aussi malheureux que nos passions ; et on peut dire de l'homme, quand il est dans ce cas, que c'est un malade empoisonné par son médecin.

*(**Maximes et pensées, caractères et anecdotes,** 1795, chap. I, § 46)*

33/6 Toutes les passions sont exagératrices, et elles ne sont passions que parce qu'elles exagèrent.

*(**Id.** chap. I, § 73)*

COMTE

33/7 Pour devenir un parfait philosophe, il me manquait surtout une passion, à la fois profonde et pure, qui me fît assez apprécier le côté affectif de l'humanité.

*(**Lettre à Clotilde de Vaux,** 11 mars 1846,* in ***Système de politique positive,*** *Discours préliminaire, quatrième partie, p. 218)*

33/8 Nous nous sommes si souvent dit : on se lasse de penser, et même d'agir ; jamais on ne se lasse d'aimer ! Chacun de nous reconnaissait d'ailleurs que la complète amitié n'est possible que d'un sexe à l'autre, parce que là seulement elle peut être assez dégagée de toute rivalité perturbatrice.

*(**Système de politique positive,** Dédicace, 1851, p. VIII)*

COURNOT

33/9 L'homme est plus capable de vaincre les obstacles naturels que de se maîtriser lui-même. Dans le premier cas, il procède avec calme et patience, dans l'autre il subit l'entraînement des passions.

*(**Revue sommaire des doctrines économiques,** 1877, Hachette, p. 17)*

DESCARTES

33/10 Le principal effet de toutes les passions dans les hommes est qu'elles incitent et disposent leur âme à vouloir les choses auxquelles elles préparent leur corps : en sorte que le sentiment de la peur l'incite à vouloir fuir, celui de la hardiesse à vouloir combattre, et ainsi des autres.

*(**Les Passions de l'âme,** 1649, première partie, art. XL)*

33/11 L'utilité de toutes les passions ne consiste qu'en ce qu'elles fortifient et font durer en l'âme des pensées, lesquelles il est bon qu'elle conserve, et qui pourraient facilement sans cela en être effacées. Comme aussi tout le mal qu'elles peuvent causer, consiste en ce qu'elles fortifiént et conservent ces pensées plus qu'il n'est besoin ; ou bien qu'elles en fortifient et conservent d'autres, auxquelles il n'est pas bon de s'arrêter.

*(**Id.,** seconde partie, art. LXXIV)*

33/12 Les passions sont toutes bonnes de leur nature et nous n'avons rien à éviter que leurs mauvais usages ou leurs excès.

*(**Id.,** troisième partie, art. CCXI)*

33/13 L'âme peut avoir ses plaisirs à part : mais pour ceux qui lui sont communs avec le corps, ils dépendent entièrement des Passions, en sorte que les hommes qu'elles peuvent le plus émouvoir, sont capables de goûter le plus de douceur en cette vie. Il est vrai qu'ils y peuvent aussi trouver le plus d'amertume, lorsqu'ils ne les savent pas bien employer, et que la fortune leur est contraire.

*(**Id.,** troisième partie, art. CCXII)*

DIDEROT

33/14 C'est le comble de la folie, que de se proposer la ruine des passions. Le beau projet que celui d'un dévot qui se tourmente comme un forcené pour ne rien désirer, ne rien aimer, ne rien sentir, et qui finirait par devenir un vrai monstre s'il réussissait!

*(**Pensées philosophiques,** 1746, V)*

33/15 La raison sans les passions serait presque un roi sans sujets.

*(**Essai sur les règnes de Claude et Néron, et sur la vie de Sénèque pour servir d'introduction à la lecture de ce philosophe,** 1778, 2e éd., modifiée, 1882, livre III, chap. XLIX)*

FOURIER

33/16 Ma théorie se borne *à utiliser les passions réprouvées telles que la nature les donne et sans y rien changer.* C'est là tout le grimoire, tout le secret du calcul de l'attraction passionnée. On n'y discute pas si Dieu a eu raison ou tort de donner aux humains telles ou telles passions ; l'ordre sociétaire les emploie sans y rien changer et comme Dieu les a données.

*(**Traité de l'association domestique et agricole,** 1822, t. II, p. 252)*

HOLBACH

33/17 Les passions sont les vrais contrepoids des passions.

*(**Le Système de la nature,** Londres, 1770, I, chap. XVII)*

HUME

33/18 La raison est, et elle ne peut qu'être, l'esclave des passions ; elle ne peut prétendre à d'autre rôle qu'à servir et à leur obéir.

*(**Traité de la nature humaine,** 1739, livre II, troisième partie, sect. III, t. II, trad. A. Leroy, Aubier-Montaigne, p. 524)*

33/19 Une passion est une existence primitive ou, si vous le voulez, un mode primitif d'existence et elle ne contient aucune qualité représentative qui en fasse une copie d'une autre existence ou d'un autre mode.

*(**Id.,** p. 525)*

KANT

33/20 Si l'émotion est une ivresse, la passion est une maladie, qui exècre toute médication, et qui par là est bien pire que tous les mouvements passagers de l'âme.

*(**Anthropologie du point de vue pragmatique,** 1798, 2e éd. 1800, trad. Michel Foucault, Vrin, p. 119)*

KIERKEGAARD

33/21 Exister, si l'on n'entend pas par là un simulacre d'existence, ne peut se faire sans passion. C'est pourquoi chaque penseur grec était aussi, essentiellement un penseur passionné.

*(**Post-scriptum,** 1846, deuxième partie, 2e section, chap. III, § 1, trad. P. Petit, Gallimard)*

LAGNEAU

33/22 On dit que la colère est une courte folie : on peut le dire de toute passion, ou plutôt la passion est le germe dont la folie ne demande qu'à sortir si on ne l'arrête.

*(**Discours de Sens,** 1877,* in ***Célèbres leçons et Fragments,** P.U.F., 1950, p. 17)*

LA ROCHEFOUCAULD

33/23 Les passions sont les seuls orateurs qui persuadent toujours.

*(**Maximes, réflexions morales,** 1664, VIII)*

NIETZSCHE

33/24 Des natures pareilles à celle de l'apôtre Paul n'ont que le regard du « mauvais œil » pour les passions : elles n'apprennent à connaître de celles-ci que ce qui salit, déforme, brise le cœur — leur aspiration idéale vise par conséquent à détruire les passions : elles ne se sentent totalement purifiées des passions que dans le divin. Tout à l'opposé de Paul et des Juifs, c'est précisément aux passions que les Grecs ont voué leur aspiration idéale, et ils les ont chéries, exaltées, dorées et divinisées.

*(**Le Gai Savoir,** 1882, § 139, trad. Klossowski, Club français du livre et 10/18, p. 219)*

PROUST

33/25 L'amour le plus exclusif pour une personne est toujours l'amour d'autre chose.

(***À l'ombre des jeunes filles en fleurs,*** *1918,*
in ***À la recherche du temps perdu,***
Gallimard, 1913-1927)

ROUSSEAU

33/26 Tout ce qui semble étendre ou affermir notre existence nous flatte, tout ce qui semble la détruire ou la resserrer nous afflige. Telle est la source primitive de toutes nos passions.

(***Fragments philosophiques et moraux*** *1756-1762,*
in ***Œuvres complètes,*** *t. 2, éd. du Seuil, p. 326)*

33/27 Nos passions sont les principaux instruments de notre conservation : c'est donc une entreprise aussi vaine que ridicule de vouloir les détruire.

(***Émile ou De l'éducation,*** *1762, livre IV, éd. du Seuil, t. 3, p. 149)*

33/28 Loin que l'amour vienne de la nature, il est la règle et le frein de ses penchants : c'est par lui qu'excepté l'objet aimé, un sexe n'est plus rien pour l'autre.

(***Id.,*** *p. 152)*

33/29 Qu'il faut être borné pour ne voir dans les désirs naissants d'un jeune homme qu'un obstacle aux leçons de la raison. Moi, j'y vois le vrai moyen de le rendre docile à ces mêmes leçons. On n'a de prise sur les passions que par les passions ; c'est par leur empire qu'il faut combattre leur tyrannie ; et c'est toujours de la nature elle-même qu'il faut tirer les instruments propres à la régler.

(***Id.,*** *p. 225)*

33/30 J'ai fait voir que l'unique passion qui naisse avec l'homme, savoir l'amour de soi, est une passion indifférente en elle-même au bien et au mal ; qu'elle ne devient bonne ou mauvaise que par accident, et selon les circonstances dans lesquelles elle se développe.

(***Lettre à Monseigneur de Beaumont,*** *18 novembre 1762,*
in ***Œuvres complètes,*** *t. 3, éd. du Seuil, p. 340)*

SARTRE

33/31 Toute réalité humaine est une passion, en ce qu'elle projette de se perdre pour fonder l'être et pour constituer du même coup l'En-soi qui échappe à la contingence en étant son propre fondement, l'*Ens causa sui* que les religions nomment Dieu. Ainsi la passion de l'homme est-elle inverse de celle du Christ, car l'homme se perd en tant qu'homme pour que Dieu naisse. Mais l'idée de Dieu est contradictoire et nous nous perdons en vain : l'homme est une passion inutile.

*(**L'Être et le Néant,** 1943, quatrième partie, chap. II, III)*

33/32 L'existentialiste ne croit pas à la puissance de la passion. Il ne pensera jamais qu'une belle passion est un torrent dévastateur qui conduit fatalement l'homme à certains actes, et qui, par conséquent, est une excuse. Il pense que l'homme est responsable de sa passion.

*(**L'existentialisme est un humanisme,** 1946, Nagel, p. 37)*

STENDHAL

33/33 Il y a des passions semblables aux vents alizés, qui prennent les gens à certaine hauteur.

*(**Journal,** 16 avril 1813)*

VAUVENARGUES

33/34 L'esprit est l'œil de l'âme, non sa force ; sa force est dans le cœur, c'est-à-dire dans les passions. La raison la plus éclairée ne donne pas d'agir et de vouloir. Suffit-il d'avoir la vue bonne pour marcher ? Ne faut-il pas encore avoir des pieds et la volonté avec la puissance de les remuer ?

*(**Réflexions et maximes,** 1746, CXLIX)*

WEIL (Simone)

33/35 Il y a des prodiges dans toutes les passions. Un joueur est capable de jeûner et veiller presque comme un saint, il a des prémonitions, etc.

*(**Cahiers II,** nouvelle édition revue et augmentée, Plon, 1972, p. 172)*

PERCEPTION

ALAIN

34/1 Faites voir à des enfants quelque tour de cartes, et puis faites-leur trouver, par l'examen des mouvements à découvert et au ralenti, comment et pourquoi ils ont été trompés ; ils seront bien étonnés en comprenant qu'ils ont très peu constaté, et qu'ils ont supposé beaucoup, enfin qu'ils n'ont pas été trompés, mais plutôt qu'ils se sont trompés eux-mêmes, comme le langage l'exprime si énergiquement.

*(**Éloge de l'apparence,** 7 octobre 1923,* in ***Propos I,*** *Pléiade, Gallimard, p. 544)*

BERKELEY

34/2 Qu'une chose puisse être réellement perçue par mes sens, et en même temps ne pas exister réellement, c'est pour moi une franche contradiction ; car je ne peux séparer ni abstraire, même en pensée, l'existence d'une chose de la perception qu'on en a.

*(**Trois dialogues entre Hylas et Philonoüs,** 1713, troisième dialogue)*

34/3 Ce qu'on dit de l'existence absolue de choses non pensantes, sans rapport à une perception qu'on en aurait me paraît parfaitement inintelligible. Leur *esse* est *percipi ;* il est impossible qu'elles aient une existence hors des intelligences ou choses pensantes qui les perçoivent.

*(**Traité concernant les principes de la connaissance humaine,** 1710, première partie, § 3)*

DESCARTES

34/4 La vision de la distance ne dépend, non plus que celle de la situation, d'aucunes images envoyées des objets mais, premièrement, de la figure du corps de l'œil.

*(**La Dioptrique,** discours sixième, 1637, Pléiade, Gallimard, p. 221)*

34/5 À cause que c'est l'âme qui voit, et non pas l'œil, et qu'elle ne voit immédiatement que par l'entremise du cerveau, de là vient que les frénétiques, et ceux qui dorment, voient souvent, ou pensent voir, divers objets qui ne sont point pour cela devant leurs yeux.

*(**Id.**, p. 224)*

34/6 ... Des hommes passent dans la rue, à la vue desquels je ne manque pas de dire que je vois des hommes (...) ; et cependant que vois-je de cette fenêtre, sinon des chapeaux et des manteaux qui peuvent couvrir *des spectres ou des hommes feints qui ne se remuent que par ressorts* [texte latin : *automata*], mais je juge que ce sont de *vrais* hommes ; et ainsi je comprends par la seule puissance de juger qui réside en mon esprit, ce que je croyais voir de mes yeux.

*(**Méditations métaphysiques,** 1641, méditation seconde)*

GOETHE

34/7 Si un arc-en-ciel dure un quart d'heure, on ne le regarde plus.

*(**Pensées,** 1815-1832,* in ***Œuvres,** t. I. trad. J. Porchat, Hachette, p. 419)*

LAGNEAU

34/8 Le propre de l'erreur est de pouvoir être réfutée par l'expérience et le raisonnement. Les illusions des sens ne peuvent pas être réfutées ainsi ; ce sont seulement des manières de percevoir qui ne sont pas normales. D'ailleurs même les manières normales de percevoir sont des illusions ; toute perception est en somme une illusion.

*(**Cours sur la perception,** posth. 1926,* in ***Célèbres leçons et fragments,** P.U.F., p. 181)*

LEIBNIZ

34/9 Comme la vue de Dieu est toujours véritable, nos perceptions le sont aussi, mais ce sont nos jugements qui sont de nous et qui nous trompent.

*(**Discours de métaphysique,** 1685-1686, publ. posth. par Grotefend, Hanovre, 1846, chap. XIV)*

34/10 Nous avons une infinité de petites perceptions et que nous ne saurions distinguer : un grand bruit étourdissant, comme par exemple le murmure de tout un peuple assemblé, est composé de tous les petits murmures de personnes particulières qu'on ne remarquerait pas à part mais dont on a pourtant un sentiment, autrement on ne sentirait point le tout.

*(**Considérations sur la doctrine d'un esprit universel,** 1702, publ. posth. par Erdmann, Berlin, 1840, § 14)*

34/11 On est obligé de confesser que la *Perception* et ce qui en dépend, est *inexplicable par des raisons mécaniques,* c'est-à-dire par les figures et par les mouvements. Et feignant qu'il y ait une Machine, dont la structure fasse penser, sentir, avoir perception, on pourra la concevoir agrandie en conservant les mêmes proportions, en sorte qu'on y puisse entrer, comme dans un moulin. Et cela posé, on ne trouvera, en la visitant au-dedans, que des pièces, qui poussent les unes les autres, et jamais de quoi expliquer une perception.

*(**La Monadologie,** éd. Émile Boutroux, Delagrave, 1714, § 17)*

MERLEAU-PONTY

34/12 Dans la perception nous ne pensons pas l'objet et nous ne nous pensons pas le pensant, nous sommes à l'objet et nous nous confondons avec ce corps qui en sait plus que nous sur le monde, sur les motifs et les moyens qu'on a d'en faire la synthèse.

*(**Phénoménologie de la perception,** 1945, Gallimard, p. 276)*

34/13 Quand je perçois, je ne pense pas le monde, il s'organise devant moi.

*(**Sens et non-sens,** 1948, Nagel, p. 91)*

34/14 Il faut comprendre la perception comme cette pensée interrogative qui laisse être le monde perçu plutôt qu'elle ne le pose, devant qui les choses se font et se défont dans une sorte de glissement, en deçà du oui et du non.

*(**Le Visible et l'Invisible,** 1964, Gallimard, p. 138)*

RENARD

34/15 Un défaut de la vitre, et le moineau est un aigle sur le toit.

*(**Journal,** 11 décembre 1907, Pléiade, Gallimard, p. 1145)*

VALÉRY

34/16 La vache voit les étoiles, et n'en tire ni une astronomie comme la Chaldée, ni une morale comme Kant, ni une métaphysique comme tout le monde... Elle les égale à zéro. Elle les amortit. C'est très remarquable, au fond... Percevoir ce qui ne sert à rien.

(***L'Idée fixe ou Deux hommes à la mer,*** *1932,* in ***Œuvres,*** *t. II, Pléiade, Gallimard, p. 230)*

34/17 L'immense plupart de nos perceptions et pensées est sans conséquence. Celles qui comptent sont distinguées et tirées de l'ensemble ou par notre corps, ou par nos semblables. Notre rôle est des plus modestes.

(***Mauvaises pensées et autres,*** *1941,* in ***Œuvres,*** *t. II, Pléiade, Gallimard, p. 793)*

PERSONNE

HEGEL

35/1 L'individu qui n'a pas mis sa vie en jeu peut bien être reconnu comme *personne ;* mais il n'a pas atteint la vérité de cette reconnaissance comme reconnaissance d'une conscience de soi indépendante.

*(**La Phénoménologie de l'esprit,** 1807, trad. Hyppolite, Aubier-Montaigne, t. I, p. 159)*

KANT

35/2 Une *personne* est ce sujet, dont les actions sont susceptibles d'*imputation*. La personnalité *morale* n'est rien d'autre que la liberté d'un être raisonnable sous les lois morales. En revanche, la personnalité psychologique n'est que la faculté d'être conscient de son existence comme identique à travers différents états. Il s'ensuit qu'une personne ne peut être soumise à d'autres lois qu'à celles qu'elle se donne elle-même (ou toute seule, ou du moins à soi-même en même temps qu'avec d'autres).

*(**Métaphysique des mœurs,** première partie, **Doctrine du droit,** 1797, trad. Philonenko, J. Vrin éd., p. 98)*

35/3 L'homme conscient de son devoir n'est pas, dans le monde, phénomène mais noumène ; il n'est pas une chose, mais une personne.

*(**Opus postumum,** trad. J. Gibelin, Vrin, p. 28)*

35/4 Ceci, que non seulement l'homme pense, mais qu'il peut aussi se dire : je pense, en fait une personne.

*(**Ibid.**)*

35/5 Une personne est un être qui a des droits dont il peut devenir conscient.

*(**Id.,** p. 126)*

PHILOSOPHIE

ALAIN

36/1 Philosophie : c'est une disposition de l'âme qui d'abord se met en garde contre les déceptions et humiliations, par la considération de la vanité de presque tous les biens et de presque tous les désirs. Le philosophe vise à n'éprouver que ce qui est naturel et sans mensonge à soi. Son défaut est un penchant à blâmer, et une prédilection pour le doute.

*(**Définitions,** posth. 1953,* in ***Les Arts et les Dieux,*** *Pléiade, Gallimard, p. 1078)*

ARISTOTE

36/2 Il est évident que nous n'avons en vue, dans la Philosophie, aucun intérêt étranger. Mais, de même que nous appelons homme libre celui qui est à lui-même sa propre fin et n'est pas la fin d'autrui, ainsi cette science est aussi la seule de toutes les sciences qui soit libre, car seule elle est sa propre fin.

*(**Métaphysique,** A, 2, 982 b, 25, trad. Tricot)*

BERGSON

36/3 Celui qui a commencé à réserver à la philosophie les questions de principe, et qui a voulu, par là, mettre la philosophie au-dessus des sciences comme une Cour de Cassation au-dessus des cours d'assises et d'appel, sera amené, de degré en degré, à ne plus faire d'elle qu'une simple cour d'enregistrement, chargée tout au plus de libeller en termes plus précis des sentences qui lui arrivent irrévocablement rendues.

*(**L'Évolution créatrice,** 1907,* in ***Œuvres,*** *P.U.F., 1970, p. 661)*

CHAMFORT

36/4 Qu'est-ce qu'un philosophe ? C'est un homme qui oppose la nature à la loi, la raison à l'usage, sa conscience à l'opinion, et son jugement à l'erreur.

*(**Maximes et pensées, caractères et anecdotes,** 1795, chap. I, § 53)*

COMTE

36/5 J'emploie le mot *philosophie* dans l'acception que lui donnaient les Anciens, et particulièrement Aristote, comme désignant le système général des conceptions humaines ; et, en ajoutant le mot *positive*, j'annonce que je considère cette manière spéciale de philosopher qui consiste à envisager les théories, dans quelque ordre d'idées que ce soit, comme ayant pour objet la coordination des faits observés, ce qui constitue le troisième état de la philosophie générale, primitivement théologique et ensuite métaphysique, ainsi que je l'explique dès la première leçon.

*(**Cours de philosophie positive,** avertissement de l'auteur, 1830)*

36/6 Aucune rénovation mentale ne peut vraiment régénérer la société que lorsque la systématisation des idées conduit à celle des sentiments, seule socialement décisive, et sans laquelle la philosophie ne remplacerait jamais la religion.

*(**Système de politique positive ou Traité de sociologie instituant la religion de l'humanité,** dédicace, 1851, p. X)*

36/7 Les grands poètes sont seuls efficaces, même intellectuellement, et surtout moralement ; tous les autres font beaucoup plus de mal que de bien : tandis que les moindres philosophes peuvent être vraiment utilisés, quand ils sont assez honnêtes, sensés, et courageux.

*(**Catéchisme positiviste,** 1852, seconde partie, cinquième entretien, Garnier-Frères, p. 169)*

COURNOT

36/8 Si la philosophie règne sur les sciences, comme nous l'accordons volontiers, pourvu qu'on nous accorde en retour qu'elle ne les gouverne pas, c'est justement parce qu'elle-même n'est pas *du bois* dont on fait les sciences, parce qu'elle est seule dans son genre comme la reine dans la ruche.

*(**Des institutions d'instruction publique en France** [suivi de **Discours prononcés à l'Académie de Dijon**], 1864, Hachette, p. 112)*

DELEUZE

36/9 La philosophie n'est pas communicative, pas plus que contemplative ou réflexive : elle est créatrice ou même révolutionnaire, par nature, en tant qu'elle ne cesse de créer de nouveaux concepts.

*(**Signes et événements,** propos recueillis in **Magazine littéraire,** n° 257, sept. 1988, p. 16)*

DESCARTES

36/10 C'est proprement avoir les yeux fermés, sans tâcher jamais de les ouvrir, que de vivre sans philosopher ; et le plaisir de voir toutes les choses que notre vue découvre n'est point comparable à la satisfaction que donne la connaissance de celles qu'on trouve par la philosophie ; et, enfin, cette étude est plus nécessaire pour régler nos mœurs et nous conduire en cette vie, que n'est l'usage de nos yeux pour guider nos pas.

(***Les Principes de la philosophie,*** *lettre-préface, 1644, Pléiade, Gallimard, p. 558)*

36/11 Si nous désirons vaquer sérieusement à l'étude de la philosophie et à la recherche de toutes les vérités que nous sommes capables de connaître, nous nous délivrerons en premier lieu de nos préjugés, et ferons état de rejeter toutes les opinions que nous avons autrefois reçues en notre créance, jusqu'à ce que nous les ayons derechef examinées ; nous ferons ensuite une revue sur les notions qui sont en nous, et ne recevrons pour vraies que celles qui se présenteront clairement et distinctement à notre entendement.

(***Id.,*** *première partie, 75)*

36/12 Pour ce qui est des vérités dont la théologie ne se mêle point, il n'y aurait pas d'apparence qu'un homme qui veut être philosophe reçût pour vrai ce qu'il n'a point connu être tel, et qu'il aimât mieux se fier à ses sens, c'est-à-dire aux jugements inconsidérés de son enfance, qu'à sa raison, lorsqu'il est en état de la bien conduire.

(***Id.,*** *première partie, 76)*

ÉPICTÈTE

36/13 *Le philosophe ne s'annonce pas comme tel.* — Socrate se dissimulait à la plupart ; on allait à lui pour se faire recommander à des philosophes. Se fâchait-il alors ? Disait-il : « Et moi, ne te parais-je donc pas être un philosophe ? » Non, mais il les conduisait et les recommandait, content seulement d'être réellement philosophe, heureux aussi de ne pas se sentir blessé de ne pas le paraître ; car il se souvenait de sa fonction propre.

(***Entretiens,*** *IV, VIII, trad. Émile Bréhier,* in ***Les Stoïciens,*** *Pléiade, Gallimard, 1087)*

FEUERBACH

36/14 La philosophie est la prise de connaissance de *ce qui est*. Penser et connaître les choses et les êtres *tels qu'ils sont*, telle est la loi suprême, telle est la tâche suprême de la philosophie.

(***Thèses provisoires pour la réforme de la philosophie,*** *1842, § 34,* in ***Manifestes philosophiques,*** *trad. L. Althusser, P.U.F., p. 151)*

36/15 *L'art, la religion, la philosophie ou la science* ne sont que les phénomènes ou les révélations de *l'être humain vrai*. Seul est homme, homme accompli et vrai, celui qui possède le sens *esthétique* ou *artistique, religieux* ou *moral*, et *philosophique* ou *scientifique*: seul est absolument homme celui qui n'exclut de soi rien d'*essentiellement humain*.

(***Principes de la philosophie de l'avenir,*** *1843,* in ***Manifestes philosophiques,*** *trad. L. Althusser, P.U.F., p. 261)*

FONTENELLE

36/16 Les vrais philosophes sont comme les éléphants, qui en marchant ne posent jamais le second pied à terre que le premier ne soit bien affermi.

(***Entretiens sur la pluralité des mondes,*** *1686, sixième soir)*

HEGEL

36/17 L'art, la religion et la philosophie ne diffèrent que par la forme ; leur objet est le même.

(***Esthétique,*** *t. I, trad. J.G., Aubier-Montaigne, p. 127)*

36/18 Chacun est le fils de son temps. De même aussi la philosophie, elle résume son temps dans la pensée. Il est aussi fou de s'imaginer qu'une philosophie quelconque dépassera le monde contemporain que de croire qu'un individu sautera au-dessus de son temps, franchira le Rhodus.

(***Principes de la philosophie du droit,*** *1821, trad. Andrée Kaan, Gallimard, 1940, p. 43)*

36/19 La philosophie vient toujours trop tard. En tant que pensée du monde, elle apparaît seulement lorsque la réalité a accompli et terminé son processus de formation.

(***Id.,*** *p. 45)*

36/20 La chouette de Minerve ne prend son vol qu'à la tombée de la nuit.

*(**Ibid.**)*

HUSSERL

36/21 Quiconque veut vraiment devenir philosophe devra « une fois dans sa vie » se replier sur soi-même et, au-dedans de soi, tenter de renverser toutes les sciences admises jusqu'ici et tenter de les reconstruire. La philosophie — la sagesse — est en quelque sorte une affaire personnelle du philosophe. Elle doit se constituer en tant que *sienne,* être *sa* sagesse, *son* savoir qui, bien qu'il tende vers l'universel, soit acquis par lui et qu'il doit pouvoir justifier dès l'origine et à chacune de ses étapes, en s'appuyant sur ses intuitions absolues.

*(**Méditations cartésiennes, Introduction à la phénoménologie,** 1929, trad. G. Peiffer et E. Lévinas, Librairie J. Vrin, 1953, p. 2)*

36/22 L'Europe a un lieu de naissance. Je ne songe pas, en termes de géographie, à un territoire, quoique elle en possède un, mais à un lieu spirituel de naissance, dans une nation ou dans le cœur de quelques hommes isolés et de groupes d'hommes appartenant à cette nation. Cette nation est la Grèce antique du VIIe et du VIe siècles avant Jésus-Christ. C'est chez elle qu'est apparue une attitude d'un genre nouveau à l'égard du monde environnant ; il en est résulté l'irruption d'un type absolument nouveau de créations spirituelles qui rapidement ont pris les proportions d'une forme culturelle nettement délimitée. Les Grecs lui ont donné le nom de philosophie ; correctement traduit selon son sens originel, ce terme est un autre nom pour la science universelle, la science du tout du monde, de l'unique totalité qui embrasse tout ce qui est.

*(**La Crise de l'humanité européenne et la philosophie,** 1935, trad. P. Ricœur, Aubier-Montaigne, p. 35)*

KANT

36/23 La philosophie est la science du rapport qu'a toute connaissance aux fins essentielles de l'humaine raison, et le philosophe n'est pas un artiste de la raison, mais le législateur de la raison humaine.

*(**Critique de la raison pure,** 1781, II, trad. Tremesaygues et Pacaud, chap. II, 3e section, **De l'opinion, de la science et de la foi,** p. 562)*

36/24 Je veux dire que la nature, dans ce qui intéresse tous les hommes sans distinction, ne peut être accusée de distribuer partiellement ses dons, et que, par rapport aux fins essentielles de la nature humaine, la plus haute philosophie ne peut pas conduire plus loin que le fait la direction qu'elle a confiée au sens commun.

*(**Ibid.**)*

36/25 Il y a encore un *concept cosmique* de la philosophie qui a toujours servi de fondement à cette dénomination surtout quand on le personnifiait, pour ainsi dire, et qu'on se le représentait comme un type dans l'idéal du *philosophe*. À ce point de vue, la philosophie est la science du rapport qu'a toute connaissance aux fins essentielles de l'humaine raison, et le philosophe n'est pas un artiste de la raison, mais le législateur de la raison humaine. En ce sens, c'est trop orgueilleux que de s'appeler soi-même un philosophe et de prétendre être arrivé à égaler le type qui n'existe qu'en idée.

*(**Id.**, II, chap. III)*

36/26 *Se pourrait-il qu'il y eût plus d'une philosophie?* Non seulement il y a eu différentes manières de philosopher et de remonter aux premiers principes de la raison, afin de fonder avec plus ou moins de bonheur un système, mais encore il était nécessaire qu'un grand nombre de ces tentatives eût lieu, chacune d'entre elles ayant quelque mérite pour la philosophie actuelle; néanmoins puisqu'objectivement, il ne peut y avoir qu'*une* raison humaine, il ne peut se faire qu'il y ait plusieurs philosophies, c'est-à-dire qu'il n'y a qu'un vrai système rationnel possible d'après les principes, si diversement et si souvent contradictoirement que l'on ait pu philosopher sur une seule et même proposition.

*(**Métaphysique des mœurs**, première partie, **Doctrine du droit**, 1797, trad. Philonenko, J. Vrin éd., p. 80)*

36/27 La mathématique est une sorte de branche de l'industrie, la philosophie est un produit du génie.

*(**Opus postumum**, trad. J. Gibelin, Vrin, p. 44)*

36/28 Les travaux philosophiques ne méritent pas tous le nom de philosophie comme science, lorsqu'ils n'ont pas été présentés reliés en un système.

*(**Id.**, p. 96)*

36/29 Un fossé infranchissable sépare la philosophie de la mathématique, bien que l'une et l'autre partent de principes *a priori*; mais l'une part d'intuitions, l'autre de concepts. Une même raison nous transporte dans des mondes différents : philosopher en mathématique est aussi absurde que vouloir progresser en philosophie grâce aux mathématiques : car il y a entre ces sciences une différence spécifique.

*(**Id.**, p. 103)*

36/30 La valeur de la mathématique répond à celle de la raison *technique* pratique, celle de la philosophie à la valeur de la raison *morale* pratique, et elle a en vue la fin ultime et catégorique qui consiste à former des hommes meilleurs. À cette dernière fin, la culture mathématique ne contribue en rien.

*(**Ibid.**,)*

LA BRUYÈRE

36/31 Bien loin de s'effrayer ou de rougir même du nom de philosophe, il n'y a personne au monde qui ne dût avoir une forte teinture de philosophie. Elle convient à tout le monde ; la pratique en est utile à tous les âges, à tous les sexes et à toutes les conditions : elle nous console du bonheur d'autrui, des indignes préférences, des mauvais succès, du déclin de nos forces ou de notre beauté ; elle nous arme contre la pauvreté, la vieillesse, la maladie et la mort, contre les sots et les mauvais railleurs ; elle nous fait vivre sans une femme, ou nous fait supporter celle avec qui nous vivons !

*(**De l'homme,** § 132, in **Les Caractères,** 1688-1696)*

LAGNEAU

36/32 Sans doute on ne peut pas dire que la philosophie cesse où la clarté commence (car une certaine clarté commence avec la philosophie) ; on peut affirmer du moins que, là où la clarté dure et ne s'est pas interrompue, la philosophie n'a pas commencé.

*(**De la métaphysique,** 1880, in **Célèbres leçons et fragments,** P.U.F., p. 31)*

36/33 Disons-le hardiment, philosopher c'est expliquer, au sens vulgaire des mots, le clair par l'obscur, *clarum per obscurius.*

*(**Id.**, p. 32)*

36/34 La philosophie, c'est la réflexion aboutissant à reconnaître sa propre insuffisance et la nécessité d'une action absolue partant du dedans.

*(**Fragment 5,** mars 1898, in **Célèbres leçons et fragments,** P.U.F., p. 53)*

36/35 La philosophie, c'est la recherche de la réalité par la réflexion d'abord, et ensuite par la réalisation.

(***Fragment 6,*** *mars 1898,* ***Ibid.***)

36/36 La philosophie est la recherche de la réalité par l'étude de l'esprit considéré en lui-même et dans son rapport avec tous ses objets.

(***Fragment 7,*** *mars 1898,* ***Ibid.***)

MARX-ENGELS

36/37 Les philosophes n'ont fait qu'*interpréter* le monde de différentes manières, ce qui importe, c'est de le *transformer.*

(***L'Idéologie allemande,*** *1846, trad. de H. Auger, G. Badia, J. Baudrillard, R. Cartelle, éd. sociales, 1968, p. 34*)

36/38 La philosophie est à l'étude du monde réel ce que l'onanisme est à l'amour sexuel.

(***Id.,*** *p. 269*)

36/39 Les philosophes n'auraient qu'à transposer leur langage dans le langage ordinaire dont il est abstrait, pour reconnaître qu'il n'est que le langage déformé du monde réel et se rendre compte que ni les idées ni le langage ne forment en soi un domaine à part, qu'ils ne sont que les *expressions* de la vie réelle.

(***Id.,*** *p. 490*)

MERLEAU-PONTY

36/40 Philosopher est une manière d'exister entre d'autres, et l'on ne peut pas se flatter d'épuiser, comme dit Marx, dans « l'existence purement philosophique » l'« existence religieuse », l'« existence politique », l'« existence juridique », l'« existence artistique », ni en général « la vraie existence humaine ». Mais si le philosophe le sait, s'il se donne pour tâche de suivre les autres expériences et les autres existences dans leur logique immanente au lieu de se mettre à leur place, s'il quitte l'illusion de contempler la totalité de l'histoire achevée et se sent comme tous les autres hommes pris en elle et devant un avenir *à faire*, alors la philosophie se réalise en se supprimant comme philosophie séparée.

(***Sens et non-sens,*** *1948, Nagel, p. 236*)

36/41 Le philosophe est l'homme qui s'éveille et qui parle, et l'homme contient silencieusement les paradoxes de la philosophie, parce que, pour être tout à fait homme, il faut être un peu plus et un peu moins qu'homme.

*(**Éloge de la philosophie,** 1953, Gallimard, p. 86)*

36/42 La philosophie n'est pas un certain savoir, elle est la vigilance qui ne nous laisse pas oublier la source de tout savoir.

*(**Signes,** 1960, Gallimard, p. 138)*

MONTAIGNE

36/43 Je conseillois, en Italie, à quelqu'un qui estoit en peine de parler Italien, que pourveu qu'il ne cerchast qu'à se faire entendre, sans y vouloir autrement exceller, qu'il employast seulement les premiers mots qui luy viendroyent à la bouche, Latins, François, Espaignols ou Gascons, et qu'en y adjoustant la terminaison Italienne, il ne faudroit jamais à rencontrer quelque idiome du pays, ou Thoscan, ou Romain, ou Venitien, ou Piémontois, ou Napolitain, et de se joindre à quelqu'une de tant de formes. Je dis de mesme de la Philosophie ; elle a tant de visages et de variété, et a tant dict, que tous nos songes et resveries s'y trouvent.

*(**Essais,** 1580-1595, II, XII, Pléiade, Gallimard, p. 612)*

NIETZSCHE

36/44 De même que l'art des jardins rococo naquit du sentiment : « la nature est laide, sauvage, ennuyeuse, — allons ! embellissons-la (embellir la nature) ! » — de même, du sentiment : « la science est laide, aride, désolante, difficile, ardue, — allons ! embellissons-la ! » renaît constamment quelque chose qui s'appelle *la philosophie*.

*(**Aurore,** 1880, 427, trad. J. Hervier, Gallimard, p. 305)*

36/45 Je me suis demandé assez souvent si, tout compte fait, la philosophie jusqu'alors n'aurait pas absolument consisté en une exégèse du corps et un malentendu du corps.

*(**Le Gai Savoir,** 1882, § 2, trad. Klossowski, Club français du livre et 10/18, p. 41)*

36/46 Pour vivre seul, il faut être une bête ou un dieu, dit Aristote. Reste un troisième cas : il faut être les deux à la fois... *philosophe*...

*(**Crépuscule des idoles ou Comment philosopher à coups de marteau,** « Götzen-Dämmerung », 1888, traduit de l'allemand par Jean-Claude Hemery, Idées/Gallimard, p. 13)*

36/47 La philosophie, telle que je l'ai toujours comprise et vécue, consiste à vivre volontairement dans les glaces et sur les cimes, — à rechercher tout ce qui dans l'existence dépayse et fait question, tout ce qui, jusqu'alors, a été mis au ban par la morale.

*(**Ecce Homo,** 1894, traduit de l'allemand par Jean-Claude Hemery, Idées/Gallimard, § 3, p. 9)*

36/48 Comment je conçois le philosophe : comme un terrifiant explosif qui met le monde entier en péril ; comment je situe l'idée que je me fais du philosophe : à mille lieues d'une notion qui englobe encore jusqu'à un Kant, sans même parler des « ruminants » universitaires et autres professeurs de philosophie...

*(**Id.,** p. 89)*

PIE IX

36/49 Comme une chose est le philosophe et une autre la philosophie, celui-là a le droit et le devoir de se soumettre à une autorité qu'il aura lui-même reconnue comme vraie, tandis que la philosophie ne peut ni ne doit se soumettre à aucune autorité.

*(**Syllabus renfermant les principales erreurs de notre temps,** 8 déc. 1864, titre II, prop. 10)*

PLATON

36/50 Sont philosophes ceux qui sont capables d'atteindre à ce qui existe toujours de façon immuable.

*(**La République,** XI, 484 b)*

36/51 Le fils de Clinias, sa manière est de dire tantôt telles choses, tantôt d'autres ; tandis que le propre de la philosophie, c'est de dire toujours les mêmes choses.

*(**Gorgias,** 482 a)*

36/52 S'étonner : voilà un sentiment qui est tout à fait d'un philosophe. La philosophie n'a pas d'autre origine, et celui qui a fait d'Iris la fille de Thaumas semble bien ne pas s'être trompé sur la généalogie.

*(**Théétète,** 155 d)*

SCHOPENHAUER

36/53 La philosophie est essentiellement la *science du monde* ; son problème, c'est le monde ; c'est au monde seul qu'elle a affaire ; elle laisse les dieux en paix, mais elle attend, en retour, que les dieux la laissent en paix.

*(**Le monde comme volonté et comme représentation,** 1819, trad. A. Burdeau, revue et corrigée par R. Roos, P.U.F., p. 884)*

SERRES

36/54 À quoi bon la philosophie si elle n'ouvre pas toutes les aventures, sans en interdire aucune, la science, la docte ignorance, la naïveté, la beauté, l'ivresse de Dieu?

*(**Statues,** Éd. François Bourin, 1987, p. 344)*

VALÉRY

36/55 La philosophie ne consiste-t-elle pas, après tout, à faire semblant d'ignorer ce que l'on sait et de savoir ce que l'on ignore? Elle doute de l'existence; mais elle parle sérieusement de l'« Univers »...

*(**L'Homme et la Coquille,** 1937,* in ***Œuvres,** t. I, Pléiade, Gallimard, p. 897)*

VOLTAIRE

36/56 Le philosophe n'est point enthousiaste, il ne s'érige point en prophète, il ne se dit point inspiré des dieux; ainsi je ne mettrai au rang des philosophes, ni l'ancien Zoroastre, ni Hermès, ni l'ancien Orphée, ni aucun de ces législateurs dont se vantaient les nations de la Chaldée, de la Perse, de la Syrie, de l'Egypte et de la Grèce. Ceux qui se dirent enfants des dieux étaient les pères de l'imposture; et, s'ils se servirent du mensonge pour enseigner des vérités, ils étaient indignes de les enseigner; ils n'étaient pas philosophes: ils étaient tout au plus de très prudents menteurs.

*(**Dictionnaire philosophique. La Raison par alphabet,** 1765, article **Philosophe,** section première)*

WITTGENSTEIN

36/57 La plupart des propositions et des questions qui ont été écrites sur des matières philosophiques sont non pas fausses, mais dépourvues de sens. Pour cette raison nous ne pouvons absolument pas répondre aux questions de ce genre, mais seulement établir qu'elles sont dépourvues de sens.

*(**Tractatus logico-philosophicus,** 1921, prop. 4.003, trad. P. Klossowski, Gallimard, Idées, p. 71)*

36/58 Le but de la philosophie est la clarification logique de la pensée.

La philosophie n'est pas une doctrine mais une activité.

Une œuvre philosophique consiste essentiellement en élucidations.

Le résultat de la philosophie n'est pas un nombre de « propositions philosophiques », mais le fait que des propositions s'éclaircissent.

La philosophie a pour but de rendre claires et de délimiter rigoureusement les pensées qui autrement, pour ainsi dire, sont troubles et floues.

*(**Id.,** prop. 4.112, p. 82)*

36/59 La juste méthode de la philosophie serait en somme la suivante : ne rien dire sinon ce qui se peut dire, donc les propositions des sciences de la nature — donc quelque chose qui n'a rien à voir avec la philosophie — et puis à chaque fois qu'un autre voudrait dire quelque chose de métaphysique, lui démontrer qu'il n'a pas donné de signification à certains signes dans ses propositions. Cette méthode ne serait pas satisfaisante pour l'autre — il n'aurait pas le sentiment que nous lui enseignons de la philosophie — mais elle serait la seule rigoureusement juste.

*(**Id.,** prop. 6.53, p. 176)*

POUVOIR

ALAIN

37/1 Le pouvoir le plus énergique est justement celui qui voudrait avoir l'approbation de l'homme libre ; exactement la libre approbation de l'homme libre. Donc la force laisse ici ses baïonnettes, et veut séduire.

(25 juin 1921, in ***Propos II,*** *270, Pléiade, Gallimard, p. 396)*

37/2 La parenté des dieux et le pouvoir patriarcal transporté dans l'Olympe furent des inventions comparables à celles de Copernic et de Newton.

(12 nov. 1921, ***Id.,*** *294, p. 439)*

37/3 Tout pouvoir est triste.

(15 juin 1924, ***Id.,*** *406, p. 630)*

37/4 L'idée de Dieu termine un système par le haut ; c'est le système des pouvoirs. Par exemple le droit divin d'après lequel Louis XIV gouvernait résulte évidemment de la toute-puissance de Dieu. Car un pouvoir établi, surtout ancien, fait partie de cette lourde existence totale qui nous tient tous, et qui est providentielle. Il faut donc adorer aussi le roi, sous cette réserve que le roi, à son tour, doit compte au roi des rois. Remarquez que le roi le plus puissant et le plus solidement établi fut aussi le plus soucieux peut-être de son salut. Il croyait et on croyait en lui. Il respectait et on le respectait. Je retrouve ce rapport ascendant et descendant en tous les pouvoirs forts.

(15 oct. 1924, ***Id.,*** *418, p. 651)*

37/5 Il n'y a qu'un pouvoir, qui est militaire. Les autres pouvoirs font rire, et laissent rire.

*(**Le Citoyen contre les pouvoirs,** aux éd. du Sagittaire, Simon Kra, 1926, p. 137)*

37/6 Pour bien comprendre le pouvoir spirituel, il ne faut pas le considérer comme s'exerçant dans son propre domaine, où il est toujours ambigu, mais bien dans son opposition au pouvoir temporel, qui est celui des gardes et gendarmes. Sous ce rapport le pouvoir spirituel peut être exercé par le pape, par un saint, par un sage, par n'importe quel homme qui refuse à la force valeur de justice.

*(**Préliminaires à la mythologie,** écrits en 1932-1933, publ. 1943, in **Les Arts et les Dieux,** Pléiade, Gallimard, p. 1168)*

37/7 Nul n'accepte une parcelle de pouvoir sans la condition d'une parcelle de méchanceté.

*(**Id.,** p. 1189)*

ARISTOTE

37/8 C'est en premier lieu dans l'être vivant qu'il est possible d'observer l'autorité du maître et celle du chef politique : l'âme, en effet, gouverne le corps avec une autorité de maître, et l'intellect, règle le désir avec une autorité de chef politique et de roi.

*(**La Politique,** trad. J. Tricot, librairie Vrin éd., I, 5, 1254 b, p. 39)*

37/9 C'est par nature que la plupart des êtres commandent ou obéissent.

*(**Id.,** I, 13 1260a)*

BIBLE (LA)

37/10 Que toute personne soit soumise aux puissances supérieures ; car il n'y a point de puissance qui ne vienne de Dieu, et c'est lui qui a établi toutes celles qui sont sur la terre.

Celui donc qui résiste aux puissances résiste à l'ordre de Dieu ; et ceux qui y résistent attirent la condamnation sur eux-mêmes.

*(**Nouveau Testament, épître de saint Paul aux Romains,** XIII, 1, 2, traduit sur la Vulgate par Lemaistre de Sacy)*

CHAMFORT

37/11 Lorsque l'on considère que le produit du travail et des lumières de trente ou quarante siècles a été de livrer trois cent millions d'hommes répandus sur le globe à une trentaine de despotes, la plupart ignorants et imbéciles, dont chacun est gouverné par trois ou quatre scélérats, quelquefois stupides : que penser de l'humanité, et qu'attendre d'elle à l'avenir ?

*(**Maximes et pensées, caractères et anecdotes,** 1795, chap. VIII, § 472)*

CHESTERTON

37/12 La soumission à un homme faible est discipline. La soumission à un homme fort est servilité.

*(**Ce qui cloche dans le monde** [**What is wrong with the world**], 1910, trad. J.-C. Laurens, Gallimard, p. 93)*

COMTE

37/13 L'homme n'est pas moins enclin à la révolte qu'à la soumission. Pour que son obéissance devienne certaine et durable, il faut que l'ensemble de sa nature se trouve dignement subjugué.

*(**Système de politique positive, ou Traité de sociologie instituant la religion de l'humanité,** 1852, t. II, chap. V, p. 272)*

37/14 Il faut naturellement distinguer trois pouvoirs sociaux, d'après les trois éléments nécessaires de la force collective, en correspondance spontanée avec les trois parties essentielles de notre constitution cérébrale. Le pouvoir matériel est concentré chez les grands ou les riches ; le pouvoir intellectuel appartient aux sages ou aux prêtres ; et le pouvoir moral réside parmi les femmes : ils reposent respectivement sur la force, la raison et l'affection.

*(**Id.,** p. 311)*

37/15 En qualifiant l'un des grands pouvoirs sociaux du titre de *spirituel*, on rappelle suffisamment que l'autre est matériel. Leur nature propre se trouve ainsi caractérisée profondément. De même, en nommant l'un *temporel*, on indique assez l'éternité de l'autre. Or ce second caractère n'est pas moins décisif que le premier.

*(**Id.,** p. 315)*

37/16 Le pouvoir religieux, principal organe de la continuité humaine, représente seul les deux durées infinies entre lesquelles flotte le domaine éphémère du pouvoir politique proprement dit.

*(**Ibid.**)*

37/17 On ne saurait régler que des pouvoirs préexistants ; sauf les cas d'illusions métaphysiques, où l'on croit les créer à mesure qu'on les définit.

*(**Id.,** p. 335)*

Coran (Le)

37/18 Et nous les avons placés en rangs, les uns au-dessus des autres, afin que les uns prennent les autres pour les servir ; et la miséricorde de ton Seigneur vaut mieux que les biens qu'ils amassent.

(644-656, trad. J.-E. Bencheikh, sourate 43, verset 31)

Déclaration des droits de l'homme et du citoyen

37/19 Le principe de toute souveraineté réside essentiellement dans la nation : nul corps, nul individu ne peut exercer d'autorité qui n'en émane expressément.

(14 nov. 1791, art. III)

DIDEROT

37/20 Le consentement des hommes réunis en société est le fondement du *pouvoir*. Celui qui ne s'est établi que par la force ne peut subsister que par la force.

*(**Encyclopédie,** 1751-1765, art. **Pouvoir**)*

DURKHEIM

37/21 L'opinion, chose sociale au premier chef, est une source d'autorité et l'on peut même se demander si toute autorité n'est pas fille de l'opinion. On objectera que la science est souvent l'antagoniste de l'opinion dont elle combat et rectifie les erreurs. Mais elle ne peut réussir dans cette tâche que si elle a une suffisante autorité et elle ne peut tenir cette autorité que de l'opinion elle-même.

*(**Les Formes élémentaires de la vie religieuse,** Alcan 1925, p. 298)*

ÉPICTÈTE

37/22 Si tu désires une couronne, prends-la de roses et mets-la sur ta tête ; elle sera plus jolie à voir.

*(**Entretiens,** I, XIX, trad. É. Bréhier, in **Les Stoïciens,** Pléiade, Gallimard, p. 855)*

37/23 Pour moi, j'ai tout examiné et personne n'a de pouvoir sur moi.
*(**Id.**, IV, VI, p. 1081)*

FOUCAULT

37/24 Le discours, en apparence, a beau être bien peu de chose, les interdits qui le frappent révèlent très tôt, très vite, son lien avec le désir et avec le pouvoir. Et à cela quoi d'étonnant : puisque le discours — la psychanalyse nous l'a montré —, ce n'est pas simplement ce qui manifeste (ou cache) le désir ; c'est aussi ce qui est l'objet du désir ; et puisque — cela, l'histoire ne cesse de nous l'enseigner — le discours n'est pas simplement ce qui traduit les luttes ou les systèmes de domination, mais ce pour quoi, ce par quoi on lutte, le pouvoir dont on cherche à s'emparer.
*(**L'Ordre du discours,** leçon inaugurale au Collège de France, 2 déc. 1970, Gallimard, p. 12)*

HOLBACH

37/25 Le *pouvoir* est la possession des facultés ou des moyens nécessaires pour faire concourir les autres hommes à ses propres volontés. Le pouvoir légitime est celui qui détermine les autres à se prêter à nos vues, par l'idée de leur propre bonheur : ce pouvoir n'est qu'une violence quand, sans aucun avantage pour nous, ou même à notre préjudice, il nous oblige de nous soumettre à la volonté des autres.
*(**Le Système social,** Londres, 1773, t. I, p. 143)*

IBN KHALDOUN

37/26 La réunion des hommes en société étant accomplie, et l'espèce humaine ayant peuplé le monde, il est nécessaire qu'un pouvoir les contienne et les maintienne à distance les uns des autres ; car l'homme, en tant qu'animal, est porté par sa nature à l'agressivité et à l'injustice.
*(**La Muqaddima [Les Prolégomènes]**, 1375-1379, trad. J.-E. Bencheikh, Hachette-Alger, p. 38)*

KANT

37/27 Tout État contient en soi trois *pouvoirs*, c'est-à-dire la volonté générale unie en trois personnes (*trias politica*) : *Le pouvoir souverain* qui réside en la personne du législateur, le *pouvoir exécutif*, en la personne qui gouverne (conformément à la loi) et le *pouvoir judiciaire* (qui attribue à chacun le sien suivant la loi) en la personne du juge *(potestas legislatoria, rectoria et iudiciaria).*

*(**Métaphysique des mœurs,** première partie, **Doctrine du droit,** 1797, trad. Philonenko, J. Vrin éd., p. 195)*

37/28 Le pouvoir *législatif* ne peut appartenir qu'à la volonté unifiée du peuple.

*(**Id.,** p. 196)*

LÉNINE

37/29 Le prolétariat a besoin du pouvoir d'État, d'une organisation centralisée de la force, d'une organisation de la violence, aussi bien pour réprimer la résistance des exploiteurs que pour *diriger* la grande masse de la population — paysannerie, petite bourgeoisie, semi-prolétaires — dans la « mise en place » de l'économie socialiste.

*(**L'État et la Révolution,** 1917, chap. II, 1, éd. sociales, p. 39)*

LUCRÈCE

37/30 Sisyphe aussi existe dans la vie, sous nos yeux, s'acharnant à briguer devant le peuple les faisceaux et les haches, et se retirant toujours vaincu et triste. Car rechercher le pouvoir qui n'est que vanité et que l'on n'obtient point, et dans cette poursuite s'atteler à un dur travail incessant, c'est bien pousser avec effort au flanc d'une montagne le rocher qui, à peine hissé au sommet, retombe et va rouler en bas dans la plaine.

*(**De la nature,** livre III, trad. H. Clouard, Garnier-Frères, p. 112)*

LYOTARD

37/31 Cessez une dernière fois de confondre pouvoir et puissance... Le pouvoir est d'un moi, d'une instance, la puissance de personne.

*(**Économie libidinale,** 1974, éd. de Minuit, p. 310)*

MACHIAVEL

37/32 Un habile législateur, qui entend servir l'intérêt commun et celui de la patrie plutôt que le sien propre et celui de ses héritiers, doit employer toute son industrie pour attirer à soi tout le pouvoir.

*(**Discours sur la première décade de Tite-Live,** 1513-1520, livre I, chap. IX, trad. Giraudet)*

37/33 Il n'est pas de république, de quelque manière qu'elle se gouverne, où il y ait plus de quarante à cinquante citoyens qui parviennent aux postes où l'on commande. Or, comme c'est un très petit nombre, il est facile de s'en assurer, soit en prenant le parti de les supprimer, soit en donnant à chacun la part d'honneurs et d'emplois qui leur convient.

*(**Id.,** livre I, chap. XVI)*

MARX

37/34 Les différentes méthodes d'accumulation primitive que l'ère capitaliste fait éclore se partagent d'abord, par ordre plus ou moins chronologique, entre le Portugal, l'Espagne, la Hollande, la France et l'Angleterre, jusqu'à ce que celle-ci les combine toutes, au dernier tiers du XVIIe siècle, dans un ensemble systématique, embrassant à la fois le régime colonial, le crédit public, la finance moderne et le système protectionniste. Quelques-unes de ces méthodes reposent sur le pouvoir de l'État, la force concentrée et organisée de la société, afin de précipiter violemment le passage de l'ordre économique féodal à l'ordre économique capitaliste et d'abréger les phases de transition. Et en effet, la force est l'accoucheuse de toute vieille société en travail. La force est un agent économique.

*(**Le Capital,** 1867, livre premier, huitième section, chap. XXXI, trad. par J. Roy, revue par M. Rubel,* in ***Œuvres, Économie I,** Pléiade, Gallimard, p. 1213)*

MILL

37/35 Si la servitude corrompt toujours, elle corrompt moins l'esclave que le maître, sauf quand elle est poussée jusqu'à l'abrutissement. Sur le plan moral, il est meilleur pour un être humain de subir des contraintes, même si elles émanent d'un pouvoir arbitraire, que d'exercer sans contrôle un pouvoir de cette nature.

*(**L'Asservissement des femmes,** 1869, trad. Marie-Françoise Cachin, Payot, p. 159)*

MONTESQUIEU

37/36 Dans toute magistrature, il faut compenser la grandeur de la puissance par la brièveté de sa durée.

*(**De l'esprit des lois,** 1748, livre II, chap. 3)*

NIETZSCHE

37/37 Là où *règne le droit*, on maintient un certain état et degré de puissance. On s'oppose à son accroissement et à sa diminution. Le droit des autres est une concession faite par notre sentiment de puissance au sentiment de puissance de ces autres. Si notre puissance se montre profondément ébranlée et brisée, nos droits cessent : par contre, si nous sommes devenus beaucoup plus puissants, les droits que nous avions reconnus aux autres jusque-là cessent d'exister pour nous.

*(**Aurore,** 1880, livre deuxième, § 112, trad. Julien Hervier, Gallimard, p. 119)*

PIE IX

37/38 L'Église n'a pas le droit d'employer la force ; elle n'a aucun pouvoir temporel direct ou indirect.

*(**Syllabus renfermant les principales erreurs de notre temps,** 8 déc. 1864, titre V, prop. 24)*

PLATON

37/39 Ceux qui possèdent la science politique, qu'ils aient ou non, dans l'exercice de leur pouvoir, le consentement de leurs sujets, qu'ils s'appuient ou non sur des lois écrites, qu'ils soient riches ou pauvres, doivent être regardés comme trouvant dans un art déterminé le fondement de leur pouvoir.

*(**Le Politique,** 293 a, trad. Lachièze-Rey, Boivin éd.)*

ROSTAND (Jean)

37/40 Le moins qu'on puisse dire du pouvoir, c'est que la vocation en est suspecte.

*(**Pensées d'un biologiste,** 1939, chap. X, p. 210)*

SAINT-JUST

37/41 On ne peut régner innocemment.

*(**Discours concernant le jugement de Louis XVI,** Convention nationale, 13 nov. 1790)*

SÉNÈQUE

37/42 Celui-là est le plus puissant qui a tout pouvoir sur soi.

*(**Lettres,** IX)*

SMITH (Adam)

37/43 *Richesse c'est pouvoir*, a dit Hobbes ; mais celui qui acquiert une grande fortune ou qui l'a reçue par héritage, n'acquiert par là nécessairement aucun pouvoir politique, soit civil, soit militaire. Peut-être sa fortune pourra-t-elle lui fournir les moyens d'acquérir l'un ou l'autre de ces pouvoirs, mais la simple possession de cette fortune ne les lui transmet pas nécessairement. Le genre de pouvoir que cette possession lui transmet immédiatement et directement, c'est le pouvoir d'acheter ; c'est un droit de commandement sur tout le travail d'autrui, ou sur tout le produit de ce travail existant alors au marché. Sa fortune est plus ou moins grande exactement en proportion de l'étendue de ce pouvoir, en proportion de la quantité de travail d'autrui qu'elle le met en état de commander, ou, ce qui est la même chose, du produit du travail d'autrui qu'elle le met en état d'acheter. *La valeur échangeable* d'une chose quelconque doit nécessairement toujours être précisément égale à la quantité de cette sorte de pouvoir qu'elle transmet à celui qui la possède.

*(**Recherches sur la nature et les causes de la richesse des nations,** 1776, édité par G. Mairet, Gallimard, Idées, livre I, chap. V, p. 62)*

SPINOZA

37/44 Nous devons nous rappeler que nous sommes au pouvoir de Dieu comme l'argile au pouvoir du potier qui, de la même terre, fait des vases dont les uns sont pour l'honneur, les autres pour l'opprobre, et aussi que l'homme peut bien agir contrairement à ces décrets de Dieu qui sont imprimés comme des lois dans notre âme ou dans celle des prophètes, mais non contre le décret éternel de Dieu qui est gravé dans tout l'univers et qui concerne l'ordre de toute la nature.

*(**Traité politique,** posth., 1677, chap. II, § 22, trad. Ch. Appuhn, Garnier-Frères, p. 23)*

TOCQUEVILLE

37/45 Je pense qu'il faut toujours placer quelque part un pouvoir social supérieur à tous les autres, mais je crois la liberté en péril lorsque ce pouvoir ne trouve devant lui aucun obstacle qui puisse retenir sa marche et lui donner le temps de se modérer lui-même. La toute-puissance me semble en soi une chose mauvaise et dangereuse.

*(**De la démocratie en Amérique,** 1835-1840, U.G.E., 10/18, p. 151)*

37/46 Toutes les fois qu'un pouvoir quelconque sera capable de faire concourir tout un peuple à une seule entreprise, il parviendra avec peu de science et beaucoup de temps à tirer du concours de si grands efforts quelque chose d'immense, sans que pour cela il faille conclure que le peuple est très heureux, très éclairé ni même très fort.

*(**Id.,** p. 250)*

VALÉRY

37/47 C'est l'instinct de l'abus du pouvoir qui fait songer si passionnément au pouvoir. Le pouvoir sans l'abus perd le charme.

*(**Tel quel II, Rhumbs,** 1926,* in ***Œuvres,** t. II, Pléiade, Gallimard, p. 615)*

WEBER

37/48 Tout homme qui fait de la politique aspire au pouvoir, soit parce qu'il le considère comme un moyen au service d'autres fins, idéales ou égoïstes, soit qu'il le désire « pour lui-même » en vue de jouir du sentiment de prestige qu'il confère.

*(**Politik als Beruf,** 1919,* in ***Le Savant et le Politique,** Plon et 10/18, p. 101)*

WEIL (Simone)

37/49 La recherche du pouvoir, du fait même qu'elle est essentiellement impuissante à se saisir de son objet, exclut toute considération de fin, et en arrive, par un renversement inévitable, à tenir lieu de toutes les fins.

*(**Oppression et liberté,** 1934, p. 95)*

PSYCHOLOGIE (Science de l'homme?)

ALAIN

38/1 Toute notre bibliothèque psychologique est bonne pour le pilon.
(22 octobre 1921, in ***Propos II,*** *Pléiade, Gallimard, p. 429)*

COURNOT

38/2 Il est de la nature des faits psychologiques de se traduire en aphorismes plutôt qu'en théorèmes.
(Essai sur les fondements de nos connaissances, *1851)*

DAGOGNET

38/3 La psychologie, prétendue science de l'*ego* — nous y insistons —, a généralement entretenu les mythes. Elle n'a cependant progressé que lorsqu'elle a physicalisé ses recherches, ses approches, ses modèles... Pour nous, le psychique ne se ramène pas à une lumière qui se superposerait, on ne sait d'ailleurs ni comment ni pourquoi, au physique : il est l'essence même du physique.
(Anatomie d'un épistémologue : François Dagognet, *J. Vrin, 1984, p. 123)*

HUSSERL

38/4 Il est certain que le travail de la psychologie moderne n'a pas été vain : elle a produit nombre de règles empiriques qui ont même une grande valeur pratique. Mais elle est aussi peu une psychologie effective que la statistique morale, avec ses connaissances non moins précieuses, n'est une science de la morale.
(La Crise de l'humanité européenne et la philosophie, *1935, trad. P. Ricœur, Aubier-Montaigne, p. 91)*

38/5 Tout bien pesé, je suis d'avis qu'il n'y a jamais eu et qu'il n'y aura jamais de science objective de l'esprit, de doctrine objective de la psyché, l'objectivité consistant à condamner les psychés, les communautés personnelles, à l'inexistence, en les soumettant aux formes de l'espace et du temps.

(***Id.***, *p. 93)*

LAGNEAU

38/6 La psychologie dans sa source et son fond est la métaphysique même.

*(**Fragment 10,** 1898,* in ***Célèbres leçons et fragments,*** *P.U.F., p. 54)*

RENARD

38/7 La psychologie. Quand on se sert de ce mot-là, on a l'air de siffler des chiens.

*(**Journal,** 30 novembre 1890)*

RAISON

ADORNO

39/1 La rationalité est de plus en plus assimilée « more mathematico », à la faculté de quantifier. Aussi justement que cela rende compte du primat d'une science de la nature triomphante, aussi peu cela réside-t-il dans le concept de la ratio en soi. Ce n'est pas son moindre aveuglement que de se fermer aux moments qualitatifs en tant que quelque chose qui pour sa part est à penser rationnellement.

*(**Dialectique négative,** 1959-1966, trad. de l'allemand par le groupe de traduction du Collège de philosophie: Gérard Coffin, Joëlle Masson, Olivier Masson, Alain Renaut et Dagmar Trousson, éd. Payot, 1978, p. 41)*

ARNAULD et NICOLE

39/2 On se sert de la raison comme d'un instrument pour acquérir les sciences, et on devrait se servir, au contraire, des sciences comme d'un instrument pour perfectionner sa raison.

*(**La Logique ou l'Art de penser,** 1662, premier discours)*

BACHELARD

39/3 La « raison humaine », comme le « rayon de l'électron », ne sont que des résumés statistiques.

*(**L'Expérience de l'espace dans la physique contemporaine,** 1937, P.U.F., p. 72)*

CASSIRER

39/4 Le terme de raison est fort peu adéquat pour englober les formes de la vie culturelle de l'homme dans leur richesse et leur diversité. Or ce sont toutes des formes symboliques. Dès lors, plutôt que de définir l'homme comme *animal rationale,* nous le définirons comme *animal symbolicum.*

*(**Essai sur l'homme [An Essay on Man]**, trad. par Norbert Massa, édit. de Minuit, 1975, p. 45)*

CHAMFORT

39/5 Pour parvenir à pardonner à la raison le mal qu'elle fait à la plupart des hommes, on a besoin de considérer ce que ce serait que l'homme sans sa raison. C'était un mal nécessaire.

(***Maximes et pensées, caractères et anecdotes,*** *1795, chap. I, § 39)*

CICÉRON

39/6 De même que le vin étant rarement bon aux malades et le plus souvent nuisible, mieux vaut ne pas leur en donner du tout que les exposer à un danger évident dans un espoir douteux ; ainsi je ne sais s'il n'eût pas mieux valu pour l'humanité que cette agitation, cette subtilité, cette industrie de la pensée que nous appelons raison, qui sont désastreuses pour la multitude et salutaires seulement pour quelques-uns, nous aient été absolument refusées plutôt que d'être si généreusement et si largement distribuées.

(***De natura deorum,*** *III, XXVIII)*

COMTE

39/7 La raison humaine est maintenant assez mûre pour que nous entreprenions de laborieuses recherches scientifiques, sans avoir en vue aucun but étranger capable d'agir fortement sur l'imagination, comme celui que se proposaient les astrologues ou les alchimistes.

(***Cours de philosophie positive,*** *1830-1842, première leçon, III)*

DESCARTES

39/8 Pour la raison ou le sens, d'autant qu'elle est la seule chose qui nous rend hommes et nous distingue des bêtes, je veux croire qu'elle est toute entière en un chacun.

(***Discours de la méthode,*** *1637, première partie, Pléiade, Gallimard, p. 126)*

39/9 Au reste, le vrai usage de notre raison pour la conduite de la vie ne consiste qu'à examiner et considérer sans passion la valeur de toutes les perfections, tant du corps que de l'esprit, qui peuvent être acquises par notre conduite, afin qu'étant ordinairement obligés de nous priver de quelques-unes, pour avoir les autres, nous choisissions toujours les meilleures.

*(**Lettre à Élisabeth,** 1er septembre 1645)*

DIDEROT

39/10 Égaré dans une forêt immense pendant la nuit, je n'ai qu'une petite lumière pour me conduire. Survient un inconnu qui me dit : *Mon ami, souffle la chandelle pour mieux trouver ton chemin.* Cet inconnu est un théologien.

*(**Addition aux pensées philosophiques,** 1770, VIII,*
*in **Œuvres philosophiques,** Garnier, p. 59)*

HEGEL

39/11 La raison est la suprême union de la conscience et de la conscience de soi, c'est-à-dire de la connaissance d'un objet et de la connaissance de soi. Elle est la certitude que ses déterminations ne sont pas moins objectales, ne sont pas moins des déterminations de l'essence des choses qu'elles ne sont nos propres pensées. Elle est, en une seule et même pensée, tout à la fois et au même titre, certitude de soi, c'est-à-dire subjectivité, et être, c'est-à-dire objectivité.

*(**Propédeutique philosophique, Cahiers,** 1808, éd. posth.,*
trad. M. de Gandillac, Denoël/Gonthier, p. 81)

39/12 La raison est aussi puissante que rusée. Sa ruse consiste en général dans cette activité entremetteuse qui, en laissant agir les objets les uns sur les autres conformément à leur propre nature, sans se mêler directement à leur action réciproque, en arrive néanmoins à atteindre uniquement le but qu'elle se propose.

*(**Encyclopédie des sciences philosophiques,** 1817, première partie,*
***La Science de la Logique,** posth. 1840, Berlin,*
trad. B. Bourgeois, Vrin, p. 382)

39/13 La Raison gouverne le monde et par conséquent gouverne et a gouverné l'histoire universelle. Par rapport à cette Raison universelle et substantielle, tout le reste est subordonné et lui sert d'instrument et de moyen. De plus, cette Raison est immanente dans la réalité historique, elle s'accomplit en et par celle-ci. C'est l'*union* de l'Universel existant en soi et pour soi et de l'individuel et du subjectif qui constitue l'unique vérité.

*(**Cours de 1830** in **La Raison dans l'histoire,***
trad. Kostas Papaioannou, 10/18, p. 110)

HOLBACH

39/14 Tout nous prouve que de jour en jour nos mœurs s'adoucissent, les esprits s'éclairent, la raison gagne du terrain...

*(**Le Système social,** Londres, 1773, I, chap. XVI)*

HUME

39/15 La raison n'est rien qu'un merveilleux et inintelligible instinct dans nos âmes, qui nous emporte en une certaine suite d'idées et les dote de qualités particulières, conformément à leurs situations et relations particulières.

*(**Traité de la nature humaine,** 1739, livre I, troisième partie, sect. XVI, trad. A. Leroy, Aubier-Montagne, t. I, p. 266)*

39/16 La raison des sceptiques et la raison des dogmatiques sont d'un même genre malgré la contrariété de leurs opérations et de leurs tendances.

*(**Id.,** livre I, quatrième partie, sect. I, t. I, p. 274)*

39/17 La raison est, et elle ne peut qu'être, l'esclave des passions ; elle ne peut prétendre à d'autres rôles qu'à servir et à leur obéir.

*(**Id.,** livre II, troisième partie, sect. III, t. II, p. 524)*

39/18 Il n'est pas contraire à la raison de préférer la destruction du monde entier à une égratignure de mon doigt.

*(**Id.,** p. 525)*

HUSSERL

39/19 La raison *n'est pas une faculté ayant le caractère d'un fait accidentel*; elle n'englobe pas sous sa notion des faits accidentels, mais elle est *une forme de structure universelle et essentielle de la subjectivité transcendantale en général.*

*(**Méditations cartésiennes, Introduction à la phénoménologie,** 1929, trad. par G. Peiffer et E. Lévinas, Librairie J. Vrin, 1953, p. 48)*

KANT

39/20 Si nous disons de l'entendement qu'il est le pouvoir de ramener les phénomènes à l'unité au moyen des règles, il faut dire de la raison qu'elle est la faculté de ramener à l'unité les règles de l'entendement au moyen de principes. Elle ne se rapporte donc jamais immédiatement ni à l'expérience, ni à un objet quelconque, mais à l'entendement, afin de procurer *a priori* et par concepts aux connaissances variées de cette faculté une unité qu'on peut appeler rationnelle et qui est entièrement différente de celle que l'entendement peut fournir.

(***Critique de la raison pure,*** *1781,* ***Dialectique transcendantale,*** *introd., II*)

39/21 C'est le destin ordinaire de la raison humaine, dans la spéculation, de terminer son édifice aussitôt que possible et de n'examiner qu'ensuite si les fondements, eux aussi, ont été bien posés.

(***Ibid.***)

39/22 La raison, dans une créature, est le pouvoir d'étendre les règles et desseins qui président à l'usage de toutes ses forces bien au-delà de l'instinct naturel, et ses projets ne connaissent pas de limites. Mais elle-même n'agit pas instinctivement : elle a besoin de s'essayer, de s'exercer, de s'instruire, pour s'avancer d'une manière continue d'un degré d'intelligence à un autre. Aussi chaque homme devrait-il jouir d'une vie illimitée pour apprendre comment il doit faire un complet usage de toutes ses dispositions naturelles. Ou alors, si la nature ne lui a assigné qu'une courte durée de vie (et c'est précisément le cas), c'est qu'elle a besoin d'une lignée peut-être interminable de générations où chacune transmet à la suivante ses lumières, pour amener enfin dans notre espèce les germes naturels jusqu'au degré de développement pleinement conforme à ses desseins.

(***Idée d'une histoire universelle au point de vue cosmonopolitique,*** *1784,* in ***La Philosophie de l'histoire [Opuscules]*** *trad. S. Piobetta, Aubier, p. 61*)

39/23 La raison nous a été départie comme puissance pratique, c'est-à-dire comme puissance qui doit avoir de l'influence sur la volonté.

(***Fondements de la métaphysique des mœurs,*** *1785, trad. V. Delbos, sect. I*)

39/24 L'homme trouve réellement en lui une faculté par laquelle il se distingue de toutes les autres choses, même de lui-même en tant qu'il est affecté par des objets, et cette faculté est la *raison.*

(***Id.,*** *sect. III*)

39/25 La raison manifeste dans ce qu'on appelle les Idées, une spontanéité si pure, qu'elle s'élève par là bien au-dessus de ce que la sensibilité peut lui fournir et qu'elle manifeste sa principale fonction en distinguant l'un de l'autre le monde sensible et le monde intelligible, et en assignant par là à l'entendement même ses limites.

(***Ibid.***)

39/26 L'homme est un être qui a des besoins, en tant qu'il appartient au monde sensible, et sous ce rapport, sa raison a certainement une charge qu'elle ne peut décliner à l'égard de la sensibilité, celle de s'occuper des intérêts de cette dernière, de se faire des maximes pratiques, en vue du bonheur de cette vie et aussi, quand cela est possible du bonheur d'une vie future. Mais il n'est pourtant pas animal assez complètement pour être indifférent à tout ce que la raison lui dit par elle-même et pour employer celle-ci simplement comme un instrument propre à satisfaire ses besoins, comme être sensible. Car le fait d'avoir la raison ne lui donne pas du tout une valeur supérieure à la simple animalité, si elle ne doit lui servir que pour ce qu'accomplit l'instinct chez les animaux.

*(**Critique de la raison pratique,** 1788, première partie, livre premier, chap. II, trad. Picavet)*

LAGNEAU

39/27 Nous appelons raison le pouvoir de sortir de soi en affirmant une loi supérieure dont l'homme trouve en lui l'idée, et en dehors le reflet seulement, une loi qu'il ne fait pas, mais qu'il peut comprendre, et tout par elle, à condition de l'accepter et de s'y soumettre.

*(**Simples notes pour un programme d'union et d'action,** 1892,* in ***Célèbres leçons et Fragments,** P.U.F., 1950, p. 40)*

LEIBNIZ

39/28 La connaissance des vérités nécessaires et éternelles est ce qui nous distingue des simples animaux et nous fait avoir la *Raison* et les sciences ; en nous élevant à la connaissance de nous-mêmes et de Dieu. Et c'est ce qu'on appelle en nous Âme raisonnable, ou *Esprit.*

*(**La Monadologie,** 1714, éd. Émile Boutroux, Delagrave, § 29)*

39/29 Si la liberté consiste à secouer le joug de la raison, les fous et les insensés seront les seuls libres ; mais je ne crois pas que pour l'amour d'une telle liberté, personne voulût être fou, hormis celui qui l'est déjà.

*(**Nouveaux essais sur l'entendement humain,** 1704, publ. posth. 1765, livre II, chap. XXI, § 50)*

MONTAIGNE

39/30 Il semble que nous n'avons autre mire de la vérité et de la raison que l'exemple et idée des opinions et usances du païs où nous sommes.

*(**Essais,** 1580-1595, livre I, chap. XXXI, Pléiade, Gallimard, p. 243)*

39/31 J'appelle toujours raison cette apparence de discours que chacun forge en soi.

*(**Id.,** livre II, chap. XII)*

NIETZSCHE

39/32 Je crains que les animaux ne considèrent l'homme comme un être de leur espèce, mais qui a perdu de la plus dangereuse façon *la saine raison animale,* je crains qu'ils ne le considèrent comme l'*animal absurde,* comme l'animal qui rit et pleure, comme l'animal désastreux.

*(**Le Gai Savoir,** 1882, § 224, trad. A. Vialatte, Gallimard)*

PASCAL

39/33 La raison a beau crier, elle ne peut mettre le prix aux choses.

*(**Pensées,** posth. 1669, sect. II, 82, éd. Brunschvicg, Hachette)*

39/34 Deux excès : exclure la raison, n'admettre que la raison.

*(**Id.,** sect. IV, 253)*

PIE IX

39/35 La raison est la règle souveraine par laquelle l'homme peut et doit acquérir la connaissance de toutes les vérités de toute sorte.

*(**Syllabus renfermant les principales erreurs de notre temps,** 8 décembre 1864, titre I, prop. 4)*

PLATON

39/36 N'est-ce pas à la raison qu'il appartient de commander, puisqu'elle est sage et qu'elle est, pour l'âme, une providence supérieure ?

*(**La République,** IV, 441e)*

PUTNAM

39/37 S'il est vrai que seuls les énoncés critériellement vérifiables sont rationnellement acceptables, alors cet énoncé lui-même ne peut pas être critériellement vérifié et il ne peut donc pas être rationnellement acceptable.

*(**Raison, vérité et histoire,** 1981, trad. de l'anglais par A. Gerschenfeld, éd. de Minuit, 1984, p. 127)*

ROUSSEAU

39/38 Ils ont beau me crier : Soumets ta raison ; autant m'en peut dire celui qui me trompe : il me faut des raisons pour soumettre ma raison.

*(**Émile ou De l'éducation,** 1762, livre quatrième, éd. du Seuil, t. 3, p. 206)*

SARTRE

39/39 Un fou ne fait jamais que réaliser à sa manière la condition humaine.

*(**L'Être et le Néant,** 1943, troisième partie, chap. III, I, Gallimard, p. 442, note I)*

SCHOPENHAUER

39/40 Il y a quelque chose de féminin, dans la nature de la raison ; elle ne donne que lorsqu'elle a reçu. Par elle-même, elle ne contient que les formes vides de son activité.

*(**Le monde comme volonté et comme représentation,** 1819, trad. A Burdeau, revue et corrigée par R. Roos, P.U.F., p. 83)*

WEIL (Éric)

39/41 L'homme concret, l'individu, n'est pas raisonnable tout court. Certes, il n'est pas privé de raison, mais il la possède à un degré plus ou moins élevé : peut-être n'arrive-t-il jamais à la possession totale de la raison entière ; il n'en est pas moins certain qu'il peut en être dépourvu, qu'on rencontre des animaux qui ont tout de l'homme au sens des définitions scientifiques, même le langage, et qui ne possèdent pas l'essentiel au sens du philosophe : des fous, des crétins, des *homines minime sapientes*. Pour être regrettable, ce fait ne souffre pas de contestation : l'homme, à certains moments et en certains lieux, n'a-t-il pas été assez dénué de raison pour tuer les philosophes ?

*(**Logique de la philosophie,** 1967, Vrin, p. 4)*

WEIL (Simone)

39/42 Il n'y a qu'une seule et même raison pour tous les hommes ; ils ne deviennent étrangers et impénétrables les uns aux autres que lorsqu'ils s'en écartent.

*(**Oppression et liberté,** 1934, p. 131)*

RELIGION

ALAIN

40/1 Dans la religion tout est vrai, excepté le sermon ; tout est bon, excepté le prêtre.

(29 décembre 1906, in ***Propos II,*** *Pléiade, Gallimard, p. 23)*

40/2 Comme le davier a la forme de la dent, la religion a la forme de nos passions.

(22 décembre 1910, ***Id.,*** *p. 194)*

40/3 Acceptation, ce n'est toujours que la moitié de la religion ; l'autre est révolte, revendication, appel contre ce qui est, vers ce qui devrait être.

(27 janvier 1911, ***Id.,*** *p. 200)*

40/4 La religion est vraie en tout le reste, et menteuse seulement en ce qu'elle dit. Car s'il y avait un Dieu au ciel, comment ne pas crier de terreur ou de colère ?

(2 septembre 1911, ***Id.,*** *p. 227)*

40/5 Les dieux sont nos métaphores, et nos métaphores sont nos pensées.

(3 septembre 1921, ***Id.,*** *p. 421)*

40/6 Il y a toujours eu deux religions, dont l'une nous tire vers le dehors et les pratiques, et l'autre au contraire, nous ramène à quelque chose d'indomptable en nous-mêmes.

(3 mars 1928, ***Id.,*** *p. 740)*

40/7 Toute religion parle par des temples, des statues, des emblèmes ; et il est bon de former par précaution l'idée que l'art et la religion ne sont pas deux choses, mais plutôt l'envers et l'endroit d'une même étoffe.

*(**La Mythologie humaine,** écrit en 1932-1933, publ. 1943,* in ***Les Arts et les Dieux,*** *Pléiade, Gallimard, p. 1147)*

40/8 L'anthropomorphisme est bien loin d'être l'erreur capitale des religions ; il en est plutôt la vérité vivante.

*(**Id.,** p. 1150)*

40/9 Un précieux ami, qui suivait la religion de ses parents, me disait : « La messe, ce n'est pas plus irréligieux qu'autre chose. » Le mot n'était pas sans portée, car les images sont toutes prestige ou toutes vérité selon l'usage qu'on en fait.

(***Id.***, *p. 1171*)

40/10 La religion consiste à croire par volonté, sans preuves, et même contre les preuves, que l'esprit, valeur suprême et juge des valeurs, existe sous les apparences, et se révèle même dans les apparences, pour qui sait lire l'histoire.

(***Définitions***, *posth. 1953, art.* ***Religion***)

COMTE

40/11 Aux yeux de la foi, surtout monothéique, la vie sociale n'existe pas, à défaut d'un but qui lui soit propre ; la société humaine ne peut alors offrir immédiatement qu'une simple agglomération d'individus, dont la réunion est presque aussi fortuite que passagère et qui, occupés chacun de son seul salut, ne conçoivent la participation à celui d'autrui que comme un puissant moyen de mieux mériter le leur, en obéissant aux prescriptions suprêmes qui en ont imposé l'obligation.

(***Discours sur l'esprit positif***, *1844, Librairie Schleicher, p. 87*)

40/12 Aucune rénovation mentale ne peut vraiment régénérer la société que lorsque la systématisation des idées conduit à celle des sentiments seule socialement décisive, et sans laquelle la philosophie ne remplacerait jamais la religion.

(***Système de politique positive ou Traité de sociologie instituant la religion de l'humanité***, *t. I, Dédicace, 1851, p. X*)

40/13 La religion constitue, pour l'âme, un consensus normal exactement comparable à celui de la santé envers le corps.

(***Id.***, *t. II, 1852,* ***Statique sociale***, *chap. 1er, p. 8*)

40/14 Il serait autant irrationnel de supposer plusieurs religions que plusieurs santés.

(***Ibid.***)

40/15 Si l'amour excite à croire en surmontant l'orgueil, la foi dispose à aimer en prescrivant la soumission.

(***Id.***, *p. 17*)

40/16 Notre nature, individuelle ou collective, devient de plus en plus religieuse, quelque étrange que doive sembler aujourd'hui une telle loi.

(***Id.***, *p. 19*)

40/17 Toute l'histoire de l'Humanité se condense nécessairement dans celle de la religion. La loi générale du mouvement humain consiste, sous un aspect quelconque, en ce que l'homme devient de plus en plus religieux.

(***Catéchisme positiviste ou Sommaire exposition de la religion universelle en onze entretiens systématiques entre une femme et un prêtre de l'humanité,*** *1852, Conclusion, Onzième entretien)*

COURNOT

40/18 L'idée de Dieu, c'est l'idée de la Nature personnalisée et moralisée, non pas à l'instar de l'homme, mais par une induction motivée sur la conscience de la personnalité et de la moralité humaines ; l'idée de la Nature, c'est l'idée de Dieu, mutilée par la suppression de la personnalité, de la liberté et de la moralité : d'où cette profonde contradiction, qu'il y a dans l'idée de la Nature à la fois beaucoup plus et beaucoup moins que dans l'idée que l'homme se fait de ses propres facultés.

(***Traité de l'enchaînement des idées fondamentales dans les sciences et dans l'histoire,*** *1861, livre III, chap. X, § 319, Hachette, p. 361)*

DESCARTES

40/19 Je me formai une morale par provision, qui ne consistait qu'en trois ou quatre maximes dont je veux bien vous faire part.

La première était d'obéir aux lois et aux coutumes de mon pays, retenant constamment la religion en laquelle Dieu m'a fait la grâce d'être instruit dès mon enfance, et me gouvernant en toute autre chose suivant les opinions les plus modérées et les plus éloignées de l'excès, qui fussent communément reçues en pratique par les mieux sensés de ceux avec lesquels j'aurais à vivre.

(***Discours de la méthode,*** *1637, troisième partie)*

DIDEROT

40/20 Il y a des gens dont il ne faut pas dire qu'ils craignent Dieu, mais bien qu'ils en ont peur.

(***Pensées philosophiques,*** *1746, VIII)*

40/21 On demandait un jour à quelqu'un s'il y avait de vrais athées. Croyez-vous, répondit-il, qu'il y ait de vrais chrétiens?

(***Id.,*** *XVI)*

40/22 La croyance d'un Dieu fait et doit faire presque autant de fanatiques que de croyants. Partout où l'on admet un Dieu, il y a un culte ; partout où il y a un culte, l'ordre naturel des devoirs moraux est renversé, et la morale corrompue. Tôt ou tard, il vient un moment où la notion qui a empêché de voler un écu fait égorger cent mille hommes.

*(**Lettre à Sophie Volland,** 6 octobre 1765)*

40/23 Il n'appartient qu'à l'honnête homme d'être athée.

*(**Essai sur les règnes de Claude et Néron, et sur la vie de Sénèque pour servir d'introduction à la lecture de ce philosophe,** 1778, livre II, LVI)*

DURKHEIM

40/24 L'idée même d'une cérémonie religieuse de quelque importance éveille naturellement l'idée de fête. Inversement, toute fête, alors même qu'elle est purement laïque par ses origines, a certains caractères de la cérémonie religieuse, car, dans tous les cas, elle a pour effet de rapprocher les individus, de mettre en mouvement les masses et de susciter ainsi un état d'effervescence, parfois même de délire, qui n'est pas sans parenté avec l'état religieux.

*(**Les Formes élémentaires de la vie religieuse,** Alcan, 1925, p. 547)*

40/25 Il y a dans la religion quelque chose d'éternel qui est destiné à survivre à tous les symboles particuliers dans lesquels la pensée religieuse s'est successivement enveloppée.

*(**Id.,** p. 609)*

FEUERBACH

40/26 La religion repose sur cette *différence essentielle* qui distingue l'homme de l'animal : les animaux *n'ont pas* de religion.

*(**L'Essence du christianisme,** 1841, Introd., in **Manifestes philosophiques,** trad. L. Althusser, P.U.F., 10/18, p. 79)*

40/27 La religion est la conscience de l'infini ; elle est donc et ne peut être que la conscience que prend l'homme de *sa propre* essence, non de son essence finie et bornée, mais de son essence *infinie.*

*(**Id.,** p. 81)*

40/28 Les temples érigés en l'honneur de la religion le sont, en vérité, *en l'honneur de l'architecture.*

*(**Id.,** p. 107)*

40/29 L'homme affirme en Dieu ce qu'il nie en lui-même.

*(**Id.**, p. 116)*

FICHTE

40/30 La religion n'est pas une occupation indépendante que l'on pourrait pratiquer en dehors des autres occupations, par exemple à de certains jours et de certaines heures ; mais elle est l'esprit intérieur qui pénètre, anime et baigne toute notre pensée et toute notre action, lesquelles par ailleurs poursuivent leur chemin sans s'interrompre.

*(**Initiation à la vie bienheureuse,** 1806, trad. Max Rouché, cinquième conférence, Aubier, p. 180)*

FREUD

40/31 De tout temps, l'immoralité a trouvé dans la religion autant de soutien que la moralité.

*(**L'Avenir d'une illusion,** 1927, P.U.F., p. 54)*

40/32 La religion serait la névrose obsessionnelle universelle de l'humanité ; comme celle de l'enfant, elle dérive du complexe d'Œdipe, des rapports de l'enfant au père.

*(**Id.**, p. 61)*

40/33 Le vrai croyant se trouve à un haut degré à l'abri du danger de certaines affections névrotiques ; l'acceptation de la névrose universelle le dispense de la tâche de se créer une névrose personnelle.

*(**Id.**, p. 62)*

40/34 Je crois qu'il faudrait longtemps avant qu'un enfant à qui l'on n'en aurait rien dit commençât à s'inquiéter de Dieu et des choses de l'au-delà.

*(**Id.**, p. 67)*

40/35 La religion, quand on tente de déterminer sa place dans l'histoire de l'évolution humaine, n'apparaît pas comme une durable acquisition mais comme le pendant de la névrose par laquelle l'homme doit inévitablement passer sur la voie qui le mène de l'enfance à la maturité.

*(**Nouvelles conférences sur la psychanalyse,** 1932, Gallimard, p. 228)*

GOETHE

40/36 La foi est un capital particulier, secret, comme il existe des caisses publiques d'épargne et de secours, où l'on puise, pour donner aux gens le nécessaire dans les jours de détresse : ici le croyant se paye à lui-même, en silence, ses intérêts.

*(**Pensées,** 1815-1832,* in ***Œuvres,** t. I, trad. J. Porchat, Hachette, p. 419)*

40/37 Il n'y a que deux vraies religions, l'une qui reconnaît et adore sans aucune forme la sainteté qui habite en nous et autour de nous, l'autre qui la reconnaît et l'adore dans la forme la plus belle : tout ce qui se trouve entre deux est idolâtrie.

*(**Id.,** p. 448)*

HEGEL

40/38 La religion représente l'esprit absolu non seulement pour l'intuition et la représentation, mais aussi pour la pensée et la connaissance. Sa destination capitale est d'élever l'individu à la pensée de Dieu, de provoquer son union avec lui et de l'assurer de cette unité.

*(**Propédeutique philosophique, Cahiers,** 1808, éd. posth., trad. M. de Gandillac, Denoël/Gonthier, p. 175)*

40/39 La religion est le lieu où un peuple se donne la définition de ce qu'il tient pour le Vrai.

*(**Cours de 1830,** notes d'étudiants,* in ***La Raison dans l'histoire,** trad. Kostas Papaioannou, 10/18, p. 151)*

40/40 L'art, la religion et la philosophie ne diffèrent que par la forme ; leur objet est le même.

*(**Esthétique,** posth. 1832, t. I, trad. J. G., Aubier-Montaigne, p. 127)*

HOLBACH

40/41 Les hommes tiennent à leur religion comme les sauvages à l'eau-de-vie.

*(**Le Système de la nature,** Londres, 1770, I, chap. VI)*

40/42 Il n'est pas deux individus sur la terre qui aient ou qui puissent avoir les mêmes idées de leur Dieu.

*(**Le Bon Sens du curé Meslier,** Londres, 1772, § 122)*

HUME

40/43 Nous pouvons observer qu'en dépit des manières dogmatiques et impérieuses de toutes les superstitions, la conviction des hommes religieux est, à toute époque, plus affectée que réelle et approche très rarement et fort peu la ferme croyance et la ferme persuasion qui nous gouvernent dans les affaires ordinaires de la vie.

*(**L'Histoire naturelle de la religion,** 1757, trad. Michel Malherbe, Vrin, p. 85)*

HUSSERL

40/44 Les dieux au pluriel, les puissances mythiques de tous genres, sont des objets du monde environnant : ils ont la même réalité que l'animal ou l'homme. Dans la notion de *Dieu* le singulier est essentiel.

*(**La Crise de l'humanité européenne et la philosophie,** 1935, trad. P. Ricœur, Aubier-Montaigne, p. 59)*

IBN KHALDOUN

40/45 Une nation s'affaiblit lorsque s'altère et se corrompt le sentiment religieux.

*(**La Muqaddima** [**Les Prolégomènes**], 1375-1379, trad. J.-E. Bencheikh, Hachette-Alger, p. 131)*

KIERKEGAARD

40/46 Foi et doute ne sont pas deux genres de connaissance à déterminer en continuité l'un de l'autre, car ni l'un ni l'autre n'est un acte de connaissance, ce sont des passions contraires.

*(**Riens philosophiques,** 1844, trad. K. Ferlov et Jean-J. Gateau, Gallimard, p. 170)*

40/47 Quand Socrate croyait qu'il y a un Dieu, il maintenait fermement l'incertitude objective avec toute la passion de l'intériorité et c'est dans cette contradiction, ce risque, que réside justement la foi. Maintenant il en est autrement, à la place de l'incertitude objective nous avons la certitude que cela, objectivement, est l'absurde, et cet absurde, maintenu fermement dans la passion de l'intériorité, est la foi. L'incertitude socratique est comme une fine plaisanterie en comparaison du sérieux de l'absurde, et l'intériorité socratique existentielle est comme l'insouciance grecque en comparaison de la tension de la foi.

*(**Post-scriptum,** deuxième partie, 2e section, chap. II, trad. P. Petit, Gallimard)*

40/48 Cela doit être dit ; que cela soit donc dit : « Qui que tu sois et quelle que soit ta vie, mon ami, si tu cesses de participer (au cas d'ailleurs où tu y participes) au culte officiellement rendu à Dieu tel qu'on le pratique actuellement (avec prétention d'être le christianisme du Nouveau

Testament), tu as toujours une faute de moins sur la conscience, et une grande : en ce qui te concerne, tu ne te moques pas de Dieu en appelant christianisme du Nouveau Testament ce qui n'est pas le christianisme du Nouveau Testament.

Je le répète, cela doit être dit : en cessant de participer au culte officiel, tel qu'il est maintenant célébré (si d'ailleurs tu y prends part), tu as toujours une faute de moins sur la conscience et une grande : en ce qui te concerne, tu ne te moques pas de Dieu.

*(**Cela doit être dit ; que cela soit donc dit,** Copenhague, 1855, in **Œuvres complètes,** t. 19, Éditions de l'Orante, 1982, pp. 77-78)*

LACORDAIRE

40/49 La religion, fût-elle fausse, est un élément nécessaire à la vie d'un peuple.

*(**Lettres à un jeune homme,** 24 fév. 1858, Poussielgue éd., p. 41)*

LICHTENBERG

40/50 Pour que la religion soit appréciée de la masse, il faut nécessairement qu'elle garde quelque chose du *haut goût* de la superstition.

*(**Aphorismes,** premier cahier 1764-1771, trad. Marthe Robert, J.-J. Pauvert, p. 63)*

LUCRÈCE

40/51 La piété, ce n'est pas se montrer à tout instant la tête voilée devant une pierre, ce n'est pas s'approcher de tous les autels, ce n'est pas se prosterner sur le sol la paume ouverte en face des statues divines, ce n'est pas arroser les autels du sang des animaux, ni ajouter les prières aux prières ; mais c'est bien plutôt regarder toutes choses de ce monde avec sérénité.

*(**De la nature,** livre V, trad. H. Clouard, Garnier-Frères, p. 187)*

MACHIAVEL

40/52 Tout ce qui tend à favoriser la religion doit être bienvenu, quand même on en reconnaîtrait la fausseté ; et on le doit d'autant plus qu'on a plus de sagesse et de connaissance de la nature humaine.

*(**Discours sur la première décade de Tite-Live,** 1513-1520, trad. Giraudet 1798, I, chap. 12)*

MARX

40/53 La religion est le soupir de la créature accablée par le malheur, elle est le cœur d'un monde sans cœur, comme elle est l'esprit d'une époque sans esprit : elle est *l'opium du peuple.*

*(**Contribution à la critique de la philosophie du droit de Hegel,** 1844, in **Deutsch-französischer Jahrbücher**)*

MERLEAU-PONTY

40/54 La religion fait partie de la culture, non comme dogme, ni même comme croyance, comme cri.

*(**Sens et non-sens,** 1948, Nagel, p. 169)*

MOLIÈRE

40/55 SGANARELLE. — ... Mais encore faut-il croire quelque chose dans le monde : qu'est-ce donc que vous croyez ?
DON JUAN. — Ce que je crois ?
SGANARELLE. — Oui.
DON JUAN. — Je crois que deux et deux sont quatre, Sganarelle, et que quatre et quatre sont huit.
SGANARELLE. — La belle croyance que voilà ! Votre religion, à ce que je vois, est donc l'arithmétique ?

*(**Dom Juan ou le Festin de pierre,** 1665, acte III, sc. 1)*

MONTAIGNE

40/56 L'homme est bien insensé. Il ne sçauroit forger un ciron, et forge des Dieux à douzaines.

*(**Essais,** 1580-1595, II, XII, Pléiade, Gallimard, p. 593)*

MONTESQUIEU

40/57 La religion est moins un sujet de sanctification qu'un sujet de disputes qui appartient à tout le monde.

*(**Lettres persanes,** 1721, Lettre LXXV)*

NIETZSCHE

40/58 Il n'existe entre les religions et la science véritable ni parenté, ni amitié, ni même inimitié : elles vivent sur des planètes différentes.

*(**Humain, trop humain,** 1878, I, trad. de A.-M. Desrousseaux, Denoël-Gontier, p. 115)*

40/59 Si la foi ne rendait pas heureux, il n'y aurait pas de foi : combien peu de valeur elle doit donc avoir !

(***Id.***, *p. 125)*

40/60 ÉMIETTEMENT DES ÉGLISES. — Il n'y a pas assez de religion dans le monde pour anéantir seulement les religions.

(***Id.***, *p. 126)*

40/61 Dans toute religion, l'homme religieux est une exception.

(***Le Gai Savoir,*** *1882, trad. Klossowski, § 128)*

40/62 Les guerres de religion ont constitué jusqu'alors le plus grand progrès des masses : car elles démontrent que la masse s'est mise à considérer les notions avec respect.

(***Id.***, *§ 144)*

PASCAL

40/63 La conduite de Dieu, qui dispose toutes choses avec douceur, est de mettre la religion dans l'esprit par les raisons, et dans le cœur par la grâce. Mais de la vouloir mettre dans l'esprit et dans le cœur par la force et par les menaces, ce n'est pas y mettre la religion mais la terreur, *terrorem potius quam religionem.*

(***Pensées,*** *posth. 1669, section III, 185, éd. Brunschvicg, Hachette)*

40/64 La vraie religion enseigne nos devoirs, nos impuissances : orgueil et concupiscence ; et les remèdes : humilité, mortification.

(***Id.***, *section VII, 493)*

PIE IX

40/65 Chaque homme est libre d'embrasser et de professer la religion qu'à la lumière de la raison il aura jugée vraie.

(***Syllabus renfermant les principales erreurs de notre temps,*** *8 déc. 1864, titre III, prop. 15)*

RENARD

40/66 Ce serait impressionnant, ce corps dans cette boîte, sous ces voûtes immenses et sonores, si les prêtres ridicules n'enlevaient tout sérieux.

(***Journal,*** *30 déc. 1899)*

ROSTAND (Jean)

40/67 Il est plus facile de mourir pour ce qu'on croit que d'y croire un peu moins.

*(**Pensées d'un biologiste,** 1939, chap. X, p. 212)*

ROUSSEAU

40/68 S'il était une religion sur la terre hors de laquelle il n'y eût que peine éternelle, et qu'en quelque lieu du monde un seul mortel de bonne foi n'eût pas été frappé de son évidence, le Dieu de cette religion serait le plus inique et le plus cruel des tyrans.

*(**Émile ou De l'éducation,** 1762, livre quatrième, éd. du Seuil, t. 3, p. 205)*

40/69 Ils ont beau me crier : Soumets ta raison ; autant m'en peut dire celui qui me trompe : il me faut des raisons pour soumettre ma raison.

*(**Id.,** p. 206)*

SCHOPENHAUER

40/70 Le besoin d'une métaphysique s'impose irrésistiblement à tout homme, et, sur les points essentiels, les religions tiennent justement lieu de métaphysique à la grande masse qui est incapable de penser.

*(**Le monde comme volonté et comme représentation,** 1819, trad. A. Burdeau, revue et corrigée par R. Roos, P.U.F., p. 859)*

STIRNER

40/71 Aujourd'hui encore nous employons ce mot d'origine latine « Religion », qui par son étymologie exprime l'idée de *lien ;* et liés nous sommes en effet, et liés nous resterons tant que nous serons imprégnés de religion.

*((**L'Unique et sa Propriété,** 1844, première partie, II, § 2, trad. de R.L. Reclaire, Stock éd., p. 55)*

VALÉRY

40/72 Il n'y a pas de doute que la foi existe ; mais on se demande avec quoi elle coexiste dans ceux chez qui elle existe.

*(**Stendhal,** 1927,* in ***Œuvres,*** *t. I, Pléiade, Gallimard, p. 577)*

WEIL (Simone)

40/73 La religion en tant que source de consolation est un obstacle à la véritable foi, et en ce sens l'athéisme est une purification.

*(**Cahiers II,** nouvelle éd., Plon, 1972, p. 129)*

SENS

ALAIN

41/1 On ne peut lire si on ne connaît les lettres, seulement les lettres sont effacées par le sens.

(1er avril 1922, in ***Propos II,*** *Pléiade, Gallimard, p. 476)*

41/2 Ne cherchez jamais à quoi pense un fou, mais plutôt observez comment un dérangement mécanique produit des signes qui n'ont pas de sens ; ou plutôt comprenez mieux les signes qui sont signes d'un dérangement mécanique seulement. Je pensais à ces autres comme je lisais la *Psychanalyse* de Freud ; ce n'est qu'un art de deviner ce qui n'est point. Mais l'art de deviner se compose ici avec l'art de persuader ; car ce genre de médecin n'est pas content s'il ne fait pas que le malade forme enfin des pensées de médecin.

(17 juil. 1922, in ***Propos I,*** *Pléiade, Gallimard, p. 422)*

41/3 Quand on appuie vivement sur la poitrine d'un poulet plumé et paré, et enfin mort à n'en point douter, on produit un cri d'angoisse de poulet qui est assez étonnant ; mais croyez-vous que cette femme qui pousse alors un cri de surprise pense davantage?

(Id., *p. 423)*

41/4 Par ma structure d'homme, tous mes mouvements sont des signes, et tous mes cris sont des sortes de mots. Dois-je croire que tout cela a un sens, et traduit à moi-même mes propres pensées, pour moi secrètes, de moi séparées, et qui vivent, s'élaborent, se conservent dans mes profondeurs?

(janvier 1931, in ***Propos II,*** *522, Pléiade, Gallimard, p. 849)*

41/5 La signification d'un poème ne tient pas toute dans ce qu'on en pourrait expliquer en prose. Il y a autre chose, qui est bien plus puissant ; il y a un sens qui porte l'autre sens ; un sens qui est inexprimable, si ce n'est pas le poème, toujours neuf, toujours touchant.

(Vingt leçons sur les beaux-arts, *1931, Ve leçon)*

ECO

41/6 Rien ne console plus l'auteur d'un roman que de découvrir les lectures auxquelles il n'avait pas pensé et que les lecteurs lui suggèrent... Je ne dis pas que l'auteur ne puisse découvrir une lecture qui lui semble aberrante, mais dans tous les cas il devrait se taire : aux autres de la contester, texte en main. Pour le reste, la grande majorité des lecteurs fait découvrir des effets de sens auxquels on n'a pas pensé. Mais que signifie le fait de ne pas y avoir pensé ?

*(**Apostille au « Nom de la Rose »**, Grasset, 1985, p. 9)*

FREUD

41/7 La déformation qui constitue un *lapsus* a un sens. Qu'entendons-nous par ces mots : *a un sens ?* que l'effet du lapsus a peut-être le droit d'être considéré comme un acte psychique complet, ayant son but propre, comme une manifestation ayant son contenu et sa signification propres.

*(**Introduction à la psychanalyse**, 1917, Payot, p. 45)*

41/8 Lorsque nous parlons du « sens » d'un processus psychique, ce « sens » n'est pour nous autre chose que l'intention à laquelle il sert et la place qu'il occupe dans la série psychique. Nous pourrions même, dans la plupart de nos recherches, remplacer le mot « sens » par les mots « intention » ou « tendance ».

*(**Id.**, p. 50)*

41/9 Je ne crois pas qu'un événement à la production duquel ma vie psychique n'a pas pris part soit capable de m'apprendre des choses cachées concernant l'état futur de la réalité ; mais je crois qu'une manifestation non intentionnelle de ma propre activité psychique me révèle quelque chose de caché qui, à son tour, n'appartient qu'à ma vie psychique ; je crois au hasard extérieur (réel) ; mais je ne crois pas au hasard intérieur (psychique).

*(**La Psychopathologie de la vie quotidienne**, 1922, Payot, p. 297)*

GOETHE

41/10 Je plains les personnes qui se récrient sur l'instabilité des choses humaines et se perdent en réflexions sur le néant terrestre : nous sommes justement ici-bas pour rendre impérissable ce qui est périssable, et cela ne peut se faire que si nous savons apprécier l'un et l'autre.

*(**Pensées,** 1815-1832,* in ***Œuvres,** t. I, trad. J. Porchat, Hachette, p. 419)*

HEGEL

41/11 Pour bien connaître les faits et les voir à leur vraie place, il faut être placé au sommet — non les regarder d'en bas, par le trou de la serrure de la moralité ou de quelque autre sagesse.

*(**Cours de 1822,*** in ***La Raison dans l'histoire,** trad. K. Papaioannou, Plon et 10/18, p. 28)*

41/12 Le point de vue général de l'histoire philosophique n'est pas abstraitement général, mais concret et éminemment actuel parce qu'il est l'Esprit qui demeure éternellement auprès de lui-même et ignore le passé. Semblable à Mercure, le conducteur des âmes, l'Idée est en vérité ce qui mène les peuples et le monde, et c'est l'Esprit, sa volonté raisonnable et nécessaire, qui a guidé et continue de guider les événements du monde.

*(**Id.,** p. 39)*

HEIDEGGER

41/13 L'art advient de la *fulguration* à partir de laquelle seulement se détermine le « sens de l'être ».

*(**L'Origine de l'œuvre d'art,** Supplément, 1961,* in ***Chemins qui ne mènent nulle part,** traduit par W. Brokmeier et édité par F. Fédier, Gallimard, p. 67)*

KANT

41/14 Deux choses remplissent l'âme d'une admiration et d'un respect toujours renaissants et toujours croissants à mesure que la pensée y revient et s'y applique : le ciel étoilé au-dessus de nous, la loi morale au-dedans.

*(**Critique de la raison pratique,** 1788, conclusion, trad. Picavet, P.U.F.)*

LÉVINAS

41/15 La rencontre d'autrui nous offre le premier sens, et dans ce prolongement on retrouve tous les autres.

*(**Entretiens avec « Le Monde », 1. Philosophies,** Éd. La Découverte et Journal Le Monde, 1984, p. 142)*

MERLEAU-PONTY

41/16 La parole n'est pas le « signe » de la pensée, si l'on entend par là un phénomène qui en annonce un autre comme la fumée annonce le feu. La parole et la pensée n'admettraient cette relation extérieure que si elles étaient l'une et l'autre thématiquement données ; en réalité elles sont enveloppées l'une dans l'autre, le sens est pris dans la parole et la parole est l'existence extérieure du sens.

(***Phénoménologie de la perception,*** *1945, Gallimard, p. 211*)

41/17 La résolution d'ignorer le sens que les hommes ont eux-mêmes donné à leur action et de réserver à l'enchaînement des faits toute l'efficacité historique, — en un mot l'idolâtrie de l'objectivité, — renferme, selon une profonde remarque de Trotsky, le jugement le plus audacieux quand il s'agit d'une révolution, puisqu'elle impose *a priori* à l'homme d'action qui croit à une logique de l'histoire et à une vérité de ce qu'il fait, les catégories de l'historien « objectif », qui n'y croit pas.

(***Sens et non-sens,*** *1948, Nagel, pp. 159-160*)

41/18 Les statues d'Olympie, qui font tant pour nous attacher à la Grèce, nourrissent cependant aussi, dans l'état où elles nous sont parvenues, — blanchies, brisées, détachées de l'œuvre entière —, un mythe frauduleux de la Grèce, elles ne savent pas résister au temps comme le fait un manuscrit, même incomplet, déchiré, presque illisible. Le texte d'Héraclite jette pour nous des éclairs comme aucune statue en morceaux ne peut le faire, parce que la signification en lui est autrement déposée, autrement concentrée qu'en elles, et que rien n'égale la ductilité de la parole. Enfin le langage dit, et les voix de la peinture sont les voix du silence.

(***Signes,*** *1960, Gallimard, p. 101*)

PASCAL

41/19 Le silence éternel de ces espaces infinis m'effraie.

(***Pensées,*** *posth. 1669, section III, 206, éd. Brunschvicg, Hachette*)

41/20 Les hommes sont si nécessairement fous, que ce serait être fou par un autre tour de folie, de n'être pas fou.

(***Id.,*** *VI, 414*)

41/21 En voyant l'aveuglement et la misère de l'homme, en regardant tout l'univers muet, et l'homme sans lumière, abandonné à lui-même, et comme égaré dans ce recoin de l'univers, sans savoir qui l'y a mis, ce qu'il y est venu faire, ce qu'il deviendra en mourant, incapable de toute connaissance, j'entre en effroi comme un homme qu'on aurait porté endormi dans une île déserte et effroyable, et qui s'éveillerait sans connaître où il est, et sans moyen d'en sortir.

*(**Id.**, XI, 693)*

PUTNAM

41/22 Lorsqu'on dit qu'une traduction n'a pas saisi le sens de l'original, il faut comprendre qu'une meilleure traduction était possible ; mais il est illusoire de croire qu'aucune traduction possible ne parviendra à saisir le sens ou la référence « réels » de l'original.

*(**Raison, vérité et histoire,** 1981, trad. de l'anglais par A. Gerschenfeld, éd. de Minuit, 1984, p. 132)*

VALÉRY

41/23 Dieu a tout fait de rien. Mais le rien perce.

*(**Mauvaises pensées et autres,** 1941,* in ***Œuvres,** t. II, Pléiade, Gallimard, p. 907)*

VEYNE

41/24 Il n'y a pas de rationalité de l'histoire. Nous ne rencontrons que de l'inventivité... Nous ne pouvons pas prévoir un sens de l'histoire. On sait seulement que nous ne pouvons pas prévoir ce qui paraîtra scandaleux dans deux siècles.

*(**Entretiens avec « Le Monde », 3. Idées contemporaines,** Éd. La Découverte et Journal Le Monde, 1984, p. 189)*

VOLTAIRE

41/25 Pourquoi existe-t-il tant de mal, tout étant formé par un Dieu que tous les théistes se sont accordés à nommer *bon*?

*(**Dictionnaire philosophique, La Raison par alphabet,** 1765, article **Les Pourquoi**)*

WITTGENSTEIN

41/26 La plupart des propositions et des questions qui ont été écrites sur des matières philosophiques sont non pas fausses, mais dépourvues de sens. Pour cette raison nous ne pouvons absolument pas répondre aux questions de ce genre, mais seulement établir qu'elles sont dépourvues de sens.

*(**Tractatus logico-philosophicus,** 1921, Prop. 4.003, trad. P. Klossowski, Gallimard, Idées, p. 71)*

41/27 Le sens du monde doit se trouver en dehors du monde. Dans le monde toutes choses sont comme elles sont et se produisent comme elles se produisent : il n'y a pas *en lui* de valeur — et s'il y en avait une, elle n'aurait pas de valeur.

(Prop. 6.41, p. 170)

41/28 Une réponse qui ne peut être exprimée suppose une question qui elle non plus ne peut être exprimée.

L'*énigme* n'existe pas. Si une question se peut absolument poser, elle *peut* aussi trouver sa réponse.

(Prop. 6.50, p. 173)

SOCIÉTÉ

ALAIN

42/1 Je crois que la société est fille de la peur, et non pas de la faim. Bien mieux, je dirais que le premier effet de la faim a dû être de disperser les hommes plutôt que de les rassembler, tous allant chercher leur nourriture justement dans les régions les moins explorées. Seulement tandis que le désir les dispersait, la peur les rassemblait. Le matin, ils sentaient la faim et devenaient anarchistes. Mais le soir ils sentaient la fatigue et la peur, et ils aimaient les lois.

(22 juil. 1908, in ***Propos II,*** *Pléiade, Gallimard, p. 82)*

42/2 Société : État de solidarité, en partie naturelle, en partie voulue, avec un groupe de nos semblables. Le lien de société est en partie de fait et non choisi, en partie imposé, en partie choisi ou confirmé par la volonté. Tous les paradoxes de la vie en société résultent de ce mélange ; et l'on ne peut pas nommer société une association qui n'a pas une part de hasard et une part d'amitié. Le contrat social ne fait jamais que reprendre volontairement ce qui est subi comme ce qui est aimé. Les sociétés fondées sur un contrat ne sont pas de véritables sociétés. Une banque, dès qu'il y a menace de ruine, tout le monde en retire ses fonds et l'abandonne. La véritable société est fondée sur la famille, sur l'amitié (Aristote), et sur les extensions de la famille.

*(**Définitions,** posth. 1953, art. **Société**)*

ARISTOTE

42/3 L'homme qui est dans l'incapacité d'être membre d'une communauté, ou qui n'en éprouve nullement le besoin parce qu'il se suffit à lui-même, ne fait en rien partie d'une cité, et par conséquent est ou une brute ou un dieu.

*(**La Politique,** trad. J. Tricot, librairie Vrin éd., I, 2, 1253a)*

42/4 Que la cité soit naturellement antérieure à l'individu, cela est évident.

*(**Ibid.**)*

BERGSON

42/5 Humaine ou animale, une Société est une organisation : elle implique une coordination et généralement aussi une subordination d'éléments les uns aux autres : elle offre donc, ou simplement vécu, ou de plus, représenté, un ensemble de règles ou de lois.

*(**Les deux sources de la morale et de la religion,** 1932, Alcan, p. 22)*

BOURDIEU

42/6 L'histoire individuelle dans ce qu'elle a de plus singulier, et dans sa dimension sexuelle même, est socialement déterminée. Ce que dit très bien la formule de Cart Schorske : « Freud oublie qu'Œdipe était un roi ». Mais, s'il est en droit de rappeler au psychanalyste que le rapport père-fils est aussi un rapport de succession, le sociologue doit lui-même éviter d'oublier que la dimension proprement psychologique du rapport père-fils peut faire obstacle à une succession sans histoire, dans laquelle l'héritier est en fait hérité par l'héritage.

*(**Entretiens avec « Le Monde », 6. La Société,** Éd. La Découverte et Journal Le Monde, 1985, p. 110)*

CHAMFORT

42/7 Les fléaux physiques et les calamités de la nature humaine ont rendu la société nécessaire. La société a ajouté aux malheurs de la nature. Les inconvénients de la société ont amené la nécessité du gouvernement, et le gouvernement ajoute aux malheurs de la société. Voilà l'histoire de la nature humaine.

*(**Maximes et pensées, caractères et anecdotes,** 1795, chap. I, § 67)*

42/8 On peut considérer l'édifice métaphysique de la société comme un édifice matériel qui serait composé de différentes niches, ou compartiments d'une grandeur plus ou moins considérable. Les places avec leurs prérogatives, leurs droits, etc., forment ces divers compartiments, ces différentes niches. Elles sont durables et les hommes passent. Ceux qui les occupent sont tantôt grands, tantôt petits, et aucun ou presque aucun n'est fait pour sa place. Là, c'est un géant, courbé ou accroupi dans sa niche ; là, c'est un nain sous une arcade : rarement la niche est faite pour la stature ; autour de l'édifice circule une foule d'hommes de différentes tailles. Ils attendent tous qu'il y ait une niche de vide, afin de s'y placer, quelle qu'elle soit.

(**Id.**, *chap. III, § 180)*

CHESTERTON

42/9 Parce que chaque homme est un bipède, cinquante hommes ne font pas un centipède.

*(**Ce qui cloche dans le monde** [**What is wrong with the world**] 1910, trad. J.C. Laurens, Gallimard, 1948, p. 10)*

42/10 L'une des premières erreurs du monde moderne est de présumer, profondément et tacitement, que les choses passées sont devenues impossibles. Voici une métaphore dont les modernes sont très férus ; ils disent toujours : « On ne peut pas retarder la pendule. » La réponse est claire et simple : « On peut. » Une pendule, qui est un objet de construction humaine, peut être replacée par un doigt humain, à n'importe quelle heure. Ainsi, la société, qui est un objet de construction humaine, peut être reconstruite dans n'importe quelle forme déjà éprouvée.

*(**Id.**, p. 33)*

COMTE

42/11 Aucune rénovation mentale ne peut vraiment régénérer la société que lorsque la systématisation des idées conduit à celle des sentiments, seule socialement décisive, et sans laquelle la philosophie ne remplacerait jamais la religion.

*(**Système de politique positive,** 1851, dédicace, p. X)*

42/12 Si, dans les œuvres individuelles, rien de grand n'est possible sans un digne concours entre le cœur et l'esprit, de même toute rénovation sociale exige l'active coopération des deux sexes.

*(**Id.**, dédicace, p. XIV)*

42/13 Une *société* n'est pas plus décomposable en *individus* qu'une surface géométrique ne l'est en lignes ou une ligne en points. La moindre société, savoir la famille, quelquefois réduite à son couple fondamental, constitue donc le véritable élément sociologique.

*(**Id.**, t. II, chap. III, p. 181)*

42/14 Dans l'ordre humain, seul type complet de l'ordre universel, il n'existe pas davantage de familles sans société que de sociétés sans familles.

*(**Id.**, p. 182)*

42/15 La famille humaine n'est, au fond, que notre moindre société ; et l'ensemble normal de notre espèce ne forme, en sens inverse, que la plus vaste famille.

*(**Id.**, p. 191)*

42/16 Il n'existe pas davantage de société sans gouvernement que de gouvernement sans société.

*(**Id.**, t. II, chap. V, p. 267)*

42/17 Notre nature cérébrale, simultanément disposée au sentiment, à l'activité et à l'intelligence, nous rend susceptibles de trois modes d'association, suivant celle des trois tendances qui devient prépondérante. De là résultent successivement trois sociétés humaines, de moins en moins intimes et de plus en plus étendues, dont chacune forme l'élément spontané de la suivante, la famille, la cité, et l'Église.

*(**Id.**, p. 304)*

COURNOT

42/18 Les sociétés humaines sont tout à la fois des *organismes* et des *mécanismes*.

*(**Traité de l'enchaînement des idées fondamentales dans les sciences et dans l'histoire,** 1861, Hachette, p. 373)*

DELACROIX

42/19 L'homme est un animal sociable qui déteste ses semblables.

*(**Journal,** 17 novembre 1852)*

DIDEROT

42/20 La soumission à la volonté générale est le lien de toutes les sociétés, sans en excepter celles qui sont formées par le crime.

*(**Encyclopédie,** 1751-1765, art. **Droit naturel,** § 9)*

42/21 Si la terre avait satisfait d'elle-même à tous les besoins de l'homme, il n'y aurait point eu de société ; d'où il s'ensuit, ce me semble, que c'est la nécessité de lutter contre l'ennemi commun, toujours subsistant, la nature, qui a rassemblé les hommes.

*(**Observations sur l'Instruction de S.M.I. aux députés pour la confection des lois,** 1774, art. 250, p. 70)*

DURKHEIM

42/22 La société est une réalité *sui generis*; elle a ses caractères propres qu'on ne retrouve pas, ou qu'on ne retrouve pas sous la même forme, dans le reste de l'univers.

*(**Les Formes élémentaires de la vie religieuse,** Alcan, 1925, p. 22)*

HABERMAS

42/23 Presque tous les rapports sociaux sont codifiés juridiquement : relations entre parents et enfants, enseignants et élèves, entre voisins. Ces réformes corrigent parfois des rapports de domination archaïques. Mais elles provoquent un dépérissement bureaucratique de la communication. Les schémas de la rationalité économique et administrative envahissent les domaines traditionnellement réservés à la spontanéité morale ou esthétique. C'est cela que j'appelle « colonisation du monde vécu ».

*(**Entretiens avec « Le Monde », 3. Idées contemporaines,** Éd. La Découverte et Journal Le Monde, 1984, p. 222)*

HOLBACH

42/24 Être surpris de voir tant de vices inonder la Société et de s'en trouver incommodé, c'est être émerveillé de marcher moins à l'aise dans une rue fréquentée, que lorsqu'on se promène dans les champs.

*(**Le Système social,** Londres, 1773, I, chap. XVI)*

KANT

42/25 Le moyen dont la nature se sert pour mener à bien le développement de toutes ses dispositions est leur *antagonisme* au sein de la Société, pour autant que celui-ci est cependant en fin de compte la cause d'une ordonnance régulière de cette Société. J'entends ici par antagonisme *l'insociable sociabilité* des hommes, c'est-à-dire leur inclination à entrer en société, inclination qui est cependant doublée d'une répulsion générale à le faire, menaçant constamment de désagréger cette société.

*(**Idée d'une histoire universelle au point de vue cosmopolitique,** 1784, trad. S. Piobetta, in **La Philosophie de l'histoire,** Aubier, p. 64)*

42/26 Le problème essentiel pour l'espèce humaine, celui que la nature contraint l'homme à résoudre, c'est la réalisation d'une *Société civile* administrant le droit de façon universelle.

(***Id.***, *p. 66)*

42/27 L'homme n'était pas destiné à faire partie d'un troupeau comme un animal domestique, mais d'une ruche comme les abeilles.

*(**Anthropologie du point de vue pragmatique,** 1798, trad. Michel Foucault, Vrin, 1964, p. 167)*

LÉVI-STRAUSS

42/28 Aucune société n'est foncièrement bonne, mais aucune n'est absolument mauvaise ; toutes offrent certains avantages à leurs membres, compte tenu d'un résidu d'iniquité dont l'importance paraît approximativement constante, et qui correspond peut-être à une inertie spécifique qui s'oppose, sur le plan de la vie sociale, aux efforts d'organisation.

*(**Tristes tropiques,** Plon, 1955, chap. XXXVIII)*

42/29 Si, comme je l'écrivais dans *Race et histoire,* il existe entre les sociétés humaines un certain optimum de diversité au-delà duquel elles ne sauraient aller, mais en dessous duquel elles ne peuvent non plus descendre sans danger, on doit reconnaître que cette diversité résulte pour une grande part du désir de chaque culture de s'opposer à celles qui l'environnent, de se distinguer d'elles, en un mot d'être soi ; elles ne s'ignorent pas, s'empruntent à l'occasion, mais, pour ne pas périr, il faut que, sous d'autres rapports, persiste entre elles une certaine imperméabilité.

*(**Le Regard éloigné,** Plon, 1983, Préface, p. 15)*

MARX-ENGELS

42/30 La société a toujours évolué dans le cadre d'un antagonisme, celui des hommes libres et des esclaves dans l'Antiquité, des nobles et des serfs au Moyen Age, de la bourgeoisie et du prolétariat dans les Temps Modernes.

*(**L'Idéologie allemande,** 1846, trad. de H. Auger, G. Badia, J. Baudrillard, R. Cartelle, Éditions Sociales, p. 474)*

MONTESQUIEU

42/31 Sitôt que les hommes sont en société, ils perdent le sentiment de leur faiblesse ; l'égalité, qui était entre eux, cesse, et l'état de guerre commence.

*(**De l'esprit des lois,** livre Ier, chap. 3)*

RORTY

42/32 Il est bon qu'une société sauvegarde la possibilité pour chacun d'être un individu... Libre à ceux qui ne veulent pas lire de livres de regarder la télévision; libre aux intellectuels d'en écrire s'ils le veulent. Quoi de mieux? Il faut se débarrasser de toutes ces accusations heidegerriennes.

*(**La Solution pragmatique,** propos recueillis* in ***Magazine littéraire*** *n° 279, juillet-août 1990, p. 23)*

ROUSSEAU

42/33 Les bonnes institutions sociales sont celles qui savent le mieux dénaturer l'homme, lui ôter son existence absolue pour lui en donner une relative, et transporter le *moi* dans l'unité commune ; en sorte que chaque particulier ne se croie plus un, mais partie de l'unité, et ne soit plus sensible que dans le tout.

*(**Émile ou De l'éducation,** 1762, livre I, éd. du Seuil, t. 3, p. 21)*

42/34 Il y a dans l'état de nature une égalité de fait réelle et indestructible, parce qu'il est impossible dans cet état que la seule différence d'homme à homme soit assez grande pour rendre l'un dépendant de l'autre. Il y a dans l'état civil une égalité de droit chimérique et vaine, parce que les moyens destinés à la maintenir servent eux-mêmes à la détruire, et que la force publique ajoutée au plus fort pour opprimer le faible rompt l'espèce d'équilibre que la nature avait mis entre eux.

*(**Id.,** livre IV, éd. du Seuil, t. 3, p. 165)*

SCHOPENHAUER

42/35 On peut comparer la société ordinaire à cet orchestre russe composé exclusivement de cors et dans lequel chaque instrument n'a qu'une note ; ce n'est que par leur coïncidence exacte que l'harmonie musicale se produit.

*(**Aphorismes sur la sagesse dans la vie,** posth. 1880, trad. de J.A. Cantacuzène revue et corrigée par R. Roos, P.U.F., p. 104)*

42/36 Nous pouvons aussi comparer la société à un feu auquel le sage se chauffe à distance convenable, mais sans y porter la main, comme le fou qui, après s'être brûlé, fuit dans la froide solitude et gémit de ce que le feu brûle.

*(**Id.**, p. 111)*

42/37 Par une froide journée d'hiver, un troupeau de porc-épics s'était mis en groupe serré pour se garantir mutuellement contre la gelée par leur propre chaleur. Mais tout aussitôt ils ressentirent les atteintes de leurs piquants, ce qui les fit s'éloigner les uns des autres. Quand le besoin de se chauffer les eut rapprochés de nouveau, le même inconvénient se renouvela, de façon qu'ils étaient ballotés de ça et de là entre les deux souffrances, jusqu'à ce qu'ils eussent fini par trouver une distance moyenne qui leur rendît la situation supportable. Ainsi, le besoin de société, né du vide et de la monotonie de leur propre intérieur, pousse les hommes les uns vers les autres ; mais leurs nombreuses qualités repoussantes et leurs insupportables défauts les dispersent de nouveau. La distance moyenne qu'ils finissent par découvrir et à laquelle la vie en commun devient possible, c'est la *politesse* et les *belles manières*.

*(**Parerga und Paralipomena** 1851, t. II, chap. 31, § 400, trad. Cantacuzène, 1880)*

TECHNIQUE

ALAIN

43/1 L'inventeur de l'arc n'avait aucune idée de la pesanteur, ni de la trajectoire ; et, même quand il perçait son ennemi d'une flèche, il croyait encore que c'était un sortilège qui avait tué l'ennemi. Nous n'avons, de ce genre de pensée, que des restes informes, mais qui rendent tous le même témoignage. Et cela conduit à juger que la technique, quoique réglée sur l'expérience, et fidèlement transmise de maître en apprenti, n'a pas conduit toute seule à la science, et qu'enfin inventer et penser sont deux choses.

(***Le Rêveur,*** *28 février 1931,* in ***Propos I,*** *Pléiade, Gallimard, p. 995)*

43/2 On a fait l'arc, le treuil et la voile sans savoir assez ce qu'on faisait ; de même le moteur à essence et l'avion ; de même la grosse Bertha. On a souvent remarqué que nos lointains ancêtres avaient une technique fort avancée avec des idées d'enfants. Nos descendants diront à peu près la même chose de nous ; car il est vrai que nous savons plus que les sauvages ; mais, en nous comme en eux, il y a toujours une pointe de puissance qui est en avance sur le savoir.

(***La Technique contre l'esprit,*** *3 novembre 1932,* in ***Propos I,*** *Pléiade, Gallimard, p. 1102)*

43/3 L'invention de la machine à vapeur a changé de mille façons les idées, la morale, la politique, et même la religion.

(***Histoire de mes pensées,*** *1936, chap.* ***Rouen,*** in ***Les Arts et les Dieux,*** *Pléiade, Gallimard, p. 58)*

ARISTOTE

43/4 Si chaque instrument était capable, sur une simple injonction, ou même pressentant ce qu'on va lui demander, d'accomplir le travail qui lui est propre, comme on le raconte des statues de Dédale ou des trépieds d'Héphaïstos, lesquels, dit le poète :

Se rendaient d'eux-mêmes à l'assemblée des dieux,

si, de la même manière, les navettes tissaient d'elles-mêmes, et les plectres pinçaient tout seuls la cithare, alors, ni les chefs d'artisans n'auraient besoin d'ouvriers, ni les maîtres d'esclaves.

*(**La Politique,** trad. Tricot, I, 4, 1253 b)*

BACHELARD

43/5 L'homme par ses prodigieuses techniques dépasse, semble-t-il, les cadres de sa propre pensée.

*(**Le Matérialisme rationnel,** 1953, P.U.F., p. 83)*

BERGSON

43/6 L'intelligence, envisagée dans ce qui en paraît être la démarche originelle, est la faculté de fabriquer des objets artificiels, en particulier des outils à faire des outils, et d'en varier indéfiniment la fabrication.

*(**L'Évolution créatrice,** 1907, P.U.F., chap. II)*

CANGUILHEM

43/7 Il est classique de présenter la construction de la locomotive comme une « merveille de la science ». Et pourtant la construction de la machine à vapeur est inintelligible si on ne sait pas qu'elle n'est pas l'application de connaissances théoriques préalables, mais qu'elle est la solution d'un problème millénaire, proprement technique, qui est le problème de l'assèchement des mines.

*(**La Connaissance de la vie,** 1952, 2e éd. 1971, J. Vrin, p. 124)*

43/8 Science et Technique doivent être considérées comme deux types d'activités dont l'un ne se greffe pas sur l'autre, mais dont chacun emprunte réciproquement à l'autre tantôt ses solutions, tantôt ses problèmes.

*(**Id.,** p. 125)*

43/9 C'est la rationalisation des techniques qui fait oublier l'origine irrationnelle des machines.

*(**Ibid.**)*

43/10 Il en est de la médecine comme de toutes les techniques. Elle est une activité qui s'enracine dans l'effort spontané du vivant pour dominer le milieu et l'organiser selon ses valeurs de vivant.

*(**Le Normal et le Pathologique,** I, 1943, P.U.F., p. 156)*

EINSTEIN

43/11 Tout notre progrès technologique, dont on chante les louanges, le cœur même de notre civilisation, est comme une hache dans la main d'un criminel.

*(**Correspondance,** InterEditions, 1980, p. 114)*

FREUD

43/12 Nous croyons qu'il est au pouvoir du travail scientifique de nous apprendre quelque chose sur la réalité de l'univers et que nous augmentons par là notre puissance et pouvons mieux organiser notre vie.

*(**L'Avenir d'une illusion,** 1927, P.U.F., p. 78)*

FRIEDMANN

43/13 Les fondements même de la vision du monde se trouvent aujourd'hui bouleversés sous l'effet de nouvelles techniques qui remodèlent notre perception des choses.

*(**Sept études sur l'homme et la technique,** 1966, Denoël-Gontier, p. 59)*

HEGEL

43/14 La raison est aussi puissante que rusée. Sa ruse consiste en général dans cette activité entremetteuse qui en laissant agir les objets les uns sur les autres conformément à leur propre nature, sans se mêler directement à leur action réciproque, en arrive néanmoins à atteindre uniquement le but qu'elle se propose.

*(**Encyclopédie des sciences philosophiques,** 1817, première partie,
La Science de la logique, posth. 1840, Berlin,
trad. B. Bourgeois, Vrin, p. 382)*

HEIDEGGER

43/15 Un phénomène essentiel des Temps Modernes est la science. Un phénomène non moins important quant à son ordre essentiel est la technique mécanisée. Il ne faut pourtant pas mésinterpréter celle-ci, en ne la comprenant que comme pure et simple application, dans la pratique, des sciences mathématiques de la nature. La technique est au contraire elle-même une transformation autonome de la pratique, de telle sorte que c'est plutôt cette dernière qui requiert précisément la mise en pratique des sciences mathématisées. La technique mécanisée reste jusqu'ici le prolongement le plus visible de l'essence de la technique moderne, laquelle est identique à l'essence de la métaphysique moderne.

*(**L'Époque des « conceptions du monde »,** 9 juin 1938, in **Chemins qui ne mènent nulle part,** trad. par W. Brokmeier et édité par F. Fédier, Gallimard, 1962, p. 69)*

43/16 Quand nous considérons la technique comme quelque chose de neutre, c'est alors que nous lui sommes livrés de la pire façon : car cette conception, qui jouit aujourd'hui d'une faveur toute particulière, nous rend complètement aveugles en face de l'essence de la technique.

*(**La Question de la technique,** 18 novembre 1953, in **Essais et Conférences,** trad. A. Préau, Gallimard, p. 10)*

KANT

43/17 La nature agit, l'homme fait (facit).

*(**Opus postumum,** trad. J. Gibelin, Vrin, p. 10)*

MARX

43/18 L'homme se sert des propriétés mécaniques, physiques, chimiques de certaines choses pour les faire agir comme forces sur d'autres choses, conformément à son but... Il convertit ainsi des choses extérieures en organes de sa propre activité, organes qu'il ajoute aux siens de manière à allonger, en dépit de la Bible, sa stature naturelle.

*(**Le Capital,** 1867, livre I, troisième section, chap. VII, trad. J. Roy, Garnier-Frères, p. 140)*

43/19 L'emploi et la création de moyens de travail, quoiqu'ils se trouvent en germe chez quelques espèces animales, caractérisent éminemment le travail humain. Aussi Franklin donne-t-il cette définition de l'homme : l'homme est un animal fabricateur d'outils « a toolmaking animal ».

*(**Id.,** p. 141)*

NAPOLÉON Ier

43/20 Le canon a tué la féodalité ; l'encre tuera la société moderne.

*(**Pensées,** Bibliothèque miniature, 1913, p. 43, cité par LÉNINE dans ses **Cahiers,** éd. Sociales, p. 355)*

PRADINES

43/21 Le langage semble avoir été surtout pour la technique un instrument de recherche... Il n'y a pas de différence entre la curiosité silencieuse qui fait rechercher à l'enfant le geste qui ouvre infailliblement une porte verrouillée et cette curiosité parlante qui lui fait demander: *Qu'est ceci?* et se satisfaire dans la réponse: *C'est un verrou.*

*(**Traité de psychologie générale,** 1946, P.U.F., t. II, 1, p. 481)*

RENARD

43/22 Ils portent leurs lourdes mains comme de vieux outils.

*(**Journal,** 6 juin 1900)*

ROHEIM

43/23 La petite flamme est le démon, et le bois qu'elle pénètre ou qu'elle frotte est la femme. Ainsi la production du feu est-elle directement dérivée des relations d'objets adultes, du coït, comme une imitation ludique de la chose réelle.

*(**Origine et fonction de la culture,** 1943, trad. de l'anglais par R. Dadoun, Gallimard, p. 151)*

SPENGLER

43/24 *La technique est la tactique de la vie*: c'est la forme intérieure dont la *procédure de conflit* (conflit qui s'identifie à la vie elle-même) est la manifestation extérieure.

*(**L'Homme et la Technique,** 1931, trad. Petrowsky, Gallimard, p. 40)*

VALÉRY

43/25 L'idée de *Faire* est la première et la plus humaine. « Expliquer », ce n'est jamais que décrire une manière de *faire:* ce n'est que refaire par la pensée.

*(**L'Homme et la Coquille,** 1937,* in ***Œuvres,** t. I, Pléiade, Gallimard, p. 891)*

VOLTAIRE

43/26 Il faut avouer que les inventeurs des arts mécaniques ont été bien plus utiles aux hommes que les inventeurs des syllogismes: celui qui imagina la navette l'emporte furieusement sur celui qui imagina les idées innées.

(***Dictionnaire philosophique. La Raison par alphabet,*** *1765, article* ***Philosophie,*** *section IV)*

WEIL (Simone)

43/27 Plus le niveau de la technique est élevé, plus les avantages que peuvent apporter des progrès nouveaux diminuent par rapport aux inconvénients.

(***Oppression et liberté,*** *1934, p. 76)*

TEMPS

ALAIN

44/1 *Ô Temps! Suspends ton vol!* C'est le vœu du poète, mais qui se détruit par la contradiction, si l'on demande: « Combien de temps le temps va-t-il suspendre son vol? »

*(**Éléments de philosophie,** 1941, Gallimard, livre I, chap. XVII, note p. 80)*

44/2 Le temps est uni à toutes nos pensées. L'erreur que l'on peut faire, à ce sujet, consiste à croire que le temps s'enfuit. Où donc s'enfuirait-il? Nous savons bien qu'il ne cesse jamais de couler.

*(**Les Aventures du cœur,** chap. XXXVIII, Hartmann, © Flammarion, 1945, p. 165)*

44/3 Forme universelle du changement. Nous savons d'avance bien des choses sur le temps, par exemple qu'il n'y a jamais deux temps simultanés, que le temps n'a pas de vitesse, que le temps ne peut se renverser, qu'il n'y a point de temps imaginaire; que le temps est commun à tous les changements et à tous les êtres, et que, par exemple, pour aller à la semaine prochaine, il faut que tous les hommes et tout l'univers y aillent ensemble. Il y a abondance d'axiomes sur le temps, mais obscurs comme tous les axiomes. Dieu lui-même, dit Descartes, ne peut faire que ce qui est arrivé ne soit pas arrivé.

*(**Définitions,** posth. 1953, art. **Temps,** in **Les Arts et les Dieux,** Pléiade, Gallimard, p. 1094)*

ARISTOTE

44/4 Il est clair que le temps n'est ni le mouvement, ni sans le mouvement.

*(**Physique,** trad. Carteron, IV, 11, 219 a)*

44/5 Le temps est nombre du mouvement selon l'antérieur et le postérieur; et il est continu, car il appartient à un continu.

*(**Id.,** IV, 11, 220 a)*

44/6 Le temps est cause par soi de destruction plutôt que de génération.

*(**Id.,** IV, 13, 222 b)*

AUGUSTIN (saint)

44/7 Le temps n'est rien d'autre qu'une distension. Mais une distension de quoi, je ne sais au juste, probablement de l'âme elle-même.
*(**Les Confessions,** livre XI, chap. XXVI)*

BACHELARD

44/8 Le temps n'a qu'une réalité, celle de l'instant. Autrement dit, le temps est une réalité resserrée sur l'instant et suspendue entre deux néants.
*(**L'Intuition de l'instant, étude sur la Siloë de G. Roupnel,** Stock 1932, p. 15)*

BAUDELAIRE

44/9 Il faut être toujours ivre. Tout est là : c'est l'unique question. Pour ne pas sentir l'horrible fardeau du Temps qui brise vos épaules et vous penche vers la terre, il faut vous enivrer sans trêve. Mais de quoi ? De vin, de poésie ou de vertu, à votre guise. Mais enivrez-vous.
*(**Petits poèmes en prose,** XXXIII, **Enivrez-vous,** 7 février 1864)*

BERGSON

44/10 La durée toute pure est la forme que prend la succession de nos états de conscience quand notre moi se laisse vivre, quand il s'abstient d'établir une séparation entre l'état présent et les états antérieurs.
*(**Essai sur les données immédiates de la conscience,** 1888, P.U.F., 68e éd. 1948, p. 76)*

44/11 Si je veux me préparer un verre d'eau sucrée, j'ai beau faire, je dois attendre que le sucre fonde.
*(**L'Évolution créatrice,** 1907, P.U.F., chap. I)*

44/12 L'avenir est là ; il nous appelle, ou plutôt il nous tire à lui ; cette traction ininterrompue qui nous fait avancer sur la route du temps, est cause aussi que nous agissons continuellement. Toute action est un empiétement sur l'avenir.
*(**L'Énergie spirituelle,** 1919, **La Conscience et la vie: conscience, mémoire, anticipation**)*

44/13 Le temps est ce qui se fait, et même ce qui fait que tout se fait.
*(**La Pensée et le Mouvant,** 1934, P.U.F., introd., première partie)*

BRAUDEL

44/14 Pour l'historien, tout commence, tout finit par le temps, un temps mathématique et démiurge, dont il serait facile de sourire, temps comme extérieur aux hommes, « exogène », diraient les économistes, qui les pousse, les contraint, emporte leurs temps particuliers aux couleurs diverses : oui, le temps impérieux du monde.

*(**Écrits sur l'histoire,** Flammarion, 1969, chap. II, pp. 76-77)*

COMTE

44/15 Régler le présent d'après l'avenir déduit du passé.

*(**Système de politique positive,** tome troisième, 1853, Conclusion générale, p. 624)*

DIDEROT

44/16 Influence de la brièveté du temps sur les travaux des hommes : Supposez qu'un astronome démontrât géométriquement que dans mille ans d'ici, une planète, dans son parcours, coupera l'orbe terrestre précisément au moment et au point où la terre s'y trouvera, et que la destruction de la terre sera la suite de cette énorme collision : alors la langueur s'emparera de tous les travaux ; plus d'ambition, plus de monuments, plus de poètes, plus d'historiens, et peut-être même plus de guerriers ni de guerres. Chacun cultivera son jardin et plantera ses choux. Sans nous en douter, nous marchons tous à l'éternité.

*(**Éléments de physiologie,** 1875, A.T. IX, p. 435)*

FRIEDMANN

44/17 La notion de temps ne peut pas ne pas être bouleversée, dans une civilisation où le cinéma, maître absolu du rythme et du sens de la projection des images, nous rend perceptible, par leur accélération, leur ralentissement, leur inversion, un espace-temps à quatre dimensions, où par ailleurs l'aviation multiplie le nombre de ceux qui, ayant déjeuné à Paris, dînent à Berlin ou à Rome, voire à Moscou ou à Istanboul.

*(**Sept études sur l'homme et la technique,** 1966, Denoël/Gonthier, p. 60)*

HEGEL

44/18 Le temps, cette pure inquiétude de la vie et ce processus d'absolue distinction.

*(**La Phénoménologie de l'esprit,** 1807, trad. J. Hyppolite, Aubier-Montaigne, t. I, p. 40)*

HÉRACLITE

44/19 Le temps est un enfant qui joue au trictrac : royauté d'un enfant !

*(in **Les penseurs grecs avant Socrate,** trad. Jean Voilquin, Garnier-Frères, 1964, p. 77)*

KANT

44/20 Le temps est une condition *a priori* de tous les phénomènes en général et, à la vérité, la condition immédiate des phénomènes intérieurs (de notre âme), et, par là même, la condition médiate des phénomènes extérieurs.

*(**Critique de la raison pure,** 1781, première partie, 2e section, § 6, trad. Tremesaygues et Pacaud)*

KIERKEGAARD

44/21 L'éloignement dans le temps trompe le sens de l'esprit comme l'éloignement dans l'espace cause l'erreur des sens. Le contemporain ne voit pas la nécessité de ce qui devient, mais, quand il y a des siècles entre le devenir et l'observateur, alors il voit la nécessité, tel celui qui voit à distance le carré comme un rond.

*(**Riens philosophiques,** 1844, trad. K. Ferlov et Jean-J. Gateau, Gallimard, p. 162)*

LA BRUYÈRE

44/22 Les enfants n'ont ni passé ni avenir, et, ce qui ne nous arrive guère, ils jouissent du présent.

*(**De l'Homme,** in **Les Caractères,** 1688-1696, § 51)*

LAGNEAU

44/23 L'étendue est la marque de ma puissance. Le temps est la marque de mon impuissance.

*(**Cours sur la perception,** posth. 1926, in **Célèbres leçons et Fragments,** P.U.F., p. 175)*

LEIBNIZ

44/24 Le présent est gros de l'avenir : le futur se pourrait lire dans le passé ; l'éloigné est exprimé dans le prochain. On pourrait connaître la beauté de l'univers dans chaque âme si l'on pouvait déplier tous les replis, qui ne se développent sensiblement qu'avec le temps.

*(**Principes de la nature et de la grâce fondés en raison,** 1714, § 13)*

LÉVINAS

44/25 L'anticipation de l'avenir, la projection de l'avenir, accréditées comme l'essentiel du temps par toutes les théories de Bergson à Sartre, ne sont que le présent de l'avenir et non pas l'avenir authentique ; l'avenir, c'est ce qui n'est pas saisi, ce qui tombe sur nous et s'empare de nous. L'avenir, c'est l'autre. La relation avec l'avenir, c'est la relation même avec l'autre. Parler de temps dans un sujet seul, parler d'une durée purement personnelle, nous semble impossible.

*(**Le Temps et l'Autre,*** in ***Le choix, le monde, l'existence,***
Cahiers du Collège philosophique, 1974, B. Arthaud, p. 172)

MARC-AURÈLE

44/26 Le temps est comme un fleuve que formeraient les événements.

*(**Pensées,** trad. de A.-I. Trannoy, Les Belles Lettres, Paris 1947, IV, 43)*

NIETZSCHE

44/27 Le temps en soi est une absurdité : il n'y a de temps que pour un être sentant. Et de même pour l'espace.

*(**Le Livre du philosophe, Études théorétiques,** 1872-1875,*
trad. A.K. Marietti, Aubier-Flammarion, p. 119)

PASCAL

44/28 Nous ne nous tenons jamais au temps présent. Nous anticipons l'avenir comme trop lent à venir, comme pour hâter son cours ; ou nous rappelons le passé, pour l'arrêter comme trop prompt : si imprudents, que nous errons dans les temps qui ne sont pas nôtres, et ne pensons point au seul qui nous appartient ; et si vains, que nous songeons à ceux qui ne sont plus rien, et échappons sans réflexion le seul qui subsiste.

*(**Pensées,** posth. 1669, section II, 172, éd. Brunschvicg, Hachette)*

PLATON

44/29 L'auteur du monde songea à faire une image mobile de l'éternité et, en même temps qu'il organisait le ciel, il fit, de l'éternité une et immobile, cette image éternelle qui progresse suivant la loi des nombres et que nous appelons le Temps.

*(**Timée,** 37 d)*

PRIGOGINE

44/30 Vous connaissez la controverse Bergson-Einstein : celui-ci estimait que « la distinction entre passé, présent et futur est une illusion, si tenace soit-elle », et n'appartenait pas au domaine de la science. Appeler illusion ce qui est l'expérience primordiale de notre vie, c'est remettre en cause la notion même de réalité.

*(**Entretiens avec « Le Monde », 3. Idées contemporaines,** Éd. La Découverte et Journal « Le Monde », 1984, p. 66)*

SARTRE

44/31 La temporalité est évidemment une structure organisée et ces trois prétendus « éléments » du temps : passé, présent, avenir, ne doivent pas être envisagés comme une collection de « data » dont il faut faire la somme — par exemple comme une série infinie de « maintenant » dont les uns ne sont pas encore, dont les autres ne sont plus — mais comme des moments structurés d'une synthèse originelle. Sinon nous rencontrerons d'abord ce paradoxe : le passé n'est plus, l'avenir n'est pas encore, quant au présent instantané, chacun sait bien qu'il n'est pas tout, il est la limite d'une division infinie, comme le point sans dimension.

*(**L'Être et le Néant,** 1943, deuxième partie, chap. II, I)*

SCHOPENHAUER

44/32 Le temps est la forme grâce à laquelle la vanité des choses apparaît comme leur instabilité, qui réduit à rien toutes nos jouissances et toutes nos joies, pendant que nous nous demandons avec surprise où elles s'en sont allées. Ce néant même est par suite le seul élément objectif du temps, c'est-à-dire ce qui lui répond dans l'essence intime des choses, et ainsi la substance dont il est l'expression.

*(**Le monde comme volonté et comme représentation,** 1819, trad. A. Burdeau, revue et corrigée par R. Roos, P.U.F., p. 1335)*

44/33 Il n'est pas d'entreprise plus coûteuse que de vouloir précipiter le cours mesuré du temps. Gardons-nous donc de lui devoir des intérêts.

*(**Aphorismes sur la sagesse dans la vie,** posth. 1880, trad. de J.-A. Cantacuzène, revue et corrigée par R. Roos, P.U.F., p. 149)*

SEXTUS EMPIRICUS

44/34 Puisque ni le présent, ni le passé, ni le futur n'existent, le temps non plus n'existe pas, car ce qui est formé de la combinaison de choses irréelles est irréel.

*(**Hypotyposes pyrrhoniennes,** III, 146, trad. J.-P. Dumont,* in ***Les Sceptiques grecs,*** *P.U.F.)*

SPINOZA

44/35 Il revient au même de composer la Durée d'instants et de vouloir former un nombre en ajoutant des zéros.

*(**Lettre XII,** à Louis Mayer, 20 avril 1663, trad. Ch. Appuhn,* in ***Œuvres,*** *t. 4, Garnier-Frères, p. 160)*

WEIL (Simone)

44/36 Nous vivons ici-bas dans un mélange de temps et d'éternité. L'enfer serait du temps pur.

*(**La Connaissance surnaturelle,** posth. 1950, Gallimard, p. 154)*

44/37 Toutes les tragédies que l'on peut imaginer reviennent à une seule et unique tragédie : l'écoulement du temps.

*(**Leçons de philosophie,** posth. 1959, Plon et 10/18, p. 255)*

WITTGENSTEIN

44/38 La solution de l'énigme de la vie dans l'espace et le temps se trouve *hors* de l'espace et du temps.

*(**Tractatus logico-philosophicus,** 1921, trad. P. Klossowski, Gallimard, p. 173)*

THÉORIE ET EXPÉRIENCE

ALAIN

45/1 L'idée de l'expérience ne remplace nullement l'expérience.
(4 mai 1924, in ***Propos I,*** *Pléiade, Gallimard, p. 605)*

45/2 L'expérience, c'est-à-dire le simple fait d'être au monde, nous met en présence d'apparences vraies, mais qui peuvent être la source des connaissances les plus fausses.
*(**Préliminaires à la mythologie,** écrits en 1932-1933, publ. 1943,* in ***Les Arts et les Dieux,*** *Pléiade, Gallimard, p. 1109)*

45/3 L'expérience comme spectacle est naturellement trompeuse.
*(**Id.,** p. 1132)*

45/4 Toute connaissance est d'expérience. Entendez que celui qui voudrait ne consulter que son esprit et fermer tous ses sens ne pourrait rien penser du tout ; encore moins trouverait-il, dans cette méditation seulement intérieure, quelque vérité concernant le monde... Dans la masse de nos connaissances, qui n'est autre que la masse de nos expériences, il faut pourtant distinguer celles qui se fondent sur la constatation selon les règles, c'est-à-dire avec mesures, répétitions, témoins, épreuves et contre-épreuves, et celles que l'on peut prouver ou démontrer à la manière du géomètre.
(3 fév. 1934, in ***Propos II,*** *Pléiade, Gallimard, p. 1001)*

45/5 Il y a des règles de bien penser indépendantes de toute expérience, c'est-à-dire applicables à toute l'expérience possible.
*(**Ibid.**)*

ATLAN

45/6 Il n'y a pas de doute que l'expérience de la réflexion talmudique est une expérience irremplaçable en tant que méthode critique extrêmement rigoureuse, peut-être même davantage que la recherche scientifique, parce qu'il est beaucoup plus dangereux de s'y tromper : on n'y dispose pas des expériences et de la résistance de la matière comme garde-fou.

*(**Entretiens avec « Le Monde », 3. Idées contemporaines,** Éd. La Découverte et Journal Le Monde, 1984, p. 17)*

BERGSON

45/7 Un philosophe contemporain, argumenteur à outrance, auquel on représentait que ses raisonnements irréprochablement déduits avaient l'expérience contre eux, mit fin à la discussion par cette simple parole : « L'expérience a tort. »

*(**Le Rire, essai sur la signification du comique,** 1899, P.U.F., I, p. 37)*

CANGUILHEM

45/8 La vie d'un vivant, fût-ce d'une amibe, ne reconnaît les catégories de santé et de maladie que sur le plan de l'expérience, qui est d'abord épreuve au sens affectif du terme, et non sur le plan de la science. La science explique l'expérience, mais elle ne l'annule pas pour autant.

*(**Le Normal et le Pathologique,** I, 1943, P.U.F., p. 131)*

COMTE

45/9 Si d'un côté toute théorie positive doit nécessairement être fondée sur des observations, il est également sensible, d'un autre côté, que pour se livrer à l'observation, notre esprit a besoin d'une théorie quelconque. Si, en contemplant les phénomènes, nous ne les rattachions point immédiatement à quelques principes, non seulement il nous serait impossible de combiner ces observations isolées, et, par conséquent, d'en tirer aucun fruit, mais nous serions même entièrement incapables de les retenir ; et, le plus souvent, les faits resteraient inaperçus sous nos yeux.

*(**Cours de philosophie positive,** 1830-1842, première leçon, III)*

45/10 Aujourd'hui, la science mathématique est bien moins importante par les connaissances très réelles et très précieuses néanmoins qui la composent directement, que comme constituant l'instrument le plus puissant que l'esprit humain puisse employer dans la recherche des lois des phénomènes naturels.

*(**Id.**, deuxième leçon, XII)*

45/11 En quelque ordre de phénomènes que ce puisse être, même envers les plus simples, aucune véritable observation n'est possible qu'autant qu'elle est primitivement dirigée et finalement interprétée par une théorie quelconque.

*(**Id.**, 48e leçon)*

DESCARTES

45/12 On voit clairement pourquoi l'arithmétique et la géométrie sont beaucoup plus certaines que d'autres sciences : c'est que seules elles traitent d'un objet assez pur et simple pour n'admettre absolument rien que l'expérience ait rendu incertain et qu'elles consistent tout entières en une suite de conséquences déduites par raisonnement.

*(**Règles pour la direction de l'esprit,** posth. 1701, trad. G. Le Roy, règle II, Pléiade, p. 41)*

HUME

45/13 L'expérience est un principe qui m'instruit sur les diverses conjonctions des objets dans le passé.

*(**Traité de la nature humaine,** 1739, livre I, part. IV, section VII)*

KANT

45/14 L'expérience est sans aucun doute, le premier produit que notre entendement obtient en élaborant la matière brute des sensations.

*(**Critique de la raison pure,** 1781, première éd., introd., I)*

45/15 *Chronologiquement*, aucune connaissance ne précède en nous l'expérience et c'est avec elle que toutes commencent. Mais si toute notre connaissance débute *avec* l'expérience, cela ne prouve pas qu'elle dérive toute *de* l'expérience.

*(**Id.**, introd., 2e éd., I)*

45/16 Aucune connaissance a priori ne nous est possible que celle, uniquement, d'objets d'une expérience possible.

*(**Id.**, I, **Analytique transcendantale,** I, chap. II, § 27)*

45/17 L'expérience est une connaissance empirique, c'est-à-dire une connaissance qui détermine un objet par des perceptions.

*(**Id., Analytique des principes,** chap. II, 3e section, § 3)*

45/18 Grand merci au voyageur purement empirique et à ses récits, spécialement quand il s'agit d'arriver à une connaissance cohérente, dont la raison doit se servir pour confirmer une théorie ! Ordinairement, voici sa réponse à toute question qu'on lui pose : « Je l'aurais bien remarqué, si j'avais su qu'on m'interrogerait là-dessus. »

*(**Sur l'emploi des principes téléologiques en philosophie,** 1788, in **La Philosophie de l'histoire [Opuscules]**, trad. S. Piobetta, Aubier, p. 178)*

45/19 L'expérience, comme preuve de la vérité des jugements empiriques n'est jamais plus qu'une *approximation* asymptotique de la totalité des perceptions possibles qui la constituent. Ce n'est jamais une *certitude.*

*(**Opus postumum,** trad. J. Gibelin, Vrin p. 28)*

LEIBNIZ

45/20 Les hommes agissent comme les bêtes en tant que les consécutions de leurs perceptions ne se font que par le principe de la mémoire ; ressemblant aux médecins empiriques, qui ont une simple pratique sans théorie ; et nous ne sommes qu'empiriques dans les trois quarts de nos actions. Par exemple, quand on s'attend qu'il y aura jour demain, on agit en empirique, parce que cela s'est toujours fait ainsi jusqu'ici. Il n'y a que l'astronome qui le juge par raison.

*(**La Monadologie,** éd. Émile Boutroux, Delagrave, 1714, § 28)*

LICHTENBERG

45/21 Nous ne voyons jamais de mots dans la nature, mais seulement toujours des initiales de mots, et lorsque ensuite nous voulons lire, nous nous apercevons que les prétendus nouveaux mots ne sont à leur tour que les initiales d'autres mots.

*(**Aphorismes, troisième cahier** 1775-1779, trad. Marthe Robert, J.-J. Pauvert, p. 192)*

MALEBRANCHE

45/22 Nos sens seuls sont plus utiles à la conservation de notre santé que les règles de la médecine expérimentale, et la médecine expérimentale que la médecine raisonnée. Mais la médecine raisonnée, qui défère beaucoup à l'expérience et encore plus aux sens, est la meilleure parce qu'il faut joindre toutes ces choses ensemble.

*(**De la recherche de la vérité,** 1674, livre III, conclusion)*

NIETZSCHE

45/23 Le fait est toujours absurde et a toujours ressemblé à un veau plutôt qu'à un dieu.

*(**Considérations inactuelles,** 1873-1876, trad. G. Bianquis, Aubier-Montaigne, p. 337)*

SPINOZA

45/24 Il y a une perception acquise par expérience vague, c'est-à-dire par une expérience qui n'est pas déterminée par l'entendement ; on la nomme ainsi uniquement parce qu'elle a lieu par hasard et que nous n'avons aucune autre expérience qui la contredise, de sorte qu'elle reste en nous, pour ainsi dire, inébranlée.

*(**Tractatus de intellectus emendatione,** écrit vers 1661, première public. posth. 1672, **Traité de la réforme de l'entendement,** § 19, II)*

45/25 L'expérience ne nous enseigne pas les essences des choses.

*(**Lettre X,** à Simon de Vries, 1663, trad. Ch. Appuhn, in **Œuvres,** t. 4, Garnier-Frères, p. 151)*

WITTGENSTEIN

45/26 Les faits n'appartiennent tous qu'au problème, non à sa solution.

*(**Tractatus logico-philosophicus,** 1921, prop. 6.4321, trad. P. Klossowski, Gallimard, Idées, p. 173)*

TRAVAIL

ALAIN

46/1 L'oisiveté est mère de tous les vices, mais de toutes les vertus aussi.

(21 fév. 1910, ***Propos II,*** *Pléiade, Gallimard, p. 165)*

46/2 Un travail réglé et des victoires après des victoires, voilà sans doute la formule du bonheur.

(18 mars 1911, ***Propos I,*** *Pléiade, Gallimard, p. 106)*

46/3 Le propre du travail, c'est d'être forcé.

*(****Préliminaires à la mythologie,*** *écrits en 1932-1933, publ. 1943, in* ***Les Arts et les Dieux,*** *Pléiade, Gallimard, p. 1122)*

46/4 L'électricité ne fait rien, ce sont les hommes qui font tout.

*(****Id.,*** *p. 1129)*

46/5 Un film célèbre *(À nous la liberté!)* nous montre le patron et l'ouvrier s'enfuyant ensemble de l'usine, et commençant la joyeuse aventure de deux vagabonds ; je me disais en les voyant sur la route : « Ils n'iront pas loin sans vivre du travail des autres, donc sans persuader ou tromper les autres. Les voilà bourgeois tout à fait. »

*(****Id.,*** *p. 1181)*

46/6 Qu'est-ce que cela me fait qu'on ait des crèches à l'usine, pour l'allaitement des petits d'hommes, si ce n'est que pour entretenir la force de travail et gagner sur les heures de l'ouvrière? Cela révolte parce que l'homme est traité ici comme une bête de prix. Et au contraire un travail pénible et mal payé est relevé par ceci que l'homme y est fin et non moyen.

*(****Id.,*** *p. 1187)*

46/7 À notre insu le travail nous guérit de la partie inférieure et presque mécanique de nos passions ; ce n'est pas peu. Les mains d'Othello étaient inoccupées lorsqu'il s'imagina d'étrangler quelqu'un.

*(****Les Aventures du cœur,*** *1945, chap. X, Hartmann, p. 57)*

ARISTOTE

46/8 Si chaque instrument était capable, sur une simple injonction, ou même pressentant ce qu'on va lui demander, d'accomplir le travail qui lui est propre, comme on le raconte des statues de Dédale ou des trépieds d'Héphaïstos, lesquels, dit le poète :

Se rendaient d'eux-mêmes à l'assemblée des dieux,

si, de la même manière, les navettes tissaient d'elles-mêmes, et les plectres pinçaient tout seuls la cithare, alors, ni les chefs d'artisans n'auraient besoin d'ouvriers, ni les maîtres d'esclaves.

*(**La Politique,** trad. Tricot, I, 4, 1253 b)*

BIBLE (LA)

46/9 L'Éternel Dieu dit à l'homme : Puisque tu as écouté la voix de ta femme, et que tu as mangé de l'arbre au sujet duquel je t'avais donné cet ordre : Tu n'en mangeras point ! le sol sera maudit à cause de toi. C'est à force de peine que tu en tireras ta nourriture tous les jours de ta vie, il te produira des épines et des ronces, et tu mangeras de l'herbe des champs. C'est à la sueur de ton visage que tu mangeras du pain, jusqu'à ce que tu retournes dans la terre, d'où tu as été pris ; car tu es poussière, et tu retourneras dans la poussière.

*(**Ancien Testament, Genèse,** 3, 17-19, trad. L. Segond)*

46/10 Considérez comment croissent les lis des champs ; ils ne travaillent point, ils ne filent point ; et cependant, je vous déclare que Salomon même dans toute sa gloire n'a jamais été vêtu comme l'un d'eux. Si donc Dieu a soin de vêtir de cette sorte une herbe des champs, qui est aujourd'hui, et qui sera demain jetée dans le four ; combien aura-t-il plus de soin de vous vêtir, ô hommes de peu de foi !

*(**Nouveau Testament, Évangile selon saint Matthieu,** VI, 28-30, traduit sur la Vulgate par Lemaistre de Sacy)*

COMTE

46/11 Le travail positif, c'est-à-dire notre action réelle et utile sur le monde extérieur, constitue nécessairement la source initiale, d'ailleurs spontanée ou systématique, de toute richesse matérielle, tant publique que privée. Car, avant de pouvoir nous servir, tous les matériaux naturels exigent toujours quelque intervention artificielle, dût-elle se borner à les recueillir sur leur sol pour les transporter à leur destination.

*(**Système de politique positive,** t. II, 1852, **Statique sociale,** chapitre deuxième, p. 154)*

46/12 L'état social ne peut, sans doute, se consolider et se développer que par le travail. Mais, d'un autre côté, l'essor du travail suppose autant la préexistence de la société que celui de l'observation exige l'impulsion théorique.

*(**Catéchisme positiviste,** 1852, conclusion, onzième entretien, Garnier-Frères, p. 262)*

DIDEROT

46/13 Toutes les sortes de travaux soulagent également de l'ennui, mais tous ne sont pas égaux. Je n'aime point ceux qui amènent rapidement la vieillesse, et ce ne sont ni les moins utiles, ni les moins communs, ni les mieux récompensés.

*(**Réfutation suivie de l'ouvrage d'Helvétius intitulé : L'Homme,** 1775, in **Œuvres complètes,** Garnier-Frères, II, p. 427)*

46/14 « Poursuis jusqu'où tu voudras ce que tu appelles commodités de la vie ; mais permets à des êtres sensés de s'arrêter, lorsqu'ils n'auraient qu'à obtenir, de la continuité de leurs pénibles efforts, que des biens imaginaires. Si tu nous persuades de franchir l'étroite limite du besoin, quand finirons-nous de travailler ? Quand jouirons-nous ? »

*(**Supplément au voyage de Bougainville,** 1778, II, **Les Adieux du vieillard**)*

FOURIER

46/15 Nous avons passé des siècles à ergoter sur les droits de l'homme sans songer à reconnaître le plus essentiel, celui du travail, sans lequel tous les autres ne sont rien.

*(**Traité de l'association domestique et agricole,** 1812, t. I, p. 158)*

FREUD

46/16 La possibilité de transférer les composantes narcissiques, agressives, voire érotiques de la libido dans le travail professionnel et les relations sociales qu'il implique, donne à ce dernier une valeur qui ne le cède en rien à celle que lui confère le fait d'être indispensable à l'individu pour maintenir et justifier son existence au sein de la société.

*(**Malaise dans la civilisation,** 1929, trad. Ch. et J. Odier, P.U.F., p. 25, n. 1)*

GOETHE

46/17 Si je dors, je dors pour moi seulement ; si je travaille, je ne sais pour qui ce sera.

*(**Pensées,** 1815-1832,* in ***Œuvres,*** *t. I, trad. J. Porchat, Hachette, p. 344)*

LAFARGUE

46/18 Travaillez, travaillez, prolétaires, pour agrandir la fortune sociale et vos misères individuelles, travaillez, travaillez, pour que, devenant plus pauvres, vous ayez plus de raisons de travailler et d'être misérables. Telle est la loi inexorable de la production capitaliste.

*(**Le Droit à la paresse,** 1880, François Maspero, p. 129)*

LÉVI-STRAUSS

46/19 Si indispensable que soit le droit au travail pour permettre à la liberté de s'exercer, de deux choses l'une : ou son affirmation restera verbale et gratuite, ou elle impliquera en contrepartie le devoir pour chacun d'accepter le travail que la société est en état de lui fournir.

*(**Le Regard éloigné,** Plon, 1983, p. 377)*

MARX

46/20 Le travail ne produit pas que des marchandises ; il se produit lui-même et produit l'ouvrier en tant que *marchandise,* et cela dans la mesure où il produit des marchandises en général.

*(**Manuscrits de 1844,** trad. E. Bottigelli, éd. Sociales,*
in ***Karl Marx : Textes 2,*** *p. 156)*

46/21 Plus l'ouvrier s'extériorise dans son travail, plus le monde étranger, objectif, qu'il crée en face de lui, devient puissant, plus il s'appauvrit lui-même et plus son monde intérieur devient pauvre, moins il possède en propre.

*(**Id.,** p. 157)*

46/22 L'ouvrier met sa vie dans l'objet. Mais alors celle-ci ne lui appartient plus, elle appartient à l'objet.

*(**Ibid.**)*

46/23 L'ouvrier n'a le sentiment d'être lui-même qu'en dehors du travail et, dans le travail, il se sent en dehors de soi. Il est comme chez lui quand il ne travaille pas et, quand il travaille, il ne se sent pas chez lui.

*(**Id.**, p. 160)*

46/24 Le travail aliéné renverse le rapport de telle façon que l'homme, du fait qu'il est un être conscient, ne fait précisément de son activité vitale, de son *essence* qu'un moyen de son *existence*.

*(**Id.**, p. 164)*

46/25 Si l'on réussissait à transformer avec peu de travail le charbon en diamant, la valeur de ce dernier tomberait peut-être au-dessous de celle des briques.

*(**Le Capital,** 1867, livre I, première section, chap. I, trad. J. Roy, Garnier-Frères, p. 44)*

MOUNIER

46/26 Le travail est par ailleurs pour la personne, première valeur spirituelle, un remarquable instrument de discipline ; il arrache l'individu à lui-même : l'œuvre à faire est la première école de l'abnégation, et peut-être la condition de durée de tout amour.

*(**Note sur le travail,** juin 1933, in **Révolution personnaliste et communautaire,** Aubier-Montaigne, 1935, p. 205)*

NAPOLÉON Ier

46/27 Plus mes peuples travailleront, moins il y aura de vices. Je suis l'autorité... et je serais disposé à ordonner que le dimanche, passé l'heure des offices, les boutiques fussent ouvertes et les ouvriers rendus à leur travail.

*(**Osterode,** le 5 mai 1807, cité par Paul Lafargue in **Le Droit à la paresse,** Maspero, p. 124)*

NIETZSCHE

46/28 Au fond, on sent aujourd'hui, à la vue du travail — on vise toujours sous ce nom le dur labeur du matin au soir —, qu'un tel travail constitue la meilleure des polices, qu'il tient chacun en bride et s'entend à entraver puissamment le développement de la raison, des désirs, du goût de l'indépendance.

*(**Aurore,** 1880, livre III, § 173, trad. J. Hervier, Gallimard)*

RENARD

46/29 La peur de l'ennui est la seule excuse du travail.

*(**Journal,** 10 septembre 1892)*

46/30 Les moralistes qui vantent le travail me font penser à ces badauds qui ont été attrapés dans une baraque de foire et qui tâchent tout de même d'y faire entrer les autres.

*(**Id.,** 11 mars 1904)*

ROUSSEAU

46/31 Ne rien faire est la première et la plus forte passion de l'homme après celle de se conserver. Si l'on y regardoit bien, l'on verroit que, même parmi nous, c'est pour parvenir au repos que chacun travaille, c'est encore la paresse qui nous rend laborieux.

*(**Essai sur l'origine des langues,** posth. 1781, Guy Ducros éd., Bordeaux, chap. IX, note 1, p. 109)*

SMITH (Adam)

46/32 Il peut y avoir plus de travail dans une heure d'ouvrage pénible que dans deux heures de besogne aisée, ou dans une heure d'application à un métier qui a coûté dix années de travail à apprendre, que dans un mois d'application d'un genre ordinaire et à laquelle tout le monde est propre.

*(**Recherches sur la nature et les causes de la richesse des nations,** 1776, édité par G. Mairet, Gallimard, Idées, livre I, chap. V, p. 63)*

46/33 Le travail est la seule mesure universelle, aussi bien que la seule exacte, des valeurs, le seul étalon qui puisse nous servir à comparer les valeurs de différentes marchandises à toutes les époques et dans tous les lieux.

*(**Id.,** p. 69)*

46/34 À la longue, il se peut que le maître ait autant besoin de l'ouvrier, que celui-ci a besoin du maître ; mais le besoin du premier n'est pas si pressant.

*(**Id.,** livre I, chap. VIII, p. 91)*

STIRNER

46/35 Lorsqu'on parle d'organiser le travail, on ne peut avoir en vue que celui dont d'autres peuvent s'acquitter à notre place, par exemple, celui du boucher, celui du laboureur, etc. ; mais il est des travaux qui restent du ressort de l'égoïsme, attendu que personne ne peut exécuter pour vous le tableau que vous peignez, produire vos compositions musicales, etc., personne ne peut faire l'œuvre de Raphaël.

*(**L'Unique et sa Propriété,** 1844, deuxième partie, II, 2, trad. R.-L. Reclaire, Stock éd., p. 324)*

WEIL (Simone)

46/36 Un peuple d'oisifs pourrait bien s'amuser à se donner des obstacles, s'exercer aux sciences, aux arts, aux jeux ; mais les efforts qui procèdent de la seule fantaisie ne constituent pas pour l'homme un moyen de dominer ses propres fantaisies. Ce sont les obstacles auxquels on se heurte et qu'il faut surmonter qui fournissent l'occasion de se vaincre soi-même. Même les activités en apparence les plus libres, science, art, sport, n'ont de valeur qu'autant qu'elles imitent l'exactitude, la rigueur, le scrupule propres aux travaux, et même les exagèrent.

*(**Oppression et liberté,** 1934, p. 114)*

VÉRITÉ

ADORNO

47/1 Le critère du vrai n'est pas son immédiate communicabilité à tout un chacun. Ce à quoi il faut résister c'est à la contrainte presque universelle qui fait confondre la communication de ce qui est connu avec celui-ci et le cas échéant, la place plus haut que lui, alors qu'actuellement, chaque pas vers la communication brade et falsifie la vérité.

*(**Dialectique négative,** 1959-1966, trad. de l'allemand par le groupe de traduction du Collège de philosophie: Gérard Coffin, Joëlle Masson, Olivier Masson, Alain Renaut et Dagmar Trousson, éd. Payot, 1978, p. 40)*

ALAIN

47/2 Un fou crie au feu. Si à ce moment-là, par hasard, une maison brûle, le fou ne se trompe pas. Descartes, au moment où il se trompe, et par la manière, est bien plus raisonnable que ce fou qui dit vrai.

(21 juin 1906, in ***Propos II,*** *Pléiade, Gallimard, p. 13)*

47/3 L'erreur de Descartes est de meilleure qualité que la vérité d'un pédant.

*(**Id.,** 13 juin 1911, p. 221)*

47/4 Bien loin de me dire que la vérité est loin de moi et séparée de moi, au contraire j'ai le sentiment que je tiens vérités sur vérités, et en un sens tout ce qu'on peut savoir. Et d'après cela je n'attends pas que le système de toutes les vérités soit fait ; je ne suis même pas curieux de savoir comment il serait fait ; je suis assuré au contraire que toutes les vérités périraient dans le système des vérités.

*(**Histoire de mes pensées,** 1936, chap.* ***Lagneau,*** in ***Les Arts et les Dieux,*** *Pléiade, Gallimard, p. 16)*

47/5 Personne n'est curieux de savoir combien il y a de grains de blé dans un champ de blé mûr, ni combien il y a de mésanges dans l'Ile-de-France. Et la question de savoir combien le roi Aménophis avait de femmes n'intéresse que celui qui en fait gloire, profit ou système. Je n'aimerais donc pas que l'on fît de la vérité totale une sorte d'objet abstrait, dont on aimerait également toutes les parties.

*(**Les Aventures du cœur,** 1945, Hartmann © Flammarion, chap. II, p. 11)*

47/6 L'amour de la vérité en soi me paraît, jusqu'à nouvelle réflexion, un simple jeu de paroles.

*(**Id.,** p. 12)*

ALEMBERT

47/7 Les histoires sont pleines de fanatiques qui ont même souffert la mort avec courage pour leurs erreurs ; et il est aussi facile à des hommes inattentifs ou prévenus, de se tromper sur des faits que sur des opinions.

*(**Essai sur les éléments de philosophie,** VI, **métaphysique,** édité par Richard N. Schwab, 1965, Georg Olms Verlagsbuchhandlung Hildesheim, p. 109)*

ARISTOTE

47/8 En ce qui concerne la vérité, on ne peut pas dire que tout ce qui apparaît est vrai, et s'il faut reconnaître, en premier lieu, qu'il n'y a pas de sensation fausse du sensible propre, il faut reconnaître aussi que l'imagination ne se confond pas avec la sensation.

*(**Métaphysique,** 5, 1010 b 1, trad. J.-C. Fraisse)*

47/9 Est-ce que ce qui est vrai, c'est ce qui paraît tel à ceux qui dorment ou bien à ceux qui sont éveillés ? Il est évident que ceux qui posent ces questions sont de mauvaise foi, et l'on n'a jamais vu un homme, rêvant la nuit qu'il était à Athènes alors qu'il était en fait en Libye, se mettre en marche pour aller à l'Odéon !

*(**Id.,** 5, 1010 b 9-10)*

BACHELARD

47/10 Il ne saurait y avoir de vérité *première*. Il n'y a que des erreurs *premières*.

*(**Études, 5, Idéalisme discursif,** 1970, J. Vrin, p. 89)*

DELEUZE

47/11 Pouvons-nous prétendre encore que nous cherchons le vrai, nous qui nous débattons dans le non-sens ?

*(**Signes et événements,** propos recueillis in **Magazine littéraire** n° 257, sept. 1988, p. 23)*

DESCARTES

47/12 Pour examiner la vérité il est besoin, une fois en sa vie, de mettre toutes choses en doute autant qu'il se peut.

*(**Les Principes de la philosophie,** 1644, première partie, 1)*

47/13 Ceux qui cherchent le droit chemin de la vérité ne doivent s'occuper d'aucun objet, dont ils ne puissent avoir une certitude égale à celle des démonstrations de l'arithmétique et de la géométrie.

*(**Règles pour la direction de l'esprit,** posth. 1701, **Règle II**)*

DIDEROT

47/14 Ce qu'on n'a jamais mis en question n'a point été prouvé.

*(**Pensées philosophiques,** 1746, XXI)*

47/15 Qu'on apporte cent preuves de la même vérité, aucune ne manquera de partisans, chaque esprit a son télescope. C'est un colosse à mes yeux que cette objection qui disparaît aux vôtres : vous trouvez légère une raison qui m'écrase.

*(**Id.,** XXIV)*

FEUERBACH

47/16 La vérité n'existe pas dans la pensée, dans le savoir pour eux-mêmes. *La vérité n'est que la totalité de la vie et de l'essence humaines.*

*(**Principes de la philosophie de l'avenir** 1843,*
in ***Manifestes philosophiques,** trad. L. Althusser, P.U.F., p. 261)*

GOETHE

47/17 La vérité est un flambeau, mais un flambeau formidable: c'est pourquoi nous ne cherchons tous à passer devant qu'en clignant les yeux, et avec la crainte de nous brûler.

*(**Pensées,** 1815-1832,* in ***Œuvres,** t. I, trad. J. Porchat, Hachette, p. 420)*

47/18 La vérité répugne à notre nature, mais non l'erreur, et cela pour une raison fort simple: la vérité demande que nous nous reconnaissions pour des êtres bornés ; l'erreur nous berce de l'idée que, d'une manière ou d'une autre, nous sommes infinis.

*(**Id.**, p. 429)*

HEGEL

47/19 La vraie figure dans laquelle la vérité existe ne peut être que le système scientifique de cette vérité.

*(**La Phénoménologie de l'esprit,** 1807, trad. J. Hyppolite, Aubier-Montaigne, t. I, p. 8)*

47/20 Selon ma façon de voir, tout dépend de ce point essentiel : appréhender et exprimer le Vrai, non comme *substance*, mais précisément aussi comme *sujet*.

*(**Id.**, p. 17)*

47/21 Le vrai est le délire bachique dont il n'y a aucun membre qui ne soit ivre.

*(**Id.**, p. 40)*

47/22 Toute définition ultérieure du Vrai n'est valable pour l'individu que dans la mesure où elle correspond à son principe religieux.

*(**Cours de 1830,** notes d'étudiants,* in ***La Raison dans l'histoire,** trad. Kostas Papaioannou, Plon et 10/18, p. 151)*

HOBBES

47/23 Le vrai et le faux sont des attributs du langage, non des choses. Et là où il n'y a pas de langage, il n'y a ni vérité ni fausseté.

*(**Léviathan,** 1651, première partie, chap. V)*

HUME

47/24 La vérité est de deux genres : elle consiste soit dans la découverte des rapports des idées, considérées comme telles, soit dans la conformité de nos idées des objets à leur existence réelle.

*(**Traité de la nature humaine,** 1739, livre II, troisième partie, sect. X)*

KANT

47/25 Le critère simplement logique de la vérité, c'est-à-dire l'accord d'une connaissance avec les lois générales et formelles de l'entendement et de la raison est, il est vrai, la *condition sine qua non* et, par suite la condition négative de toute vérité ; mais la logique ne peut pas aller plus loin ; aucune pierre de touche ne lui permet de découvrir l'erreur qui atteint non la forme, mais le contenu.

*(**Critique de la raison pure,** 1781, trad. Tremesaygues et Pacaud, fonds Alcan, P.U.F., I, deuxième partie, **Logique transcendantale,** III, p. 95)*

LACORDAIRE

47/26 Dieu est le nom propre de la vérité, comme la vérité est le nom abstrait de Dieu.

*(**45e Conférence de Notre-Dame,** 1848)*

LAGNEAU

47/27 Une pensée me soutient toujours, c'est que ce qui ne me donnerait pas la force de supporter ce que je supporte et de faire ce que je fais ne serait pas la vérité.

*(**Lettre à Émile Chartier,** 2 avril 1894,* in ***Célèbres leçons et Fragments,** P.U.F., p. 10)*

47/28 On ne peut pas être dans une vérité comme dans un état. La vérité est une disposition de la pensée.

*(**Cours sur le jugement,** posth. 1926,* in ***Célèbres leçons,** P.U.F., p. 211)*

LAMY (R.P)

47/29 Pour persuader le peuple qu'on dit vrai, il suffit de parler avec plus de hardiesse que son adversaire ; il n'y a qu'à crier plus fort, et lui dire plus d'injures qu'il n'en dit, se plaindre de lui plus aigrement, proposer tout ce que l'on avance comme des oracles, se railler de ses raisons comme si elles étaient ridicules, pleurer s'il en est besoin, comme si on avait une véritable douleur que la vérité qu'on défend fût attaquée et obscurcie. Ce sont là les apparences de la vérité. Le peuple ne voit guère que ces apparences et ce sont elles qui persuadent.

*(**La Rhétorique ou l'Art de parler,** 1741, nouv. éd., V, VII, p. 386)*

LEIBNIZ

47/30 On peut dire en général que toutes les vérités sont ou bien des vérités de fait, ou bien des vérités de raison. La première des vérités de raison est le principe de contradiction ou, ce qui revient au même, le principe d'identité, comme Aristote l'a justement remarqué. Les premières vérités de fait sont aussi nombreuses que les perceptions immédiates ou, pour ainsi dire, les consciences.

(***Animadversiones in partem generalem Principiorum Cartesianorum, Remarques sur la partie générale des Principes de Descartes,*** *1692,* ***In partem primam, Ad artic. (7),*** in ***Opuscula philosophica selecta,*** *Boivin et Cie éd., p. 13)*

47/31 Il y a deux sortes de *vérités*, celles de *raisonnement* et celles de *fait*. Les vérités de *raisonnement* sont nécessaires et leur opposé est impossible, et celles de *fait* sont contingentes et leur opposé est possible.

(***La Monadologie,*** *1714, éd. Émile Boutroux, Delagrave, § 33)*

LICHTENBERG

47/32 Il est impossible de porter à travers la foule le flambeau de la vérité sans roussir çà et là une barbe ou une perruque.

(***Aphorismes,*** *premier cahier, 1764-1771, trad. Marthe Robert, J.-J. Pauvert, p. 62)*

LYOTARD

47/33 Toute parole est revêtue d'une valeur de vérité, quoi qu'on entende par cette expression.

(***Économie libidinale,*** *1974, éd. de Minuit, p. 310)*

MALEBRANCHE

47/34 Un homme qui juge de toutes choses par ses sens, qui suit en toutes choses les mouvements de ses passions, qui n'aperçoit que ce qu'il sent, et qui n'aime que ce qui le flatte, est dans la plus misérable disposition d'esprit où il puisse être ; dans cet état il est infiniment éloigné de la vérité et de son bien. Mais lorsqu'un homme ne juge des choses que par les idées pures de l'esprit, qu'il évite avec soin le bruit confus des créatures, et que rentrant en lui-même il écoute son souverain maître, dans le silence de ses sens et de ses passions, il est impossible qu'il tombe dans l'erreur.

(***De la recherche de la vérité,*** *1674, 6e éd. 1712, préface)*

MARX-ENGELS

47/35 La question de savoir s'il y a lieu de reconnaître à la pensée humaine une vérité objective n'est pas une question théorique, mais une question pratique. C'est dans la pratique qu'il faut que l'homme prouve la vérité, c'est-à-dire la réalité et la puissance de sa pensée dans ce monde et pour notre temps. La discussion sur la réalité ou l'irréalité d'une pensée qui s'isole de la pratique est purement *scolastique*.

*(**Deuxième thèse sur Feuerbach,** in **L'Idéologie allemande,** 1846, trad. par H. Auger, G. Badia, J. Baudrillard, R. Cartelle, éd. Sociales, p. 32)*

MONTAIGNE

47/36 Il semble que nous n'avons autre mire de la vérité et de la raison que l'exemple et idée des opinions et usances du païs où nous sommes.

*(**Essais,** 1580-1595, livre I, chap. XXXI, Pléiade, Gallimard, p. 243)*

47/37 Quelle vérité que ces montagnes bornent, qui est mensonge au monde qui se tient au-delà?

*(**Id.,** livre II, chap. XII)*

47/38 Nous sommes nés à quêter la vérité; il appartient de la posséder à une plus grande puissance.

*(**Id.,** livre III, chap. VIII)*

NIETZSCHE

47/39 L'homme exige la vérité et la réalise dans le commerce moral avec les hommes; c'est là-dessus que repose toute vie en commun.

*(**Le Livre du philosophe, Études théorétiques,** 1872-1875, trad. A.K. Marietti, Aubier-Flammarion, p. 87)*

47/40 Presque rien n'est plus inconcevable que l'avènement d'un honnête et pur instinct de vérité parmi les hommes.

*(**Id.,** p. 173)*

47/41 Les vérités sont des illusions dont on a oublié qu'elles le sont.

*(**Id.,** p. 183)*

47/42 Si quelqu'un cache une chose derrière un buisson, la recherche à cet endroit précis et la trouve, il n'y a guère à louer dans cette recherche et cette découverte: il en va de même pourtant de la recherche et de la découverte de la « vérité dans l'enceinte de la raison ». Quand je donne la définition du mammifère et que je déclare, après avoir examiné un chameau, « voici un mammifère », une vérité a certes été mise au jour, mais elle est néanmoins de valeur limitée, je veux dire qu'elle est entièrement anthropomorphique et qu'elle ne contient pas un seul point qui soit « vrai en soi », réel et valable universellement, abstraction faite de l'homme.

*(**Id.**, p. 187)*

47/43 La croyance forte ne prouve que sa force, non la vérité de ce qu'on croit.

*(**Humain, trop humain,** 1878, trad. de A.-M. Desrousseaux, Denoël-Gontier, t. I, § 15, p. 51)*

47/44 « En faveur de la vérité du christianisme, on avait pour témoignage la vertueuse conduite des chrétiens, leur constance dans la souffrance, la fermeté de leur foi et surtout la diffusion et la croissance du christianisme en dépit de toutes ses tribulations » — c'est ainsi qu'aujourd'hui encore vous parlez ! C'est à faire pitié ! Apprenez donc que tout cela ne témoigne ni pour ni contre la vérité, que la vérité se prouve autrement que la véracité, et que la seconde n'est absolument pas un argument en faveur de la première !

*(**Aurore,** 1880, § 73, trad. J. Hervier, Idées-Gallimard, p. 83)*

47/45 Nous ne croyons plus que la vérité soit encore la vérité dès qu'on lui retire son voile : nous avons trop vécu pour croire cela.

*(**Le Gai Savoir,** 1882, Préface, § 4, trad. Klossowski, Club français du livre et 10/18, p. 45)*

47/46 La *force* de la connaissance ne réside pas dans son degré de « vérité », mais dans son degré d'ancienneté, son assimilation plus ou moins avancée, son caractère de condition vitale. Lorsque vivre et connaître semblaient se contredire, il n'y avait jamais lutte sérieuse ; douter, nier passaient pour folie.

*(**Id.**, trad. A. Vialatte, Gallimard, § 110)*

PASCAL

47/47 C'est une maladie naturelle à l'homme de croire qu'il possède la vérité directement ; et de là vient qu'il est toujours disposé à nier tout ce qui lui est incompréhensible ; au lieu qu'en effet il ne connaît naturellement que le mensonge, et qu'il ne doit prendre pour véritables que les choses dont le contraire lui paraît faux.

*(**De l'esprit géométrique,** 1658, publ. en 1758, in **Pensées et opuscules,** éd. Brunschvicg, Hachette, pp. 176-177)*

47/48 Nous avons une impuissance de prouver, invincible à tout le dogmatisme. Nous avons une idée de la vérité, invincible à tout le pyrrhonisme.

*(**Pensées,** posth. 1669, VI, 395, éd. Brunschvicg, Hachette, p. 508)*

PLATON

47/49 Mais les vrais philosophes, demanda-t-il, qui sont-ils selon toi? Ceux qui aiment à contempler la vérité, répondis-je.

*(**La République,** V, 475 e, trad. Chambry, Les Belles Lettres)*

PUTNAM

47/50 Le contenu de la notion même de vérité dépend de nos normes d'acceptabilité rationnelle, qui, elles, présupposent nos valeurs. Dit schématiquement et beaucoup trop rapidement, mon point de vue est que la théorie de la vérité présuppose notre théorie de la rationalité, qui à son tour présuppose notre théorie du bien.

*(**Raison, vérité et histoire,** 1981, trad. de l'anglais par A. Gerschenfeld, éd. de Minuit, 1984, p. 238)*

QUINE

47/51 Un faux prophète n'est pas un prophète, et un vrai artiste, bien qu'il soit vraiment un artiste, n'est pas un artiste qui est vrai.

*(**Le Mot et la Chose,** 1959, trad. de l'américain par les Professeurs J. Dopp et P. Gochet, Flammarion, p. 195)*

ROSTAND (Jean)

47/52 La vérité est toujours servie par les grands esprits, même s'ils la combattent.

*(**Pensées d'un biologiste,** 1939, chap. VII, p. 135)*

47/53 La vérité, juchée sur son socle d'erreurs.

*(**Id.,** p. 140)*

ROUSSEAU

47/54 Sommes-nous donc faits pour mourir attachés sur les bords du puits où la vérité s'est retirée?

*(**Discours sur les sciences et les arts,** 1750, seconde partie)*

47/55 La vérité générale et abstraite est le plus précieux de tous les biens. Sans elle l'homme est aveugle ; elle est l'œil de la raison. C'est par elle que l'homme apprend à se conduire, à être ce qu'il doit être, à faire ce qu'il doit faire, à tendre à sa véritable fin.

*(**Les Rêveries du promeneur solitaire,** posth. 1782, **Quatrième promenade,** éd. du Seuil, t. 1, p. 515)*

SARTRE

47/56 Il ne peut pas y avoir de vérité autre, au point de départ, que celle-ci : *je pense donc je suis,* c'est là la vérité absolue de la conscience s'atteignant elle-même.

*(**L'existentialisme est un humanisme,** 1946, Nagel, p. 64)*

SPINOZA

47/57 Vous me demandez comment je sais que ma philosophie est la meilleure entre toutes celles qui ont jamais été, sont et seront enseignées dans le monde. Ce serait plutôt à moi de vous poser la question. Je ne prétends pas avoir trouvé la philosophie la meilleure, mais je sais que j'ai connaissance de la vraie. Me demanderez-vous comment je le sais, je répondrai : de la même façon que vous savez que les trois angles d'un triangle égalent deux droits, et nul ne dira que cela ne suffit pas, pour peu que son cerveau soit sain et qu'il ne rêve pas d'esprits impurs nous inspirant des idées fausses semblables à des idées vraies ; car le vrai est à lui-même sa marque et il est aussi celle du faux.

*(**Lettre à Albert Burgh,** déc. 1675 ou janv. 1676, trad. Ch. Appuhn,* in ***Œuvres,** t. 4, Garnier-Frères, p. 342)*

VALÉRY

47/58 « Vérité » est non seulement conformité, mais valeur. Ceux qui croient la posséder, la possèdent ; eux seuls.

*(**Mauvaises pensées et autres,** 1941,* in ***Œuvres,** t. II, Pléiade, Gallimard, p. 863)*

VIOLENCE

ALAIN

48/1 Qui n'a pas pensé qu'une victoire décisive, au prix de soixante mille cadavres, était une chose que l'on devait vouloir? Et ceux qui ont pris de ces fortes décisions, qui ne les admire? S'il y avait beaucoup d'exceptions, les guerres ne seraient pas possibles.

*(**Ne pas compter sur la peur,** 9 juin 1928,* in ***Propos I,*** *Pléiade, Gallimard, p. 787)*

48/2 C'est un genre de force, mais passionnée, et qui vise à briser la résistance par la terreur. La violence définit le crime, lorsqu'elle s'exerce contre la personne humaine. Et la loi des punitions est au contraire qu'elles soient entièrement purifiées de violence.

*(**Définitions,** posth. 1953, art.* ***Violence,*** in ***Les Arts et les Dieux,*** *Pléiade, Gallimard, p. 1098)*

ARISTOTE

48/3 Il existe une certaine communauté d'intérêt et d'amitié entre maître et esclave, quand leur position respective est due à la volonté de la nature ; mais s'il n'en a pas été ainsi, et que leurs rapports reposent sur la loi et la violence, c'est tout le contraire qui a lieu.

*(**La Politique,** trad. Tricot, I, 6, 1255 b)*

BAYLE

48/4 La violence est incapable, d'un côté, de persuader l'esprit, et d'imprimer dans le cœur l'amour et la crainte de Dieu, et est très capable, de l'autre, de produire dans nos corps des actes externes qui ne soient accompagnés d'aucune réalité intérieure, ou qui soient des signes d'une disposition intérieure très différente de celle qu'on a véritablement ; c'est-à-dire que ces actes externes sont ou hypocrisie et mauvaise foi, ou révolte contre la conscience.

C'est donc une chose manifestement opposée au bon sens, à la lumière naturelle, aux principes généraux de la raison, en un mot, à la règle primitive et originale du discernement du vrai ou du faux, du bon et du mauvais, que d'employer la violence à inspirer une religion à ceux qui ne la professent pas.

*(**Commentaire philosophique sur ces paroles de Jésus-Christ: « Contrains-les d'entrer » où l'on prouve par plusieurs raisons démonstratives qu'il n'y a rien de plus abominable que de faire des conversions par la contrainte,** 1686)*

BIBLE (LA)

48/5 L'Éternel dit: « J'exterminerai de la face de la terre l'homme que j'ai créé, depuis l'homme jusqu'au bétail, aux reptiles, et aux oiseaux du ciel; car je me repens de les avoir faits... »

... Tout ce qui se mouvait sur la terre périt, tant les oiseaux que le bétail et les animaux, tout ce qui rampait sur la terre, et tous les hommes. Tout ce qui avait respiration, souffle de vie dans ses narines, et qui était sur la terre sèche, mourut. Tous les êtres qui étaient sur la face de la terre furent exterminés, depuis l'homme jusqu'au bétail, aux reptiles et aux oiseaux du ciel: ils furent exterminés de la terre. Il ne resta que Noé, et ce qui était avec lui dans l'arche. Les eaux furent grosses sur la terre pendant cent cinquante jours.

*(**Ancien Testament, Genèse,** 6, 7-8, et 7, 21-24, trad. Louis Segond)*

CLAUSEWITZ

48/6 *La guerre est un acte de violence destiné à contraindre l'adversaire à exécuter notre volonté.*

La violence, pour affronter la violence, s'arme des inventions des arts et des sciences. Elle s'accompagne de restrictions infimes, à peine dignes d'être mentionnées, et qu'elle impose sous le nom de lois du droit des gens, mais qui, en fait, n'affaiblissent pas sa force. La violence, c'est-à-dire la violence physique (car il n'existe pas de violence morale, en dehors des concepts de l'État et de la Loi), est donc le *moyen*; la *fin* est d'imposer notre volonté à l'ennemi.

*(**De la guerre,** 1831, trad. D. Naville, éd. de Minuit et 10/18, p. 40)*

48/7 La guerre est un acte de violence et il n'y a pas de limite à la manifestation de cette violence. Chacun des adversaires fait la loi de l'autre, d'où résulte une action réciproque qui, en tant que concept, doit aller aux extrêmes.

(***Id.***, *p. 42)*

DIDEROT

48/8 Dieu le père juge les hommes dignes de sa vengeance éternelle ; Dieu le fils les juge dignes de sa miséricorde infinie ; le Saint-Esprit reste neutre. Comment accorder ce verbiage catholique avec l'unité de la volonté divine ?

*(**Addition aux pensées philosophiques,** 1770, XLVII,*
*in **Œuvres philosophiques,** Garnier, p. 66)*

48/9 Il n'y a que celui qui pourrait commettre tout le mal possible qui pourrait aussi mériter un châtiment éternel. Pour faire de Dieu un être infiniment vindicatif, vous transformez un ver de la terre en un être infiniment puissant. Tout le mal dont on est capable n'est pas tout le mal possible.

(***Id.***, *p. 67)*

ENGELS

48/10 Pour M. Dühring la violence est le mal absolu, le premier acte de violence est pour lui le péché originel, tout son exposé est une jérémiade sur la façon dont toute l'histoire jusqu'ici a été ainsi contaminée par le péché originel, sur l'infâme dénaturation de toutes les lois naturelles et sociales par cette puissance diabolique, la violence. Mais que la violence joue encore dans l'histoire un autre rôle, un rôle révolutionnaire ; que, selon les paroles de Marx, elle soit l'accoucheuse de toute vieille société qui en porte une nouvelle dans ses flancs ; qu'elle soit l'instrument grâce auquel le mouvement social l'emporte et met en pièces des formes politiques figées et mortes ; de cela, pas un mot chez M. Dühring.

*(**Anti-Dühring,** 1877-1878, deuxième partie, chap. IV,*
trad. Bottigelli, éd. Sociales, p. 216)

FREUD

48/11 Si l'État interdit à l'individu le recours à l'injustice, ce n'est pas parce qu'il veut supprimer l'injustice, mais parce qu'il veut monopoliser ce recours, comme il monopolise le sel et le tabac. L'État en guerre se permet toutes les injustices, toutes les violences, dont la moindre déshonorerait l'individu.

*(**Essais de psychanalyse,** articles 1909-1915, quatrième partie, trad. Dr. S. Jankélévitch, Payot, p. 240)*

48/12 Là où le blâme de la part de la collectivité vient à manquer, la compression des mauvais instincts cesse, et les hommes se livrent à des actes de cruauté, de perfidie, de trahison et de brutalité, qu'on aurait crus impossibles, à en juger uniquement par leur niveau de culture.

*(**Id.,** p. 241)*

48/13 La question du sort de l'espèce humaine me semble se poser ainsi : le progrès de la civilisation saura-t-il, et dans quelle mesure, dominer les perturbations apportées à la vie en commun par les pulsions humaines d'agression et d'auto-destruction ?

*(**Malaise dans la civilisation,** 1929, trad. Ch. et J. Odier, P.U.F., p. 107)*

HEGEL

48/14 Le principe conceptuel que la violence se détruit elle-même a sa manifestation réelle en ceci qu'on annule une violence par une violence. Elle devient alors juridique, non seulement dans telles ou telles conditions mais nécessaire — lorsqu'elle est une seconde contrainte qui en supprime une première.

*(**Principes de la philosophie du droit,** 1821, trad. A. Kaan, Gallimard, p. 130)*

HOBBES

48/15 Aussi longtemps que les hommes vivent sans un pouvoir commun qui les tienne tous en respect, ils sont dans cette condition qui se nomme guerre, et cette guerre est guerre de chacun contre chacun.

*(**Léviathan,** 1651, chap. XII, trad. Tricaud, Sirey, © by Jurisprudence générale Dalloz, p. 124)*

HOLBACH

48/16 En politique comme en médecine, les remèdes violents sont toujours dangereux ; on ne doit les employer que lorsque l'excès des maux les rendent absolument nécessaires.

*(**La Politique naturelle,** 1775, Discours III, § XVIII)*

IBN KHALDOUN

48/17 La guerre est naturelle à l'homme, aucune nation, aucune génération n'y échappe. Le désir de se venger a ordinairement pour motif la rivalité d'intérêts et la jalousie, ou bien l'inimitié, ou bien la colère au service de Dieu et de la religion, ou bien encore celle que l'on met à défendre la souveraineté et à en étendre la puissance.

*(**La Muqaddima** [**Les Prolégomènes**], 1375-1379, trad. J.-E. Bencheikh, Hachette-Alger, p. 129)*

KANT

48/18 Il faut l'avouer : les plus grands maux qui accablent les peuples civilisés nous sont amenés par la guerre, et à vrai dire non pas tant par celle qui réellement a ou a eu lieu, que par les *préparatifs* incessants et même régulièrement accrus en vue d'une guerre à venir.

*(**Conjectures sur les débuts de l'histoire humaine,** 1786,* in ***La Philosophie de l'histoire,*** *trad. S. Piobetta, Aubier-Montaigne, p. 169)*

48/19 On peut discuter tant qu'on voudra, en comparant l'homme d'État au guerrier, pour savoir lequel mérite davantage notre considération ; le jugement esthétique décide en faveur du second. La guerre même conduite avec ordre et en regardant comme sacrés les droits des citoyens a quelque chose de sublime et elle rend d'autant plus sublime la mentalité du peuple qui la conduit ainsi, que les périls dans lesquels il s'est trouvé ont été en plus grand nombre et qu'il leur a résisté courageusement ; au contraire une longue paix a coutume de rendre dominant le pur esprit mercantile, en même temps le vil égoïsme, la lâcheté, la mollesse, et d'abaisser la mentalité du peuple.

*(**Critique du jugement,** 1790, première partie, livre II, § 28, trad. J. Gibelin, Libr. Vrin, p. 90)*

48/20 La guerre n'étant qu'un triste moyen imposé par le besoin dans l'état de nature (là où n'existe aucune cour de justice pour pouvoir juger avec force de droit) afin de soutenir son droit par la violence, aucune des deux parties ne peut en ce cas être qualifiée d'ennemi injuste (cela présumant déjà une sentence de juge), mais c'est l'*issue* qui décide (tout comme dans les jugements dits de Dieu) de quel côté se trouve le droit.

*(**Projet de paix perpétuelle,** 1795, trad. J. Gibelin, J. Vrin, p. 9)*

LA BRUYÈRE

48/21 Quand le peuple est en mouvement, on ne comprend pas par où le calme peut y rentrer ; et quand il est paisible, on ne voit pas par où le calme peut en sortir.

*(**Du Souverain ou De la République,** § 6,* in ***Les Caractères,** 1688-1696)*

LAGNEAU

48/22 « L'homme, dit un célèbre écrivain, est né libre et partout il est dans les fers. » C'est vrai, mais ajoutons qu'il est dans ses propres fers, esclave à la fois et tyran, complice au moins des violences qu'il subit.

*(**Discours de Sens,** 1877,* in ***Célèbres leçons et fragments,** P.U.F., 1950, p. 11)*

LÉNINE

48/23 L'État est l'organisation spéciale d'un pouvoir : c'est l'organisation de la violence destinée à mater une certaine classe.

*(**L'État et la Révolution,** 1917, chap. II, 1, éd. sociales, p. 37)*

48/24 Le prolétariat a besoin du pouvoir d'État, d'une organisation centralisée de la force, d'une organisation de la violence, aussi bien pour réprimer la résistance des exploiteurs que pour *diriger* la grande masse de la population — paysannerie, petite bourgeoisie, semi-prolétaires — dans la « mise en place » de l'économie socialiste.

*(**Id.,** p. 39)*

LYOTARD

48/25 La violence n'est pas édifiante, elle consiste tout entière dans l'inédification (l'inutilité), dans le déblaiement des défenses, dans l'ouverture des parcours, des sens, des esprits.

*(**Économie libidinale,** 1974, éd. de Minuit, p. 310)*

MACHIAVEL

48/26 Ce n'est pas la violence qui restaure, mais la violence qui ruine qu'il faut condamner.

*(**Discours sur la première décade de Tite-Live,** 1513-1520, livre I, chap. 9, trad. Giraudet)*

MAISTRE

48/27 Au-dessus de ces nombreuses races d'animaux est placé l'homme, dont la main destructive n'épargne rien de ce qui vit ; il tue pour se nourrir, il tue pour se vêtir, il tue pour se parer, il tue pour attaquer, il tue pour se défendre, il tue pour s'instruire, il tue pour s'amuser, il tue pour tuer.

*(**Les Soirées de Saint-Pétersbourg,** 1821, septième entretien)*

MARAT

48/28 Un poignard à deux tranchants, bien effilé, voilà l'arme qui convient à des hommes de cœur, la seule dont on peut faire usage en tous lieux, la seule dont on ne peut parer les coups, la seule dont toutes les blessures soient mortelles, la seule contre laquelle tout l'art de la guerre devient inutile.

*(**L'Ami du peuple,** n° 626, 15 déc. 1791)*

MARX

48/29 Les différentes méthodes d'accumulation primitive que l'ère capitaliste fait éclore se partagent d'abord, par ordre plus ou moins chronologique, entre le Portugal, l'Espagne, la Hollande, la France et l'Angleterre, jusqu'à ce que celle-ci les combine toutes, au dernier tiers du XVIIe siècle, dans un ensemble systématique, embrassant à la fois le régime colonial, le crédit public, la finance moderne et le système protectionniste. Quelques-unes de ces méthodes reposent sur l'emploi de la force brutale, mais toutes sans exception exploitent le pouvoir de l'État, la force concentrée et organisée de la société, afin de précipiter violemment le passage de l'ordre économique féodal à l'ordre économique capitaliste et d'abréger les phases de transition. Et en effet, la force est l'accoucheuse de toute vieille société en travail. La force est un agent économique.

*(**Le Capital,** 1867, livre Premier, Huitième section, chap. XXXI, trad. par J. Roy, revue par M. Rubel,* in ***Œuvres, Économie I,** Pléiade, Gallimard, p. 1213)*

MONTAIGNE

48/30 Nul ne prend son esbat à voir des bestes s'entrejouer et caresser, et nul ne faut de le prendre à les voir s'entredéchirer et desmanbrer.

*(**Essais,** 1580-1595, livre II, chap. XI, Pléiade, Gallimard, p. 477)*

OWEN

48/31 Vous désirez instaurer un meilleur système social et vous ne voyez pas d'autre moyen d'y parvenir que la violence. Je désire également voir s'instaurer un système social meilleur, mais il me semble impossible de réaliser par la violence un changement bienfaisant et durable.

*(**La Révolution dans les esprits et dans la pratique de la race humaine, [The Revolution in the mind and practice of the human race]**, 1849, trad. Paul Meier, chap. XX)*

PROUDHON

48/32 La cause première, universelle, et toujours constante de la guerre, de quelque manière et pour quelque motif que celle-ci s'allume, est la même que celle qui pousse les nations à essaimer, à former au loin des établissements, à chercher pour l'excédent de leur population des terres et des débouchés. C'est le *manque de subsistances ;* en style plus relevé, c'est la *rupture de l'équilibre économique.*

*(**La Guerre et la Paix,** 1861, livre IV, chap. II)*

ROSTAND (Jean)

48/33 On tue un homme, on est un assassin. On tue des millions d'hommes, on est un conquérant. On les tue tous, on est un dieu.

*(**Pensées d'un biologiste,** 1939, chap. V, p. 106)*

SARTRE

48/34 La violence se donne toujours pour une *contre-violence,* c'est-à-dire pour une riposte à la violence de l'Autre.

*(**Critique de la raison dialectique,** 1960, Gallimard, p. 210)*

VALLÈS

48/35 La liberté de parler, d'écrire, de s'assembler, avec ou sans drapeau — propriété légitime de ceux qui ont pleuré et saigné pour en faire cadeau à la Patrie et qui n'ont que cette fortune, les pauvres, est en même temps la garantie de la paix commune et de la sécurité publique.

Dans les pays où les manifestations ont leurs coudées franches, il n'y a que par hasard des journées de tumulte violent et jamais des soirs de tuerie.

(**Le Cri du Peuple,** *11 déc. 1883, art.* **Niais ou coquins**)

VAUVENARGUES

48/36 Entre rois, entre peuples, entre particuliers, le plus fort se donne des droits sur le plus faible, et la même règle est suivie par les animaux, par la matière, par les éléments, etc., de sorte que tout s'exécute dans l'univers par la violence ; et cet ordre, que nous blâmons avec quelque apparence de justice, est la loi la plus générale, la plus absolue, la plus immuable et la plus ancienne de la nature.

(**Réflexions et maximes,** *1746, CLXXXVII*)

VOLTAIRE

48/37 La Providence nous met quelquefois à la torture en y employant la pierre, la gravelle, la goutte, le scorbut, la lèpre, la vérole grande ou petite, le déchirement d'entrailles, les convulsions de nerfs, et d'autres exécuteurs des vengeances de la Providence.

Or comme les premiers despotes furent, de l'aveu de tous leurs courtisans, des images de la Divinité, ils l'imitèrent tant qu'ils purent.

(**Dictionnaire philosophique,** *1764, art.* **Torture**)

WEBER

48/38 Il faut concevoir l'État contemporain comme une communauté humaine qui, dans les limites d'un territoire déterminé — la notion de territoire étant une de ses caractéristiques — revendique avec succès pour son propre compte *le monopole de la violence physique légitime.* Ce qui est en effet le propre de notre époque, c'est qu'elle n'accorde à tous les autres groupements, ou aux individus, le droit de faire appel à la violence que dans la mesure ou l'État le tolère : celui-ci passe donc pour l'unique source du « droit » à la violence.

(**Politik als Beruf,** *1919,* in **Le Savant et le Politique,** *Plon et 10/18, p. 100*)

WEIL (Éric)

48/39 Grâce au discours de l'adversaire du discours raisonnable, grâce à l'antiphilosophe, le secret de la philosophie s'est ainsi révélé : le philosophe veut que la violence disparaisse du monde. Il reconnaît le besoin, il admet le désir, il convient que l'homme reste animal tout en étant raisonnable : ce qui importe, c'est d'éliminer la violence. Il est légitime de désirer ce qui réduit la quantité de violence qui entre dans la vie de l'homme ; il est illégitime de désirer ce qui l'augmente.

*(**Logique de la philosophie,** 1967, Vrin, p. 20)*

VIVANT
(La connaissance du vivant)

BERGSON

49/1 Quand l'intelligence aborde l'étude de la vie, nécessairement elle traite le vivant comme l'inerte, appliquant à ce nouvel objet les mêmes formes, transportant dans ce nouveau domaine les mêmes habitudes qui lui ont si bien réussi dans l'ancien. Et elle a raison de le faire, car à cette condition seulement le vivant offrira à notre action la même prise que la matière inerte. Mais la vérité où l'on aboutit ainsi devient toute relative à notre faculté d'agir. Ce n'est plus qu'une vérité symbolique.

*(**L'Évolution création,** 1907,* in ***Œuvres,*** *P.U.F., 1970, p. 661)*

BICHAT

49/2 La vie est l'ensemble des fonctions qui résistent à la mort.

*(**Recherches physiologiques sur la vie et la mort,** 1800, première partie, art. I)*

BUFFON

49/3 Lorsque le corps est bien constitué, peut-être est-il possible de le faire durer quelques années de plus en le ménageant. Il se peut que la modération dans les passions, la tempérance et la sobriété dans les plaisirs, contribuent à la durée de la vie ; encore cela même paraît-il fort douteux : il est nécessaire que le corps fasse l'emploi de toutes ses forces, qu'il consomme tout ce qu'il peut consommer, qu'il s'exerce autant qu'il en est capable ; que gagnera-t-on dès lors par la diète et par la privation ?

*(**De l'homme,** 1749, chap. 5)*

49/4 Nous commençons de vivre par degrés, et nous finissons de mourir comme nous commençons de vivre.

*(**Ibid.**)*

CANGUILHEM

49/5 Le vivant ne vit pas parmi les lois, mais parmi des êtres et des événements qui diversifient ces lois. Ce qui porte l'oiseau, c'est la branche et non les lois de l'élasticité. Si nous réduisons la branche aux lois de l'élasticité, nous ne devons pas non plus parler d'oiseau, mais de solutions colloïdales.

*(**Le Normal et le Pathologique,** I, deuxième partie, chap. IV, 1943, P.U.F., p. 131)*

49/6 L'ordre social est un ensemble de règles dont les servants ou les bénéficiaires, en tout cas les dirigeants, ont à se préoccuper. L'ordre vital est fait d'un ensemble de règles vécues sans problèmes.

*(**Id.,** II, 1966, P.U.F., p. 186)*

49/7 La pensée du vivant doit tenir du vivant l'idée du vivant.

*(**La Connaissance de la vie,** 1952, 2e éd. 1971, J. Vrin, p. 13)*

49/8 Lorsqu'on reconnaît l'originalité de la vie, on doit « comprendre » la matière dans la vie et la science de la matière, qui est la science tout court, dans l'activité du vivant.

*(**Id.,** p. 95)*

COMTE

49/9 Tous les efforts des matérialistes pour annuler la spontanéité vitale en exagérant la prépondérance des milieux inertes sur les êtres organisés n'ont abouti qu'à discréditer cette recherche, aussi vaine qu'oiseuse, désormais abandonnée aux esprits anti-scientifiques.

*(**Catéchisme positiviste,** 1852, première partie, deuxième entretien)*

49/10 Une conception trop vague de la biologie conduit à représenter l'étude de notre existence individuelle comme déjà comprise dans la théorie générale de la vitalité.

*(**Système de politique positive,** 1851-1854, tome II, 1852, chap. VII, chez l'auteur, 10 rue Monsieur-le-Prince, p. 436)*

49/11 La vraie biologie n'a nullement pour objet la connaissance individuelle de l'homme, mais seulement l'étude générale de la vie, envisagée surtout dans l'ensemble des êtres qui en jouissent.

*(**Id.,** p. 437)*

COURNOT

49/12 L'idée de la Nature, c'est l'idée d'une puissance et d'un art divins inexprimables, sans comparaison ni mesure avec la puissance et l'industrie de l'homme, imprimant à leurs œuvres un caractère propre de majesté et de grâce, opérant toutefois sous l'empire de conditions nécessaires, tendant fatalement et inexorablement vers une fin qui nous surpasse, de manière pourtant que cette chaîne de finalité mystérieuse, dont nous ne pouvons démontrer scientifiquement ni l'origine, ni le terme, nous apparaisse comme un fil conducteur, à l'aide duquel l'ordre s'introduit dans les faits observés, et qui nous met sur la trace des faits à rechercher. L'idée de la Nature, ainsi éclaircie autant qu'elle peut l'être, n'est que la concentration de toutes les lueurs que l'observation et la raison nous donnent sur l'ensemble des phénomènes de la vie, sur le système des êtres vivants.

(***Traité de l'enchaînement des idées fondamentales dans les sciences et dans l'histoire,*** *1861, Hachette, livre III, chap. X, § 319, p. 361*)

DESCARTES

49/13 Jugeons que le corps d'un homme vivant diffère autant de celui d'un homme mort, que fait une montre, ou autre automate (c'est-à-dire autre machine qui se meut de soi-même) lorsqu'elle est montée, et qu'elle a en soi le principe corporel des mouvements pour lesquels elle est instituée, avec tout ce qui est requis pour son action, et la même montre, ou autre machine, lorsqu'elle est rompue et que le principe de son mouvement cesse d'agir.

(***Les Passions de l'âme,*** *1649, première partie, article IV*)

JACOB

49/14 La biologie ne peut, ni se réduire à la physique, ni se passer d'elle.

(***La Logique du vivant,*** *1970, Gallimard, p. 328*)

KANT

49/15 La faculté d'un être d'agir selon ses représentations s'appelle la *vie.*

(***Métaphysique des mœurs,*** *première partie,* ***Doctrine du droit,*** *1797, trad. Philonenko, J. Vrin éd., p. 85*)

LEIBNIZ

49/16 À mon avis notre corps en lui-même, l'âme mise à part, ou le *cadaver*, ne peut être appelé une substance que par abus, comme une machine ou comme un tas de pierres, qui ne sont que des êtres par agrégation ; car l'arrangement régulier ou irrégulier ne fait rien à l'unité substantielle.

*(**Lettre à Arnauld,** Hanovre, 28 nov./6 déc. 1686,* in ***Œuvres choisies,*** *par L. Prenant, Garnier, p. 182)*

49/17 Les machines de la nature ont un nombre d'organes véritablement infini, et sont si bien munies et à l'épreuve de tous les accidents qu'il n'est pas possible de les détruire.

*(**Système nouveau de la nature,** 1695, § 10)*

49/18 Chaque corps organique d'un vivant est une espèce de machine divine, ou d'automate naturel, qui surpasse infiniment tous les automates artificiels. Parce qu'une machine faite par l'art de l'homme n'est pas machine dans chacune de ses parties. Par exemple : la dent d'une roue de laiton a des parties ou fragments qui ne sont plus quelque chose d'artificiel et n'ont plus rien qui marque la machine par rapport à l'usage où la roue était destinée. Mais les machines de la nature, c'est-à-dire les corps vivants, sont encore machines dans leurs moindres parties, jusqu'à l'infini. C'est ce qui fait la différence entre la nature et l'art, c'est-à-dire, entre l'art divin et le nôtre.

*(**La Monadologie,** 1714, éd. Émile Boutroux, Delagrave, § 64)*

49/19 Chaque portion de la matière peut être conçue comme un jardin plein de plantes, et comme un étang plein de poissons. Mais chaque rameau de la plante, chaque membre de l'animal, chaque goutte de ses humeurs est encore un tel jardin ou un tel étang.

*(**Id.,** § 67)*

NIETZSCHE

49/20 On proclame d'un air de triomphe que « la science commence à se rendre maîtresse de la vie ». Il se peut qu'elle y arrive, mais il est certain que la vie ainsi dominée n'a plus grande valeur, parce qu'elle est beaucoup moins une vie et garantit pour l'avenir beaucoup moins de vie que ne le faisait jadis cette même vie, dominée non par la science mais par les instincts et par quelques fortes illusions.

*(**Considérations inactuelles** 1873-76, trad. G. Bianquis, Aubier-Montaigne, p. 313)*

49/21 Les physiologistes devraient réfléchir avant de poser « l'instinct de conservation » comme l'instinct cardinal de tout être organique. Le vivant veut avant tout dépenser sa force : la « conservation » n'en est qu'une conséquence entre autres.

*(**La Volonté de puissance,** posth.,* ***Werke,*** *Leipzig, vol. XV-XVI, trad. G. Bianquis, Gallimard, t. I, p. 221)*

PLATON

49/22 Les vivants ne proviennent pas moins des morts que les morts ne proviennent des vivants.

*(**Phédon,** 72 a)*

49/23 Qu'est-ce qui, en se produisant dans un corps, le rendra vivant? — Ce qui le rendra vivant, c'est l'âme.

*(**Id.,** 105 c)*

VOLONTÉ

ALAIN

50/1 Je ne sais pas si la justice sera, car ce qui n'est pas encore n'est pas objet de savoir ; mais je dois la vouloir, c'est mon métier d'homme. Et comment vouloir sans croire?

(2 déc. 1912, in ***Propos II,*** *n° 198, Pléiade, Gallimard, p. 280)*

50/2 L'expérience fait promptement connaître que l'indétermination des pensées est un mal plus grand que l'essai d'une nécessité inflexible, contre laquelle le vouloir se fortifie, et où il trouve même son appui.

*(**Système des Beaux-Arts,** 1920, chap. VI,* in ***Les Arts et les Dieux,*** *Pléiade, Gallimard, p. 235)*

50/3 Chacun a ce qu'il veut. La jeunesse se trompe là-dessus parce qu'elle ne sait bien que désirer, et attendre la manne. Or il ne tombe point de manne ; et toutes les choses désirées sont comme la montagne, qui attend, que l'on ne peut manquer. Mais aussi il faut grimper.

*(**Propos sur le Bonheur,** 1928, chap. XXVIII,* ***Discours aux ambitieux,*** *Gallimard, NRF, p. 88)*

50/4 Le pilote ne se dit point qu'il aurait dû ne pas partir, ou prendre une autre route ; mais, de la route qu'il a prise, il veut faire la bonne route. N'ayant plus à choisir, sinon entre vouloir et subir, il veut, afin que le choix soit bon.

(janv. 1928, in ***Propos II,*** *n° 432, Pléiade, Gallimard, p. 736)*

50/5 Les travaux d'écolier sont des épreuves pour le caractère, et non point pour l'intelligence. Que ce soit orthographe, version ou calcul, il s'agit d'apprendre à vouloir.

*(**Id.,** n° 487, mars 1929, p. 782)*

50/6 Jamais je ne crus que le vouloir fût une résultante. Selon moi, c'était au contraire un commencement, le commencement de toute pensée, le réveil, pour tout dire.

*(**Histoire de mes pensées,** 1936, chap.* ***Foi,*** *in* ***Les Arts et les Dieux,*** *Pléiade, Gallimard, p. 110)*

AUGUSTIN (saint)

50/7 L'âme donne des ordres au corps, et elle est obéie sur-le-champ. L'âme se donne à elle-même des ordres, et elle se heurte à des résistances. L'âme donne l'ordre à la main de se mouvoir, et c'est une opération si facile qu'à peine distingue-t-on l'ordre de son exécution. Et cependant l'âme est âme et la main est corps. L'âme donne à l'âme l'ordre de vouloir: l'une ne se distingue point de l'autre, et pourtant elle n'agit pas. D'où vient ce prodige?

*(**Les Confessions,** trad. Joseph Trabucco, Garnier-Frères, livre VIII, chap. IX)*

BAYLE

50/8 Si nous comptions bien, nous trouverions dans le cours de notre vie plus de velléités que de volitions, c'est-à-dire plus de témoignages de la servitude de notre volonté que de son empire. Combien de fois un même homme n'éprouve-t-il pas qu'il ne pourrait faire un certain acte de volonté, y eût-il cent pistoles à gagner sur-le-champ, et souhaitât-il avec ardeur de gagner ces cent pistoles, et s'animât-il de l'ambition de se convaincre par une preuve d'expérience qu'il est le maître chez soi?

*(**Réponse aux questions d'un provincial,** 1703-1707,* in ***Bayle,*** *éd. Sociales, p. 164)*

BERGSON

50/9 Chacun de nos actes vise une certaine insertion de notre volonté dans la réalité.

*(**L'Évolution créatrice,** 1907, chap. IV, **Le Devenir et la Forme**)*

DESCARTES

50/10 Il n'y a que la volonté seule ou la seule liberté du franc arbitre que j'expérimente en moi être si grand que je ne conçois pas l'idée d'aucune autre plus ample et plus étendue, en sorte que c'est elle principalement qui me fait connaître que je porte l'image et la ressemblance de Dieu.

*(**Méditations métaphysiques,** 1641, méditation quatrième)*

50/11 Désirer, avoir de l'aversion, assurer, nier, douter, sont des façons différentes de vouloir.

*(**Les Principes de la philosophie,** 1644, Ire partie, 32)*

50/12 La volonté est tellement libre de sa nature, qu'elle ne peut jamais être contrainte.

*(**Les Passions de l'âme,** 1649, art. 41)*

ÉPICTÈTE

50/13 « Mais le tyran enchaînera... » Quoi ? ta jambe. « Mais il tranchera... » Quoi ? ta tête. Qu'est-ce qu'il ne peut ni enchaîner ni retrancher ? Ta volonté.

*(**Entretiens,** I, XVIII, trad. Émile Bréhier,* in ***Les Stoïciens,*** *Pléiade, Gallimard, p. 851)*

HUME

50/14 Par *volonté*, je n'entends rien d'autre que l'impression interne que nous ressentons et dont nous avons conscience, quand nous engendrons sciemment un nouveau mouvement de notre corps ou une nouvelle perception de notre esprit.

*(**Traité de la nature humaine,** 1739, trad. A. Leroy, Aubier-Montaigne, 1946, livre II, troisième partie, section I, t. II)*

KANT

50/15 Toute chose dans la nature agit d'après des lois. Il n'y a qu'un être raisonnable qui ait la faculté d'agir *d'après la représentation* des lois, c'est-à-dire d'après les principes, en d'autres termes, qui ait une *volonté*.

*(**Fondements de la métaphysique des mœurs,** 1785, deuxième section, trad. V. Delbos, Delagrave, p. 122)*

50/16 *L'autonomie* de la volonté est le principe unique de toutes les lois morales et des devoirs qui y sont conformes.

*(**Critique de la raison pratique,** 1788, première partie, livre premier, chap. premier, § 8, trad. Picavet, P.U.F., p. 33)*

MALEBRANCHE

50/17 Il me paraît très certain que la volonté des esprits n'est pas capable de mouvoir le plus petit corps qu'il y ait au monde ; car il est évident qu'il n'y a point de liaison nécessaire entre la volonté que nous avons, par exemple, de remuer notre bras, et le mouvement de notre bras.

*(**De la recherche de la vérité,** 1675, 6e éd. 1712, livre sixième, deuxième partie, chap. III, éd. G. Rodis-Lewis, Librairie J. Vrin, t. II, p. 202)*

50/18 Nous voyons que les hommes qui ne savent pas seulement s'ils ont des esprits, des nerfs et des muscles remuent leur bras, et le remuent même avec plus d'adresse et de facilité que ceux qui savent le mieux l'anatomie. C'est donc que les hommes veulent remuer leur bras et qu'il n'y a que Dieu qui le puisse et le sache remuer.

*(**Ibid.**)*

MONTAIGNE

50/19 Je vous donne à penser, s'il y a une seule des parties de nostre corps qui ne refuse à nostre volonté souvent son opération, et qui souvent ne l'exerce contre nostre volonté. Elles ont chacune des passions propres, qui les esveillent et endorment, sans nostre congé.

*(**Essais,** 1580-1595, livre I, chap. XXI, Pléiade, Gallimard, p. 129)*

NIETZSCHE

50/20 Nous rions de celui qui sort de sa chambre au moment où le soleil sort de la sienne et qui dit : « *je veux* que le soleil se lève » ; et de celui qui ne peut arrêter une roue et dit : « *je veux* qu'elle roule » ; et de celui qui est terrassé à la lutte et dit : « je suis à terre, mais *je veux* être à terre ! » Mais malgré tous nos rires, ne nous conduisons-nous pas comme ces trois-là chaque fois que nous employons l'expression : « *je veux* » ?

*(**Aurore,** 1880, § 124, trad. J. Hervier, Gallimard)*

50/21 La théorie de la volonté a été essentiellement inventée à des fins de châtiment, c'est-à-dire par « *désir de trouver coupable* ».

*(**Crépuscule des idoles ou Comment philosopher à coups de marteau,** « Götzen-Dämmerung », 1888, traduit de l'allemand par Jean-Claude Hemery, Idées/Gallimard, p. 64)*

ROUSSEAU

50/22 C'est la seule tiédeur de notre volonté qui fait toute notre faiblesse, et l'on est toujours fort pour faire ce qu'on veut fortement : *volenti nihil difficile.*

*(**Émile ou De l'éducation,** 1762, livre quatrième, in **Œuvres complètes,** éd. du Seuil, t. 3, p. 223)*

SARTRE

50/23 Je peux vouloir adhérer à un parti, écrire un livre, me marier, tout cela n'est qu'une manifestation d'un choix plus originel, plus spontané que ce qu'on appelle volonté.

*(**L'existentialisme est un humanisme,** 1946, Nagel, p. 23)*

SCHOPENHAUER

50/24 Comme ce que la volonté veut, c'est toujours la vie, c'est-à-dire la pure manifestation de cette volonté, dans les conditions convenables pour être représentée, ainsi c'est faire un pléonasme que de dire : « la volonté de vivre », et non pas simplement « la volonté », car c'est tout un.

*(**Le monde comme volonté et comme représentation,** 1819, trad. A. Burdeau, revue et corrigée par R. Roos, P.U.F., p. 350)*

50/25 Ce que l'homme veut proprement, ce qu'il veut au fond, l'objet des désirs de son être intime, le but qu'ils poursuivent, il n'y a pas d'action extérieure, pas d'instruction, qui puissent le changer ; sans quoi, nous pourrions à nouveau créer l'homme.

*(**Id.,** p. 374)*

SPINOZA

50/26 Entre la volonté d'une part et telle ou telle volition de l'autre, il y a le même rapport qu'entre la blancheur et tel ou tel blanc, ou entre l'humanité et tel ou tel homme ; si bien que l'impossibilité est la même de concevoir la volonté comme la cause d'une volition déterminée et l'humanité comme la cause de Pierre ou de Paul.

*(**Lettre II,** à Oldenburg, 1661,* in ***Œuvres,** t. IV, Garnier-Frères, p. 124)*

THOMAS D'AQUIN (saint)

50/27 On ne dit pas qu'un homme est bon parce qu'il a l'esprit bon, mais parce qu'il a une volonté bonne.

*(**Somme théologique,** 1267-1273, I, quest. 5, art. 4)*

WEIL (Simone)

50/28 La volonté n'a de prise que sur quelques mouvements de quelques muscles.

*(**La Pesanteur et la Grâce,** 1947, Plon et 10/18, p. 118)*

TABLE DES AUTEURS CITÉS

TABLE DES AUTEURS CITÉS

■ Les noms en caractères gras sont ceux des auteurs inscrits au programme de philosophie des classes terminales.

■ Les références indiquent respectivement, séparés par une barre oblique, le numéro de la notion et celui de la (ou des) citation(s) correspondante(s). Ainsi, la référence 2/1.2.3.4.5 désigne les cinq premières citations de la notion 2 (ART).

TABLE DES NOTIONS

Table des notions

Table des notions

Dans la même collection :

- S. AUROUX, Y. WEIL, *Dictionnaire des auteurs et des thèmes de la philosophie.*
- G. HACQUARD, *Guide mythologique de la Grèce et de Rome.*
- M. BOUTY, *Dictionnaire des œuvres et des thèmes de la littérature française.*
- H. BÉNAC, *Guide des idées littéraires.*
- A. BRUNET, *La Civilisation occidentale.*
- J. BURLOT, *La Civilisation islamique.*
- X. DARCOS, *Histoire de la littérature française.*
- A. HAMON, *Les Mots du français.*
- A. SILEM, *Encyclopédie de l'économie et de la gestion.*

Imprimé en France par Hérissey à Évreux (Eure) — N° 57291
Dépôt légal : N° 7229-02-1992 — Collection N° 16 — Édition N° 02

16/6069/5